ZERO

DENIS GUEDJ

ZERO
Ou as cinco vidas de Aemer

Romance

Tradução:
DOROTHÉE DE BRUCHARD

CIA. DAS LETRAS

Ouvrage publié avec le soutien du Centre National du
Livre – Ministère français chargé de la culture.
[Obra publicada com o apoio do Centro Nacional do
Livro – Ministério francês da cultura.]

Título original:
Zéro ou Les cinq vies d'Aémer: roman

Capa:
Kiko Farkas/ Máquina Estúdio
Elisa Cardoso/ Máquina Estúdio

Preparação:
Claudia Abeling

Revisão:
Carmen S. da Costa
Daniela Medeiros

Dados Internacionais de Catalogação na Publicação (CIP)
(Câmara Brasileira do Livro, SP, Brasil)

Guedj, Denis
   Zero ou as cinco vidas de Aemer : romance / Denis
Guedj ; tradução Dorothée de Bruchard. — São Paulo :
Companhia das Letras, 2008.

   Título original: Zéro ou les cinq vies d'Aémer.
   ISBN 978-85-359-1190-9

   1. Ficção francesa. I. Título. II. Título: As cinco vidas
de Aemer

08-00991   CDD-843

       Índice para catálogo sistemático:
       1. Ficção : literatura francesa 843

2008

Todos os direitos desta edição reservados à
EDITORA SCHWARCZ LTDA.
Rua Bandeira Paulista 702 cj. 32
04532-002 — São Paulo — SP
Telefone (11) 3707-3500
Fax (11) 3707-3501
www.companhiadasletras.com.br

SUMÁRIO

1. Os pântanos, 7

2. Mesopotâmia, 34

3. Ur, 98

4. Babilônia, 142

5. Bagdá, 180

6. Iraque, 252

Glossário, 271

1

OS PÂNTANOS

Aemer se insinuou por entre as crateras. O barulho gelou-lhe o sangue. Não erguer os olhos, não dar esse gostinho para eles. Continuar caminhando. "Cinco..." Longe, bem longe acima da sua cabeça, o poder de morte concentrado no polegar calmo do piloto acompanhava a contagem regressiva. Aemer pôs-se a correr. Ziguezagueando pelo solo arruinado, como se isso ainda pudesse mudar alguma coisa. "Quatro..." Estava tudo recomeçando exatamente igual à auto-estrada da morte. Doze anos, já. Aemer pôs a mão no coração. "Três..." Com o olhar aguerrido dos profissionais que sabem distinguir os artefatos, Aemer avistou-a no fundo da cratera, emergindo da terra revolvida. Deteve sua corrida. "Dois..." Inclinou-se. Abriu a mão, afagou-a. Inclinou-se mais um pouco, no limite do desequilíbrio. "Um..." Seus dedos se fecharam sobre a pedra de argila como quem se agarra à mão que salva. Resplandecentes reencontros. "Zero!"

No céu puro, acima dos pântanos, o polegar competente do piloto apertou o botão. A tonelada de metal liberada veio roendo a altitude.

Obeid deteve-se à beira da cratera. A posição do corpo, decerto. A menos que fosse a mão, descansando no peito, ou a outra mão, fechada na extremidade do braço estendido. Mais tarde, ele lembrou que o rosto, apenas o rosto, retivera a sua atenção. Coberto com uma película de terra caramelizada, pulverizada pelo sopro da bomba. Estátua de argila cozida ao sol da Mesopotâmia.

Obeid escorregou para o fundo da cratera, afastou a mão que descansava no peito, colocou a sua no lugar. Mais tarde, lembraria ter observado uma ligeira pulsação, uma duna discreta em meio às areias mornas. Concentrou-se, auscultou com a ponta dos dedos. Bem lá no fundo, algo se mexia. Tantos e tantos cadáveres desde muitos anos. Finalmente, uma vida roubada à guerra! Soltou a crosta de argila. O rosto apareceu, surpreendentemente relaxado. Feições delicadas, nariz reto e fino, cílios longos envoltos numa ganga arruivada. Grandes círculos pálidos ao redor dos olhos indicavam o uso de óculos de sol. E, surpresa, finos lábios acaju conservavam um sorriso que não tinha fim.

Primeiro, foi a mão que se abriu. Ocupado em espreitar o frêmito das pálpebras, Obeid não prestou atenção. Aemer só vislumbrou uma massa escura, envolta num halo luminoso, tapando-lhe o sol. Um homem de rosto invisível tateava-lhe a testa.

O estrondo do avião, a carreira em ziguezague, o fogo no peito, o sopro rente ao chão, o susto de se sentir projetada — nada mais: não lembrava de onde vinha, nem para onde ia. Virou a cabeça, avistou o pequeno cone de argila na palma da mão. Ao se abaixar para apanhá-lo, na cratera, escapara aos bombardeios americanos. O seu sorriso, brutalmente interrompido, explodiu. Um *calculus* sumério com mais de cinqüenta séculos acabava de lhe salvar a vida.

Em voz baixa — temendo, decerto, que encerrado a dez mil pés de altura, na sua cabine hermética, o piloto de polegar tranqüilo a ouvisse — ela murmurou coisas que Obeid não conseguiu entender. Alguns estremecimentos, e então seu corpo foi sacudido por espasmos. Velhos sentimentos encarcerados aproveitaram para escapar. Compreendendo que ela não conseguiria parar sozinha, que levaria demasiado tempo, Obeid segurou-a pelos ombros, estreitou-a nos braços. Ela se acalmou.

Aquele misto de contentamento e pavor que habitava a desconhecida o perturbava.

O barulho rasgou mais uma vez o silêncio. O avião de caça estava de volta. Louca de raiva, Aemer ergueu-se no fundo da cratera. Com todas as suas forças recobradas com a fúria, jogou o *calculus* no rastro escuro que sujava o céu. Ínfimo ponto no firmamento, a pedra de argila subiu rumo ao norte.

Obeid ajudou-a a sair da cratera. Joelhos, tornozelos, ombros, pulsos, cotovelos, estava tudo funcionando. Ela estava ilesa. Seu nome não iria acrescentar-se à lista dos mortos da Segunda Guerra do Golfo. Ela se pôs a vasculhar os bolsos. Um punhado de dinares, dólares e um xalezinho azul amarrotado. Do bolso traseiro da calça jeans, tirou um passaporte amassado. Obeid pegou-o. Passaporte francês: Aemer Arcy, um endereço em Paris. Dois pedaços de papel caíram do fino livreto. Um cartão profissional escrito em árabe e inglês: *República do Iraque. Sítio arqueológico de Uruk-Warka. Aemer Arcy. Arqueóloga.* E uma foto três por quatro: "É seu marido? Seu... namorado?". Nenhuma resposta. Obeid tornou a examinar a foto e depois fitou Aemer. A semelhança era impressionante. Estendeu-lhe a foto. Ela mergulhou dentro dela, ergueu a cabeça, olhar perdido. Um versinho escapou dos seus lábios: "Sylvere, Aemer. Sylvere, Aemer". As palavras ecoaram no silêncio do deserto. Por fim, murmurou: "Sylvere. Meu irmão". Em seguida, altiva: "Sou a mais velha. Dois minutos e meio antes".

Obeid meneou a cabeça, incrédulo. Em plena guerra, no meio dos pântanos, a quilômetros da aldeia mais próxima, viera topar com a metade de um casal de gêmeos! Só conseguiu perguntar, bobamente: "Ele também é arqueólogo?".

Ela olhou para ele, desconcertada. Imaginou Sylvere de shorts, chapéu de palha, mãos cheias de terra, unhas pretas. Na realidade, de avental verde-água, luvas anti-sépticas, máscara cirúrgica... Ele veio-lhe à memória. Professor Sylvere Arcy. Cardiologia, cirurgia. Hospital La Pitié-Salpêtrière.

"Por que está aqui sozinha?"

"Por quê?", ela repetiu. "O avião", balbuciou. E acrescentou, para se desculpar: "É só isso".

Ele tinha visto o avião, tinha ouvido as explosões. A rotina, de fato.

"Vamos sair daqui!"

Ela estendeu a mão na direção do cinto de Obeid. Ele levou um instante para entender, recusou com a cabeça. Ela aproximou-se, pôs a mão numa das granadas presas à cintura dele. "Por favor." Ele desprendeu a granada e passou para ela. Resolvera dar-lhe um voto de confiança. Não percebeu que tinha deixado a metralhadora a tiracolo. Ela, sim, percebeu.

"Você consegue andar depressa?"

"Consigo."

Afastaram-se. Mal tinham tempo de voltar antes que a noite chegasse. Obeid não conseguia livrar-se da impressão de já conhecer aquela situação. Aemer andava ao seu lado, dócil, olhando aplicadamente para tudo o que a rodeava. Ela despertava-lhe uma vaga lembrança.

Da luxuriante vegetação que fizera daquela região um lugar único no mundo, nada restava. Como é que aquilo tudo, que levara milênios para se elaborar no movimento seguro da natureza, podia ter sido apagado em uns poucos anos? Aqui, cinco mil anos atrás, estendia-se o Éden.

Impedir os peixes de serem como peixes n'água. Os peixes eram os combatentes, e os Madan, "a gente dos pântanos", habitantes imemoriais do Chatt el-Arab, o delta em que o Tigre e o Eufrates se encontram.

Neste complexo pedaço do mundo que se estende entre o deserto e o Golfo Pérsico, a tarefa dos soldados de Saddam Hussein foi muitíssimo menos devastadora que a dos engenheiros. Diques, estradas, canais de derivação, barragens, erguidos com a aplicação de quem constrói para destruir. Impedir a água dos rios de chegar aos pântanos. Sem água, não há juncos, não há mais civilização dos pântanos. E o sal aspirado pela debandada das águas, emerso das profundezas, mostrando-se em placas descoradas sobre o solo exangue. O sal da terra — a morte da terra, isso sim!

O Pequeno Príncipe! Sim. Obeid estava vivendo a mesma aventura. O deserto... o encontro improvável... Em criança, sempre se negara a imaginar o que teria acontecido ao aviador se não tivesse tido uma pane no motor. O Pequeno Príncipe lembrava-se de tudo, Aemer de nada. Uma princesa sem estrela, uma princesa sem memória.

Ela passou à sua frente, postou-se diante dele. "Se formos separados, não vou saber reconhecê-lo, ainda não olhei para você." Ele deu de ombros a fim de disfarçar o embaraço: "Olhe!", ele exclamou. Cerca de trinta anos, pele clara, uma espécie de cabila iraquiano, lábios finos e longos, olhinhos cinza-azulados de onde saía um feixe de minúsculos sulcos. Um rosto em que as linhas excediam as superfícies.

"Você não me disse o seu nome."

"Ora, quando somos apenas dois, o outro é o outro. É um dos únicos casos em que dois é mais simples. Meu nome é Obeid."

"Igual ao sítio arqueológico?"

"Igual ao sítio arqueológico. Um nome antigo, não é? Seis mil anos! Eu sempre fui um menino velho." Ela finalmente sorriu.

"Eu sou..."

"Eu sei, li no seu passaporte, e você disse antes de abrir os olhos. Aemer, certo?"

"Eu não disse mais nada?"

"Disse. Aemer. Duas vezes seguidas."

"Quer dizer que comecei a gaguejar?", preocupou-se.

"É, é", ele confirmou, insistindo na repetição. "Você ainda está com argila no rosto", ele observou, tirando as últimas placas.

Foi então que ela percebeu que eles estavam conversando em francês. Obeid tinha apenas um leve sotaque.

Ele estudara no liceu francês de Bagdá. Sempre sonhara em ir a Paris e estudar no Conservatório, preparara tudo para essa viagem, comprara a passagem com bastante antecedência. Estourou a guerra. Não lhe devolveram o dinheiro da passagem. Desde então, estivera ocupado. Mas depois, depois, ele iria a Paris, tinha prometido a si mesmo. "Agora vai ser mais fácil, já conheço uma francesa." Ela inquiriu-o com o olhar. Ele caiu na risada: "Você! Agora nos conhecemos, senhora... senhorita Aemer Arcy". Estreitou os olhos, travesso. "Você talvez estivesse escondida aí desde sempre, e a bomba tenha revelado você." "Enterrada?", ela exclamou. "Por que diz isso?" Ele sentiu certa fúria no seu rosto. "Eu não disse enterrada, eu disse escondida", ele respondeu, irritado. E apaziguou-se. "Encoberta, apenas." Lágrimas brilharam nos olhos de Aemer. Ele soube que acabava de machucá-la.

A paisagem readquiria vida, o sol ficava mais flexível, as crostas de sal mais raras. Lençóis d'água afloravam aqui e ali, fragmentos de vegetação. Ainda fazia muito calor. Tendo chegado à zona dos pântanos, achavam-se agora ocultos pelos juncos. Enquanto andavam, ela disse de mansinho, sem olhar para ele:

"Eu talvez devesse dizer obrigada. Eu devo a vida a você."

A resposta dele mexeu com ela:

"Você deve a vida aos seus pais, somente a eles."

Os juncos movimentaram-se, a ponta de uma piroga apareceu. Na parte traseira, com uma espingarda automática diante de si, um homem roçava a água com seu remo.

"Hindi, é você!", exclamou Obeid.

"Por que você não assobiou? Quer se matar? Dá para ouvir você até em Bagdá", disse o homem, em árabe, sem sequer olhar para Aemer.

Ao se aproximar, Obeid deveria ter imitado o canto do *warbler* dos juncos de Basra; seu esquecimento poderia ter lhes custado a vida. Hindi jogou um remo para ele. Obeid agarrou-o ainda no ar e sentou-se na frente. Aemer insinuou-se no meio.

Vogaram pela água tépida enquanto findava o dia.

Terra e água entremeadas. Nos pântanos, onde começa uma, onde termina a outra? Essa imbricação incessante que manda para os ares a estrita nomenclatura dos estados da matéria tranqüilizava Aemer. A Camarga. Outro delta, desta vez com um único rio, o Reno. Lá passara a juventude depois do desaparecimento — ela se negava a dizer "a morte" — de seus pais. Já naquele tempo ela passava a vida escavando o solo. Mais que uma paixão, uma pulsão. Trazendo para o seu quarto toda sorte de objetos que a avó mais que depressa jogava no lixo e que Aemer ia repescar antes de o caminhão recolher. Para ela, tudo o que estivera sepultado na terra tinha um valor. O valor de ter sido libertado.

"O que é que você queria? Que eu deixasse ela lá?", rosnou Obeid.

"Quem garante que ela não foi enviada pelos serviços do Saddam?"

"Você queria que a gente chacoalhasse ela um pouco, para ver se falava?", perguntou Obeid em tom cínico.

"Você não leva nada a sério."

"Estou cheio de ser sério. Isso já dura doze anos."

"Eu ficaria cem anos, se fosse preciso."

"Ela é bonita, você não acha?"

"Não é tão jovem."

"Trinta anos, não mais."

Aemer aprendera árabe nas escavações, com os operários. Compreendia, mas falava mal. A discussão entre Obeid e Hindi tirara-a do seu sono.

Não é tão jovem, isso ela tinha entendido. Não teve tempo de escutar mais.

Novamente o barulho, ensurdecedor. O avião tornou a passar pelo céu. Está me seguindo, esse idiota! Não, nem é isso! Você não o interessa mais, garota, ele está voltando para a base, orgulhoso com sua missão cumprida. Aemer não pôde deixar de imaginar o piloto no seu cubículo, musculoso, o rosto — por que não? — inteligente. Matar à distância, sem riscos. Sem mísseis, sem perseguição inimiga, sem nada para se preocupar, fácil: para que se incomodar?

Zero morto(s)!

Obeid deu uma banana para ele.

"Está louco", exclamou Hindi. "Você sabe muito bem que

eles enxergam tudo. Você coça o s..., e..." Calou-se, havia uma mulher a bordo. "Eles enxergam você lá de cima, enxergam até com que mão você está coçando."

Que sujeito vulgar, pensou Aemer enquanto ele continuava a resmungar.

"O que deu nele? É essa mulher, está virando a cabeça dele... esquece de assobiar... metralhadora a tiracolo... dá uma granada para ela... vai acabar ficando perigoso."

Havia dez anos que formavam uma equipe, já não contavam as vezes em que tinham salvado a vida um do outro. Ele era toda a sua família. "Você não presta mais atenção, irmão, depois de tanto tempo você acha que se não o pegaram, não pegam nunca mais. Você está enganado. Não existe lei. Baixou a guarda, está morto. Talvez também a gente não consiga ficar tanto tempo alerta. Se você está morto, não pode mais se vingar. Isso sim me mataria. A gente tem que durar para fazer com que eles paguem o mais caro possível."

Obeid assobiou. O canto do *warbler* dos juncos de Basra. Um barulho de morteiro respondeu, assinalando a chegada deles. Hindi amarrou a canoa. Uma aldeia lacustre. Uma das últimas remanescentes, as outras tinham sumido com o recuo das águas.

Uma mulher muito jovem, não mais que dezesseis anos, veio na direção de Hindi. Aemer entendeu por que ele a achara "não tão jovem". Dirigiram-se para o *mudhif*, no centro da aldeia. O xeque os recebeu com as frases convencionais, convidou-os a tomarem assento. A cafeteira sobre o fogão foi a primeira coisa que Aemer vislumbrou no imenso espaço sombrio. Nenhuma palavra foi pronunciada antes que o café fosse servido. O líquido escaldante desceu-lhe pela garganta. Aemer não recusou uma segunda xícara. Obeid esperou que todos tivessem terminado de beber para relatar sucintamente as circunstâncias em que descobrira a *françaouia*.

O céu estava negro e a tela, branca.

Colunas de fumaça tornavam a atmosfera irrespirável. Poços de petróleo ardiam para o sul, decerto em Uum Qasr.

Depois de várias tentativas, foi preciso render-se à evidência, a tevê não estava funcionando. Só se ouvia *"out"* e *"kaputt"*. "Como é que vocês chamam isso?", perguntou Obeid. "Quebrado, pifado, detonado..." "Em Uruk eles dizem *'schlass'*." Uruk ficava muito próximo aos pântanos, um pedaço de terra alemã no meio do deserto. Equipes de arqueólogos alemães trabalhavam naquele sítio há mais de vinte anos. Suas expressões familiares tinham se espalhado por toda a região. Ante o fiasco da tevê, o xeque propôs que se instalassem em sua cabana. Os aldeões não conseguiram entrar todos, alguns ficaram do lado de fora.

Um antigo aparelho de rádio a válvula reinava em cima de uma mesa, num canto. Não era preciso enxergá-lo. Contudo, todos procuravam avistar o aparelho. O xeque se pôs a procurar uma estação audível.

Homens e mulheres escutavam, sérios. Devia ser assim no tempo da Resistência, na França, refletiu Aemer. Mas aqui não havia general falando de fora do país,* não havia exércitos de exilados. O exílio era no interior.

"Dia A, de Aerials Attacus", acaba de declarar o Pentágono, ao lançar a campanha maciça de bombardeios. Não é A, é AA, Obeid não conseguiu evitar de corrigir mentalmente. De Aemer Arcy. Ou melhor, AAA, Aemer Arcy Arqueóloga.

Teve início a operação "Liberdade do Iraque". Ao amanhecer, as forças de coalisão lançaram a ofensiva terrestre. Depois de transpor a fronteira kuwaitiana, uma coluna de tanques está rumando para o norte, na rodovia da morte, inteiramente reconstruída após a Guerra do Golfo.

A fronteira entre o Kuwait e o Iraque será fechada a partir deste momento para impedir a passagem de jornalistas e soldados da força de paz.

Bagdá. Um dilúvio de fogo abateu-se sobre o centro da cidade. Enormes colunas de fumaça erguem-se no céu. O principal palácio

---

* Referência ao general de Gaulle, que durante a II Guerra Mundial dirigia-se à Resistência francesa a partir da Inglaterra, pela rádio BBC. (N. T.)

presidencial e o Ministério do Planejamento, uma das fortalezas da guarda republicana especial, foram atacados por mísseis durante cerca de quinze minutos. Basra. Silêncio absoluto. *A sede do partido Baas e a da televisão estatal foram destruídas pela força aérea americana.*

Os homens entreolharam-se. "Por isso é que a tevê está *out.*" Um grito de alegria ecoou. Alguns tinham lágrimas nos olhos. Há tanto tempo esperavam por isso. *Combates encarniçados em Uum Qasr. Porto estratégico no Golfo Pérsico, Uum Qasr é a única saída iraquiana para o mar.*

Contrariamente ao que tinham anunciado, as forças de coalisão nem sempre conseguiram apoderar-se dos poços de petróleo de Basra, nem dos terminais petrolíferos de Uum Qasr e da região de Fao. O controle dos campos petrolíferos é uma etapa importante no dispositivo anglo-americano.

Aemer estava precisando se lavar.

Obeid acompanhou-a até a casa de Asma, uma mulher de uns cinqüenta anos, e retirou-se depois de lhe lançar um olhar de encorajamento. Asma abriu um baú de madeira, tirou de dentro algumas coisas.

Elas se detiveram atrás da aldeia, diante de um pequeno açude cercado de juncos, protegido dos olhares. Sobre uma pedra, um pedaço de sabão e um tufo de crina. Compreendendo que Asma não tinha a intenção de se virar, Aemer começou a despir-se. Sentiu vergonha da sujeira de suas roupas e do cheiro que exalava. Sem pudor, nua, meteu-se na água até o pescoço, fechou os olhos.

O pulso enérgico de Asma manejando a crina ensaboada trouxe-a de volta ao presente. Ela vai arrancar minha pele, pensou receosa. O sabão cheirava bem, lembrava um pouco o sabão de Marselha. Quando Asma esfregou-lhe a cabeça, Aemer cerrou as pálpebras. Apesar disso, entrou sabão nos seus olhos. Era sempre assim. Depois, Asma começou a passar o pente fino em seus cabelos.

Um pente fino! Fazia vários anos que não via um pente fino.

Duas vezes por semana, sua avó a penteava com um. Pálpebras fechadas, Aemer espreitava o estalido da unha esmagando as lêndeas descoradas trazidas pelos dentes apertados do pente. A sua avó sabia "matar os piolhos na casca"; o prazer que ela sentia nesse massacre dos inocentes era contagiante. Para poder ouvir de novo aquele alegre estalido, Aemer teria juntado em sua cabeleira o maior número de parasitas possível.

O que Asma estava puxando com o pente não eram piolhos, eram grãos.

"Você tomou um banho de areia!", ela exclamou.

Aemer enfiou a túnica ampla que deslizou até os seus pés, feito cortina. Ela que sempre só usara calças compridas sentiu-se perdida ali dentro. Uma estaca sustentando uma lona de barraca. Era a sua segunda túnica. Entre aquela, branca vaporosa da sua primeira comunhão, e a preta pesada de hoje, o que havia, realmente, mudado para ela?

Sempre essa ausência que nada conseguira preencher.

Ela se inclinou para juntar suas roupas. Num gesto rápido, Asma pegou-as primeiro, com um ar ostensivamente enojado. Com o pé, apagou os vestígios do sabão na margem antes de se afastar.

Obrigada a jogar as pernas bem para a frente, de modo a que a parte de baixo da roupa não se prendesse nos seus pés, apressando-se para não ficar para trás, Aemer estava maravilhosamente leviana e ridícula. Asma virou-se. Exagerando seus movimentos feito criança, Aemer caiu na gargalhada. Pegou impulso e lançou-se numa audaciosa pirueta que não terminou bem. Estatelou-se, deu um gritinho, presa na túnica sem conseguir se desembaraçar. Tomada por um incontrolável acesso de riso, Asma soluçava: "Françaouia, françaouia". Depois, ajudando Aemer a se levantar, ergueu a parte de baixo da túnica, qual a cauda de um vestido de noiva, e precedeu-a numa travessia observada por toda a aldeia.

Detiveram-se em frente a uma cabana que pertencia à família de Kalila. Aemer escolheu uma túnica, comprida, pesada, de tecido encarnado, que lhe caía majestosamente aos tornozelos.

Ao avistá-la, Obeid deixou escapar um sorriso de satisfação. A túnica revelava-a. Era mesmo uma mulher. Obeid não diria isso para Hindi, mas achava Aemer mais bonita que Kalila; mais bonita não, mais grave, mais completa. "É a noiva de Hindi?" Ele aquiesceu. "E você é noivo? Casado?"

Ele meneou negativamente a cabeça.

Aemer encontrou Obeid próximo ao local onde eles tinham acostado dois dias antes. Ele estava desenhando no chão usando um pedaço de junco, com estranha intensidade, o corpo inteiro mobilizado pelo movimento da mão. Aemer reconheceu o desenho de uma clave de *sol*.

"Isso me faz bem", ele murmurou. "Há de tudo numa clave de *sol*! A rotação, ascensão, queda, respiração. A espiral cresce, você pega velocidade, você se abre e se deixa levar feito um pássaro por uma corrente quente. Que nem a Roda Gigante, em Viena."

Além da roda gigante, Obeid descobrira a música em Viena. Lá decidira se tornar compositor. Dotado de reais aptidões, lançara-se numa composição lírica promissora, mas a invasão do Kuwait o interrompera no meio de uma pauta. Fora enfiado dentro de um tanque.

"Até o momento, fiz muita guerra e um pouco de música. Passei um terço da minha vida com uma metralhadora na mão." Pegou num caderninho de música, tamborilou em cima dele. "A primeira sinfonia para *warbler*. Como vocês dizem *warbler*?" Era a primeira palavra que ele pedia para ela traduzir.

"Pintassilgo."

"Igual a... pintar? A primeira sinfonia para pintassilgo,

flauta transversa e fagote. Vou dedicá-la a você: 'Ao Pequeno Príncipe caído no meio dos pântanos. Obeid C. com pane de motor'. Vamos fazer o ensaio geral no *mudhif* lotado, você vai estar sentada na primeira fila, junto a meus pais." Uma sombra de tristeza passou pelo seu rosto. "Só vou compor esta sinfonia depois que os pintassilgos voltarem para os pântanos de Basra."

Depois de lavar as roupas de Aemer, Asma entregou-lhe os dinares e dólares, batendo de leve na sua testa: "Onde está com a cabeça, minha filha?". Antes de devolver-lhe o passaporte, abriu-o, mostrou a foto: "*Zeina*".

Aemer folheou maquinalmente seu passaporte, sua atenção foi atraída pela última página carimbada: um visto de entrada no Kuwait.

"Que dia é hoje?", perguntou a Asma, tentando falar árabe.

Asma lhe disse.

Faz sete dias que aterrissei no Kuwait? O que será que fiz durante uma semana, entre a hora em que desembarquei e a hora em que acordei dentro da cratera?

Viúva, com os filhos expulsos pela pobreza e instalados em Basra, Asma morava sozinha. Ofereceu a Aemer que partilhasse a sua cabana. Um colchão sobre uma esteira. Aemer instalou-se. Sentia falta da sua escova de dentes. Ali, naquela cabana em meio aos pântanos, sentiu-se protegida. Aliás, mais pelas mulheres da aldeia do que pelo grupo de combatentes de Obeid e Hindi.

Asma entregou-lhe sua calça jeans, camiseta, meias e calcinha. Tudo o que ela possuía. Maquiou-a para disfarçar os círculos pálidos em volta dos olhos, que destoavam no seu rosto bronzeado.

O barulho do morteiro estrondeou. Ele anunciava um perigo. Aemer já não tinha tempo para se esconder. Asma jogou-se sobre ela, amarrou-lhe um xale em volta da cabeça antes de sentá-la numa esteira, entre ela e Kalila.

Aemer era uma delas.

Meia-dúzia de civis armados irromperam na aldeia. "Os fedaim de Saddam", murmurou Kalila, apavorada. Estavam à procura de comandos britânicos infiltrados. Puseram-se a vasculhar as cabanas. Um deles, com os olhos ocultos por trás de luxuosos óculos escuros, examinou as três mulheres. Aemer abaixou a cabeça. Asma fez uma pressão com a coxa para alertá-la. Aemer ergueu a cabeça em seguida e olhou para o miliciano. O seu coração batia em disparada. Sou uma mulher dos pântanos, sou uma mulher dos pântanos, repetia para si mesma. O homem se afastou. Kalila percebeu, horrorizada, que Aemer ainda estava com os sapatos. Puxou as dobras da túnica para dissimulá-los.

Os fedaim assediavam os aldeões com perguntas, humilhando um idoso, mais para mostrar que não tinham respeito a nada do que para arrancar-lhe alguma informação. Sabiam que ele não abriria a boca.

Depois que eles se foram, Asma fez um sinal a Aemer para que não se mexesse. Contando surpreendê-las, dois fedaim apareceram em seguida. Esperteza habitual. Foram embora, decepcionados. Explodiram os sorrisos. Aemer tirou o xale, mas resolveu ficar com a túnica de Kalila até sua partida. Trocou seus calçados de marcha, demasiado ocidentais, por sandálias de junco trançado.

Um pouco mais tarde, tiros estouraram ao longe. "É o grupo de Hindi, estão atacando os fedaim." Aemer olhou para Kalila: a preocupação petrificava o seu rosto. A fuzilada foi breve. O silêncio tornou a cair sobre os pântanos. Aemer flagrou-se esperando o regresso de Obeid.

Caiu a noite, a ansiedade crescia. O barulho do morteiro ecoou no silêncio. Kalila não se mexeu quando Hindi surgiu de trás da sebe de juncos com dois homens do seu grupo. Obeid não estava ao seu lado. Aemer ficou pálida. Alguns instantes depois, ele chegou mancando. Ela foi em sua direção. Isso não se fazia. As mulheres, constrangidas, baixaram a cabeça. Enquanto Aemer abraçava Obeid, ele colocou algo na sua mão. Um luxuoso par de óculos escuros.

Aemer esperou impacientemente o final da refeição. Eles se afastaram o mais discretamente possível. Ela tirou a túnica, colocou-a no chão. Os pântanos fecharam-se sobre eles. Amor de cegos protegidos por baldaquins de junco. Ele pôde, enfim, ter a medida da pulsação que o obcecava desde o instante em que pusera a mão sobre ela, ainda atônito com a surpresa que lhe causara aquele primeiro contato. Os mais lindos seios que já tinha acariciado. Impossível segurá-los, sempre davam um jeito de escapar. Quando a mão de Obeid sobrevoou seu peito à altura do coração, Aemer fez um movimento de recuo, parando de respirar. A mão imobilizou-se, silencioso helicóptero planando num vôo cheio de promessas, acompanhado pelo ruído das pás, que Obeid imitava com perfeição. Ali, até as imagens do amor se alimentavam de visões de guerra. Aemer retomou a respiração. Foi entre terra e carne, em pleno ar, que o amor se fez para ela.

Ela nunca adormecia depois. Ficava imóvel por longos minutos, ainda eletrizada, o corpo à espreita. Obeid descansava sobre ela, mantinha-a aquecida. Acima do ombro dele, o céu. Negro, tão negro, com miríades de estrelas. Certamente não era por acaso que a escrita dos números surgira naquele país. Contar as estrelas. Nisso os homens sempre tinham quebrado a cara. Ela tentou identificar as constelações. O Carro. Ela às vezes a chamava de Carro, às vezes de Grande Ursa. Cassiopéia, a Lira, a Cabeleira de Berenice, sua preferida. Em compensação, sempre tivera dificuldade para identificar os signos do Zodíaco, o Pastor, o Sagitário. Verdade é que eles não saíam da beira do céu, à diferença da Polar, sempre bem situada, essa era uma que sabia se fazer notar!

Foguetes iluminadores clarearam o céu a oeste. Obeid acordou, rolou de costas. Ofuscado, fechou os olhos. Aemer, de repente, sentiu muito frio. Ele a cobriu com sua roupa. Combatente reassumindo o controle, ele declarou: "Os comandos ingleses infiltrados estão indicando a posição, os aviões bombardeando. Decerto um grupo de fedaim, como o de hoje à tarde".

Deitados, fitaram o céu riscado de raios com toda a inocência, feito crianças com fogos de artifício.

"Você não tem medo de morrer?", ela perguntou.

"Tenho! Mas principalmente de ser torturado."

"Você sabe como os sumérios diziam morrer? Voltar para a argila. Morrer é voltar para a argila." Ela ficou pensativa. "Afinal, os mitos se fabricam como se fabricam os cestos, com o que houver à mão. O que os homens tinham à sua volta seis, sete mil anos atrás, perto de Uruk? Argila. Muito bem. Os deuses fabricaram os homens com argila. O que havia além disso? Mais argila? Muito bem. Os homens fabricaram tabuletas com o que ainda havia de argila. O que mais havia além disso? Juncos. Muito bem. Os homens talharam os juncos e, nas tabuletas de argila, escreveram contando como os deuses haviam fabricado os homens com argila. Também havia o sol. Muito bem. Os homens fizeram secar as tabuletas ao sol para que elas durassem tanto quanto os deuses que tinham fabricado os homens. Argila, sol, juncos, com isso você faz uma civilização que inventou os deuses, os mitos, a escrita e os números."

"Você ainda não me explicou por que morrer é voltar para a argila."

"Onde eu estava?"

"Sete mil anos atrás."

"No princípio, havia apenas deuses, é o que os homens precisavam acreditar. De dois tipos: os grandes deuses que não faziam coisa nenhuma, Enlil, Ea, Anu, Enki, e os pequenos, os *Igigu*, que trabalhavam para os grandes. Aos *Igigu*, todo o trabalho: cultivar a terra, preparar as refeições, cavar os rios, abrir os canais. Certo dia, eles se cansaram. Cruzaram os braços e não aceitaram trabalhar nem mais um dia. De certo modo foi a primeira greve."

Aemer caiu na gargalhada.

"Não só a primeira greve, como a primeira revolta proletária", ela acrescentou. "Eles queimaram suas ferramentas,

22

enxadas, foices e martelos, e marcharam para o palácio dos grandes deuses.

"Irritados com aquela barulheira, os grandes deuses mandaram Enki descobrir qual era o motivo.

" 'São os *Igigu*, estão dizendo que não querem mais trabalhar para nós.'

" 'Não querem mais trabalhar para nós?' Os grandes deuses entreolharam-se, perplexos. 'Mas nós é que não vamos fazer todo esse trabalho! Temos de forçá-los.'

" 'Eu talvez tenha uma solução', disse Enki. 'Vamos criar novos seres, que não serão deuses. Eles executarão o trabalho dos *Igigu* e não teremos mais problemas.'

" 'Combinado!'

"Os grandes deuses mandaram vir Mammi, a parteira divina: 'Você será a matriz dos homens'. Depois, imolaram Wê, um deus conhecido por ter 'espírito'. Mammi pegou um torrão de argila: 'Serás a carne dos homens', declarou, e depois apoderou-se do corpo de Wê: 'E tu serás o espírito'.

"Os homens de carne e espírito estavam prontos para o trabalho.

"Satisfeitos, os *Igigu* refletiram que tinham feito muito bem em se revoltar."

"Até lá em cima, a revolta vale a pena", interrompeu-a Obeid.

"Pare de aplicar tudo ao seu combate."

Ela demorou-se um tempo antes de prosseguir.

"Os homens puseram-se imediatamente ao trabalho. Criaram novas ferramentas, novos pratos para os deuses. Os campos cresceram. As gerações sucediam-se às gerações e as vozes somavam-se às vozes. Os homens faziam uma algazarra dos diabos."

"Algazarra?"

"É, barulho. Os deuses não conseguiam mais pregar o olho. Eles exigiram que cessasse aquela... algazarra. Mandaram epidemias, a algazarra persistiu. Fizeram parar as chuvas, interromperam as cheias, levantaram ventos quentes. As pradarias empalideceram, a terra se cobriu de sal, a fome se espalhou. Quantidades de homens morreram. Não o bastante! Os que restavam ainda faziam demasiada..."

"...algazarra."

"Decididos a acabar com isso, os deuses decretaram o dilúvio. Foi o primeiro genocídio. Enik estava em total desacordo, ele criara os homens, era responsável por eles. Foi ao encontro de um deles, Atrahasis, e ordenou-lhe que destruísse imediatamente sua casa e dela fizesse um barco. Suas instruções eram precisas: o barco terá sessenta metros de comprimento, sessenta de largura, sessenta de altura, compreenderá sete andares, separados em nove compartimentos. 'Você irá colocar um telhado e embarcar um casal de cada espécie viva, doméstica e selvagem. Você irá encher o barco de alimentos e bebida. Quando terminar o carregamento, fechará a escotilha e a tapará com betume.'

" 'Tão logo o barco entrou na água, as comportas celestes se abriram, os relâmpagos maltrataram o céu, o trovão se enfureceu, as trevas se abateram, a terra se quebrou feito um pote' ", diz o texto. "Os grandes deuses estavam apavorados.

"Era tarde demais para parar! Rompidos os diques do céu, o dilúvio tinha que acabar.

"Sete dias e sete noites.

"Na alvorada do oitavo dia, a chuva cessou. Atrahasis abriu a escotilha. Por toda a Terra, os homens tinham voltado para a argila.

" 'Caí de joelhos, imóvel, e chorei', contou Atrahasis. 'Enlil subiu no barco, pegou a minha mão e a de minha mulher, e abençoou-nos: Você e sua mulher serão, de agora em diante, semelhantes a nós, deuses. Mas permanecerão ao longe. Assim é que nos levaram e nos instalaram na embocadura dos rios.' "

"Aqui?", exclamou Obeid.

"Sim, na terra dos pântanos, é o que está escrito no texto."

"Por que não nos falaram isso no colégio? Ah, os gregos, romanos, a Bíblia, os Zeus, os Moisés, os Jesus, os Maomé...! Somos imbatíveis neste assunto. Nunca ninguém tinha me falado que a arca de Noé era a arca de Atra... Como é que você diz?"

"Atrahasis. Atrahasis e sua mulher tinham uma imensa tarefa a cumprir: repovoar a Terra. Em nenhum momento, porém, o nome da mulher está citado no texto."

"Nem o nome da senhora Noé, na Bíblia", observou Obeid.

"Nem o dela." Aemer queria concluir. "Para evitar que os homens voltassem a ser aquela multidão barulhenta que os impedia de dormir, os deuses adotaram duas medidas radicais: os homens viveriam muito menos tempo. E nem todas as mulheres poderiam ter filhos, algumas porque seriam estéreis, outras, como, por exemplo, as sacerdotisas, porque sua função as proibiria."

Obeid escutava Aemer, fascinado e admirativo:

"Você se lembra de tudo!"

"A memó..." Ela se interrompeu. "É estranho, eu não me lembro do que me aconteceu sete dias atrás, mas sou capaz de declamar, palavra por palavra, o poema inteiro do Dilúvio!"

"Como os velhos! A minha avó lembrava do menor detalhe dos seus dezoito anos e era incapaz de lembrar o que tinha feito um minuto antes."

"Obrigada pelo 'avó'", retrucou Aemer. "Não sou tão jovem, certo."

"Você não estava dormindo quando Hindi disse isso no barco?"

"Faz muito tempo que durmo sempre com um ouvido só."

As explosões redobraram. O mito os fizera esquecer a guerra dos homens.

"Eu não queria estar no lugar deles", sussurrou Obeid, falando dos soldados iraquianos. "Quando se viveu isso uma vez, é impossível esquecer." Ele parou um instante. "Foi na estrada... estávamos voltando do Kuwait. O glorioso exército iraquiano em plena retirada! Estávamos enredados no meio do deserto. Alvos perfeitos. As primeiras bombas bastaram, carbonizaram-nos ali mesmo. Eram gigantescas. Você se lembra do Fusca da Volkswagen? As bombas eram do tamanho dele! ELES JOGARAM CARROS NA CABEÇA DA GENTE! Carros que explodiam no ar causando um bafo que aniquilava tudo por onde passava. E além disso, para continuar queimando, sugavam todo o oxigênio. Você não só morre asfixiado, como seus pulmões são arrancados, você é esvaziado feito um peixe do qual se tiram as brânquias." Ele se calou. "Você sabe como eram chamadas aquelas bombas? Ceifadoras de margaridas. *Daisy Cutter*. Que poetas! As margaridas éramos nós. Eu te mato um pouco, muito, apaixonadamente. Ainda existe essa brincadeira na França?"*

"Existe."

"Eles foram embora ao cair da tarde", prosseguiu Obeid. "Achamos que tinha acabado. Foi quando os tanques entraram na dança. Enxergamos os aviões, não enxergamos os tanques. Eles, com seu equipamento, nos enxergavam. Como em plena luz do dia. Não devem ter errado um só tiro. Soube depois que eles se chamavam *Tigers Brigade*! Pois bem, passei a perna nos Tigres!" Ele abriu um sorriso magnífico. "Me safei sem uma só queimadura, sem um só ferimento. Saí da ferragem, da estrada, do deserto, do exército. Desertei. Os pântanos não ficavam longe."

Em meio a uma acalmia das explosões que eles não tinham percebido, a voz de Obeid ficou impressa no silêncio.

"Eu estava lá no dia seguinte", disse Aemer, numa voz sem expressão. "Vi tudo, os blindados, os caminhões, os carros, os ônibus carbonizados com gente dentro. O Apocalipse. Os corpos derretidos nos tanques estripados. Nas quatro pistas da estrada, quilômetros a fio! Vomitei. Então chegaram os buldôzeres. Foram direto para as trincheiras, estavam cheias de soldados. Eram centenas deles, sepultados vivos! Eu via

---

* Brincadeira similar à do bem-me-quer entre nós, em que a margarida vai sendo despetalada, recitando-se a cada pétala: Te amo um pouco, muito, apaixonadamente, loucamente, nem um pouco (*je t'aime un peu, beaucoup, passionément, à la folie, pas du tout*). (N. T.)

que estavam se mexendo." Ela tremia. "SEPULTADOS... VIVOS..."
Ele abraçou-a, ela se soltou. "Há pouco, você declamou a quadrinha: *um pouco, muito apaixonadamente*, e parou antes de *loucamente*. Eu, não. Meu crachá da Unesco não me protegeu do horror. Fiquei alucinada. Meu irmão veio me buscar num hospital do Kuwait. Fiquei três anos desnorteada. Depois, foi a vez do coração. Eu tinha dificuldade em respirar, andava cada vez mais ofegante. Sylvere mais uma vez me salvou, interveio a tempo. Ainda crianças, tomamos uma decisão: ficar juntos o menos possível, colocar a maior distância possível entre nós. Para a morte não pegar os dois numa só cajadada."

Quando estavam juntos, Aemer e Sylvere brincavam de fingir que só um deles estava presente. "Quando são dois, se for o mesmo, é um só", e caíam na risada caçoando daqueles que acabavam de enganar. Já maiores, quando um desejo inverso os levava a se diferenciarem um do outro, haviam repetido até não poder, a fim de afirmar sua identidade ameaçada pela confusão: "Somos os mesmos, não O MESMO!". Ser DOIS tinha se tornado uma obsessão.

"E, pronto, um morre e o outro não! Um dia, porque você está o tempo todo ofegante, você acha que o que está na sua cabeça é que o asfixia. Está enganado, o problema é em outro lugar, numa artéria, perto do coração, que está se entupindo. Não existe só cabeça nessa vida. Eles enfiam um tubo muito fino aqui. Ela mostrou a dobra da virilha. Foi o Sylvere quem me operou. Ele ia me contando tudo. A haste penetra na artéria, sobe devagar, passa pelo ponto que está reduzido. Na ponta da haste fica um balãozinho."

"Um balãozinho?"

"Um balão pequeno. 'Está vendo o balãozinho, Aemer?' Sim, Sylvere, estou vendo. Eu não tinha vontade de ver. Mas ele queria tanto me mostrar. É um cirurgião muito bom, o coração não tem segredo para ele. Estou falando do órgão. Quanto ao resto, não é grande coisa. 'Agora, eu vou inflá-lo, está ouvindo, Aemer? Para a artéria não fechar de novo, vou colocar um cilindrozinho de metal, o *stent*! Pronto, já está. Ele logo vai se cobrir de tecido e será parte de você.' Desde..." Ela

27

pôs a mão no peito com o gesto que ele a vira fazer muitas vezes... "desde então, tenho um cilindrozinho de metal que não deixa a artéria se fechar... Lembro de tudo como se fosse ontem. E é justamente de ontem que não me lembro." Ela pegou a mão de Obeid e a pôs no seu peito. Ele sentiu o coração dela batendo. Os foguetes americanos continuavam iluminando o céu, as explosões sacudiam o chão. Num gaguejo da História, duas guerras se misturavam na terra da Mesopotâmia martirizada. Uma estrela cadente atravessou o céu que tornara a escurecer. Aemer julgou tê-la avistado e quis acreditar... que era o seu *calculus* atravessando o céu. Fizeram amor. Uma vez, duas vezes, três vezes. Será que ela já havia vivido tamanho ardor?

O aparelho de rádio do xeque tinha sido levado para o *mudhif*, no lugar da tevê cuja tela, ainda em branco, mostrava que a emissora de Basra não fora consertada. A Rádio Bagdá, em compensação, continuava transmitindo. Havia vários anos que faziam questão de "não lhe dar ouvidos". Escutavam naturalmente, mas com circunspeção, a Rádio dos Dois Rios transmitida em iraquiano pelos especialistas das operações psicológicas do Pentágono.

Aplicando os métodos testados na publicidade de marcas de sabão em pó, o locutor pontuava suas frases com "Operação Liberdade do Iraque". Restava a BBC, os jovens traduziam para os mais velhos.

As informações eram escutadas em silêncio, sem comentários, sem exclamações. Só depois, na pracinha defronte o *mudhif*, é que tinham lugar as discussões.

Basra. As forças especiais britânicas foram obrigadas a travar ferozes combates com armas pesadas. Submetidos ao bombardeio intensivo da artilharia americana a oeste da cidade, os tanques P 54 da Guarda Nacional revidaram sem trégua. Os bombardeios aéreos supostamente causaram várias centenas de mortes entre os civis. Assediada por oito mil soldados britânicos, a cidade não caiu. A re-

gião é duplamente estratégica, por sua produção petrolífera e também porque constitui o único acesso iraquiano ao mar.

As embarcações da marinha americana que cruzam o Mar Vermelho e o Golfo Pérsico atiraram quase que simultaneamente trezentos e vinte mísseis de cruzeiro Tomahawk.

Cerca de dez poços estão em chamas nos campos petrolíferos de Roumaila, a cerca de cinqüenta quilômetros a sudoeste de Basra.

Contornando Basra, o que já está sendo chamado de "o mais longo comboio da história militar moderna" pôs-se em marcha, percorrendo a estrada n° 8 em direção a Bagdá. Ele está costeando o Lago Hammar, que no passado tinha cento e vinte quilômetros de comprimento e perdeu mais de oitenta por cento da sua superfície devido à política de drenagem dos pântanos empreendida por Saddam Hussein.

Uma coluna de blindados americanos está rumando para Nassyriah depois de ter ultrapassado os sítios arqueológicos de Ur, Eridu, Obeid.

Aemer lançou um olhar a Obeid. Nos seus lábios, ele leu: menino velho.

E mais café, e mais chá. Sempre escaldantes. Acompanhando os doces deliciosos que Asma, feliz por ter gente em casa, preparava com carinho para a sua hóspede.

Aemer beliscava tâmaras com mel, enquanto se esforçava por decifrar as manchetes da primeira página de um jornal jogado na cabana. Olhou a data. A grafia dos algarismos utilizada no Iraque sempre a surpreendera. Era mesmo diferente da grafia dos algarismos arábicos utilizada no Magrebe e no Ocidente.

Hindi passou diante da cabana sem dirigir-lhe o menor gesto, não disfarçando sua hostilidade. Aos seus olhos, Aemer representava um risco tanto militar como pessoal. Sua presença punha a aldeia em perigo. Sua relação com Obeid irritava-o. Excluído das longas conversas que eles travavam em francês, sentia ciúmes. Aemer assumia aquela hostilidade, não fazia nada para se aproximar de Hindi, recusando-se a falar inglês. Ela tinha por princípio rejeitar quem a rejeitava. Os aldeões se amontoavam em volta do rádio.

Após três dias de intensos combates, quatro mil mariners transpuseram o Eufrates esta manhã, à altura de Nassyriah. Depois de os iraquianos terem explodido a ponte na estrada nº 8, uma ponte flutuante foi construída. A travessia do rio permanece difícil devido aos tiros de morteiros e lança-granadas antitanque disparados pelos defensores da cidade. Ponto de passagem estratégico, a meio caminho entre a fronteira kuwaitiana e a capital iraquiana, a cidade foi tomada pelas forças americanas que ultrapassaram os sítios de Larsa e Uruk-Warka, muito próximos à estrada.

Lembrando-se do cartão que caíra quando tirara Aemer da cratera, Obeid lançou-lhe um olhar de soslaio. Ela estava escutando o noticiário com extrema atenção. Ele soube que eles logo iriam se separar. Hindi aproximou-se: "Então, está feliz, meu irmão? Basra, Nassyriah, amanhã Bagdá. Poderemos voltar para casa". Ele abraçou-o. "Vamos partir em uma hora." Ao se afastar, declarou gravemente: "Por fim, nós nos safamos".

Eles tinham passado o tempo todo se safando. Nada de prisioneiros, não fazer nenhum, não se tornar um, jamais se deixar capturar vivo, não esquecer de assobiar o canto dos pintassilgos dos juncos de Basra.

Obeid virou-se para Aemer. Ela sequer lhe deu tempo de falar: "Vou com vocês. Vocês vão para o norte, eu também. Vou para Uruk". Ela se afastou sem tampouco dar-lhe tempo de pronunciar uma só palavra. Na cabana, ela tirou a túnica, enfiou a calça jeans, amarrou seus sapatos de marcha. Esperava poder despedir-se de Asma.

Os aldeões tinham se reunido na pracinha ante a entrada do *mudhif* a fim de desejar boa sorte àqueles rapazes que eles tinham ajudado e que os tinham ajudado a não entrar em desespero. Pensavam naqueles que tinham morrido nos combates e não sairiam da terra dos pântanos.

Kalila vestira uma túnica preta. Nos olhos, tristeza e esperança. Ela logo poderia se casar — Hindi recusava-se a casar enquanto a luta não terminasse. Asma estava ao lado de Kalila. Aemer, que não era dada a efusões, teve vontade de abraçá-la. "Você talvez volte", sussurrou Asma, enquanto lhe entregava um pacotinho de doces.

Aemer alcançou Obeid e Hindi, que não tinham esperado por ela. Ela se virou para trás, lançou um olhar à aldeia lacustre.

Ali, ela havia sido mulher entre as mulheres.

Embora fosse o mais moço, Hindi era o chefe do grupo. Homem dos pântanos, vinha de uma aldeia mais ao norte, à margem do Lago Hammar. O seu instinto e seu conhecimento visceral daquela terra tinham salvado-os inúmeras vezes. No início do século IX, piratas indianos que assaltavam no Golfo Pérsico encontraram nos pântanos um inviolável refúgio; nele se instalaram. Hindi afirmava ser um dos seus descendentes. Depois da Primeira Guerra do Golfo, durante as revoltas no Sul, sua família havia sido massacrada. Temível animal de guerra, era movido por um ódio que o tempo não conseguira abalar.

O grupo tinha se separado em pequenas unidades. Assim que se afastaram, Aemer pediu a Obeid que lhe alcançasse uma granada. Ele lhe passou uma, olhando para Hindi que deu de ombros sem se deter. Andavam em silêncio por um discreto caminho em meio aos pântanos. O lugar era perigoso.

"Faz trinta anos que ele nos obriga a ir para a guerra, e ele nunca lutou. Nunca segurou uma arma, a não ser para executar prisioneiros. Covarde!" Obeid falava, evidentemente, de Saddam Hussein. "Que palavra vocês usam para dizer covarde?", ele perguntou para Aemer. "Medroso?" Sinal negativo com a cabeça. "Broxa?" Sinal negativo. "Fracote? Assustado?" Sinal negativo. "Maricas?" Sinal negativo. "Caguincha? Cagão? Poltrão? Sim, é isso", ele deu um salto, "poltrão! Saddam é um..." Ele pronunciou a palavra como se lhe tivessem enfiado uma batata quente na boca: "POOOLTRÃO".

Incomodado com as risadas, Hindi pediu a Obeid que traduzisse. Nova oportunidade para Obeid pronunciar a palavra que o enchia de alegria. Hindi meneou a cabeça com ar de aprovação.

Naquela época, início da primavera, os pântanos atingiam sua maior extensão. As cheias do Tigre e do Eufrates faziam subir o nível da água, grande parte da região estava encoberta por várias dezenas de centímetros de água. Hoje, havia apenas alguns filetes.

Chegaram a um imenso canal, pomposamente batizado de "Projeto da Mãe das Batalhas". Um quilômetro de largura, cinqüenta de comprimento. A população o denominara "o terceiro rio". Os dois primeiros, o Tigre e o Eufrates, eram caminhos de vida, e o terceiro, construído pelos engenheiros de Saddam Hussein, era um rio da morte.

Afastaram-se para se abrigar.

Já fazia um tempinho que Aemer estava com vontade de fazer xixi. Disse isso para eles. Hindi fez questão de demonstrar sua irritação.

Ela embrenhou-se no juncal, baixou às pressas a calça jeans e a calcinha. Já não agüentava mais. Ela se agachou e aliviou-se demoradamente, abrigada pelos juncos. Quando estava se levantando, gritos ressoaram.

Aparecera um grupo de fedaim, surpreendendo Obeid e Hindi em plena discussão. Os fedaim jogaram as armas. Um deles se aproximou. Hindi reconheceu um dos piores torturadores da região, que atuava numa área do partido em Basra. O homem insultou-os antes da surra. Os demais, que permaneciam à distância, apreciavam a cena. O torturador acabou se afastando, a contragosto. Hindi ainda o fitava com olhos cheios de ódio e raiva de si mesmo. Deixar-se apanhar feito um principiante! A mulher, foi por causa dela. Eu sabia... Se você baixa a guarda, está morto... Talvez também a gente não consiga ficar tanto tempo alerta. Obeid só tinha uma idéia na cabeça: tomara que eles não vejam Aemer.

Na hora em que os milicianos iam atirar, o chefe os deteve: "Assim vamos chamar atenção". Ele fez um sinal para o torturador, que se dirigiu novamente para Obeid e Hindi...

Saltando de trás deles, Aemer berrou para Obeid que se

deitasse. Ele se jogou no chão grudando Hindi no solo. Aemer jogou a granada e, por sua vez, mergulhou na terra, por sorte movediça. A explosão foi terrível. Os milicianos morreram no ato, com exceção do torturador que jazia ferido, de punhal na mão. Obeid e Hindi contemplavam Aemer, estupefatos. "Esta é a nossa força, a força das mulheres: a gente faz xixi agachada", ela disse ainda abalada, enquanto se levantava. Após um momento de espanto, Obeid caiu na gargalhada. Hindi, depois de se recompor e dirigindo-se a Aemer: "Você, não poooltrão". Ele falava em francês! Era a primeira vez que ela o via sorrir, um sorriso magnífico, ensolarado. Achou-o bonito.

Juntaram suas armas. Aemer teve direito a outra granada, que Hindi lhe ofereceu, apontando para a braguilha da sua calça jeans que tinha ficado aberta. Eles se afastaram, alegres, saboreando os doces de Asma.

No solo, o torturador se esvaía em sangue.

Saíram dos pântanos, entraram na zona dos campos petrolíferos. Cerca de dez poços estavam em chamas. As florestas de torres de perfuração eram as únicas florestas do Iraque.

Mesopotâmia, vinte e cinco mil sítios arqueológicos. Iraque, dez mil poços de petróleo. Os tesouros desta terra estão sepultados bem lá no fundo. Só o tempo lhes dá o valor. Quantos milênios por um litro de petróleo! Quantos por uma relíquia!

Obeid estreitou Aemer em seus braços. Eles só se conheciam havia um punhado de dias; Aemer tinha a impressão de que era desde sempre.

Difícil despedir-se do Pequeno Príncipe.

Disseram até logo.

Obeid e Hindi iam juntar-se a outros grupos de combatentes, a fim de construir o futuro do Iraque. Aemer, ao sítio arqueológico de Uruk, a fim de afundar no passado e fazer ressurgir a Mesopotâmia e a terra de Sumer. A terra de Obeid.

2

MESOPOTÂMIA

CINQÜENTA SÉCULOS ANTES.
URUK, BAIXA MESOPOTÂMIA.

Costumava-se dizer que Tanmuzzi possuía tantas cabeças de gado quanto havia estrelas no céu. "Quase", ele retificava com malícia, conhecendo a espantosa capacidade dos números para nomear multidões, mas consciente dos seus limites. Pedra de cornalina no pescoço, barba negra de reflexos azulados, cabelos crespos compridos batendo nos ombros, não havia nada que Tanmuzzi mais gostasse do que percorrer seus domínios. A igual distância entre Uruk e Ur, este se estendia para além do Tigre rumo ao Levante, na direção das longínquas montanhas de Zagros. Tanmuzzi fora uma única vez até Ur, nunca até Uruk.

Não longe do aprisco, à sombra dos tufos de árvores plantadas por seus antepassados, a sua morada, confortável, oferecia frescor e tranqüilidade. Vivia ali celibatário, sem que mulher alguma tivesse conseguido comovê-lo. Ele nunca experimentara as delícias do amor. Nem seus tormentos.

"Askum voltou! Askum voltou!"
Libertado de sua preocupação com a chegada do amigo, Tanmuzzi acorreu.
"Já faz vários dias que estou esperando você, por que esse atraso?"
Recusando a ajuda de Tanmuzzi, Askum desceu do bur-

ro com dificuldade. Seu rosto cansado, suas roupas cobertas com grossa camada de poeira denunciavam as condições da viagem.

"Está sozinho? Onde está Huwa?", inquiriu Tanmuzzi, alarmado.

Askum abaixou a cabeça. Não tinha coragem de dizer que sua viagem para Uruk tinha sido um fracasso, que Huwa não quisera voltar com ele. Decidiu contar tudo desde o início.

"Chegamos a Uruk sem problemas e, lá, fomos até o templo de Inanna. Chegando ao alto da escadaria monumental, precipitei-me para a beira do terraço, queria desfrutar da vista. Um menino corria por todo lado fazendo uma algazarra atroz. Senti que estava procurando uma bobagem para fazer. Assim que entramos no grande salão de recepção, as conversas cessaram, ouviam-se apenas uns pios de pintassilgos que voavam diante das janelas. Resplandecente, a grande sacerdotisa Aemer nos esperava no meio da sala. Eu estava terrivelmente perturbado. Não foi por acaso que a escolheram como grande sacerdotisa do Amor. Como dizer? Acolhedora e distante. Um rosto..."

Mais rápido, mais rápido!, impacientava-se Tanmuzzi interiormente. Sabendo o quanto Askum fazia questão que sua palavra fosse tão precisa quanto seus escritos, conteve-se para não apressá-lo.

"Estávamos nos adiantando para ela quando o garoto, que tinha escapado à vigilância dos pais, correu até a janela mais próxima; queria tocar os passarinhos. Huwa deu um passo para trás, mas o choque era inevitável. A criança bateu nele, soltando um gritinho, depois caiu e se levantou rindo às gargalhadas. A grande sacerdotisa não piscou. Naquele momento, realmente admirei Huwa. Imperturbável, ele pôs o vaso em cima do móvel que lhe indicavam, perto de uma das janelas. Aemer aproximou-se, examinou demoradamente as cenas gravadas no vaso.

"Seus olhos se detinham em cada um dos registros, o encontro entre o rei-sacerdote e a deusa Inanna, acompanhada de sacerdotisas, a procissão de homens nus trazendo as oferendas da terra, e os dois frisos representando as ovelhas que eles criam e as plantas que eles cultivam." Mais rápido! "Seus olhos brilhavam de excitação. Depois de longo instante, ela dirigiu-se a mim com emoção: 'Escriba Askum, agradeça Tanmuzzi das estepes, o pastor, teu senhor, por este presente que, para além da minha pessoa, a deusa Inanna aprecia por seu inestimável valor'. Os fiéis se ajuntavam para observar mais de perto o vaso de alabastro destinado a maravilhar a deusa do Amor. Aemer voltou-se novamente para mim: 'Informe ao sábio Tanmuzzi que...'. Um barulho a interrompeu. Provinha do lugar em que estava o vaso. Vi o vaso vacilar sem motivo algum. Aemer precipitou-se, tentou segurá-lo. Só conseguiu frear sua queda. Ele se espatifou no chão com um estrondo que estou ouvindo até agora."

Askum calou-se, acabrunhado.

"Continue, continue", Tanmuzzi o apressava, lívido.

"Como isso foi acontecer? Tenho certeza de tê-lo visto, bem estável, em cima do móvel." Huwa tinha lágrimas nos olhos. "Uma jovem sacerdotisa, excitada, gritava que vira entrar um objeto por uma janela que ela apontava com o dedo. Aemer ajoelhou-se, juntou os pedaços. O vaso tinha se quebrado... direito."

"Direito?"

"Em pedaços graúdos, não em farelos. Ninguém confirmou o que a jovem sacerdotisa declarava ter visto. O culpado foi rapidamente descoberto, o menino estava com os bolsos repletos de pedras. Ele negou, claro, berrando e debatendo-se. Recebeu um belo castigo."

"Quer dizer que você foi até lá por nada!", constatou Tanmuzzi, gélido.

"Não!", exclamou Askum. "A grande sacerdotisa Aemer o convidou para ir a Uruk o quanto antes."

"Ela disse isso!"

"E ela inclusive acrescentou que não haveria por que esperar mais."

"Por que esperar mais? Mas eu tenho as minhas ovelhas!"

Ele deu de ombros: era tudo o que você queria, que ela o convidasse, e agora fica pensando nas ovelhas! Um sorriso iluminou o seu rosto, ela o convidara! Muitos anos antes de lhe enviar o vaso, ele já pensava nela, tinha a impressão que pensava nela desde sempre. Sacerdotisa do Amor, esse nome o fascinara. Sumer não carecia de deuses e deusas, Sin, Utu, An, Enlil, Enki, Ninlil, Anshar, deuses da Lua, do Sol, do Céu, do Ar, da Água Doce, dos Cereais, do Horizonte. Mas uma deusa exclusivamente consagrada ao Amor! Então, bruscamente: "Isso não explica por que Huwa não está com você".

Depois que Askum e Huwa deixaram o templo, Aemer dispensou as pessoas presentes. Sozinha, pudera repensar no incidente. Pouco a pouco, o seu significado se revelara. Por meio daquele vaso quebrado, a poderosa deusa Inanna lhe enviara um aviso e uma injunção. O aviso: a tua soberania, inscrita no alabastro, será, qual o vaso de Tanmuzzi, quebrada por uma criança. A injunção: serás a amante e a amada, a irmã e a filha, também a amiga, mas nem a mãe e nem a esposa. Viverás todos os amores, mas nem o amor materno e nem o amor marital. Aemer compreendeu que por mais que se enfeitasse com as pedras mais preciosas, jamais usaria a pedra do aliviamento que é pendurada no pescoço das mulheres para ajudá-las a parir.

A cada ano Aemer receava o período que antecedia o dia do Ano Novo. A fim de assegurar a fertilidade das terras e a fecundidade das mulheres, o rei de Sumer tinha, neste dia, que desposar uma das sacerdotisas de Inanna. Inventando a cada vez um novo pretexto, Aemer dera um jeito de não ser escolhida pelo rei. Liberada por mais um ano, dirigia calorosas congratulações à deusa por um dia, que não cabia em si de felicidade. Quanto tempo isso iria durar?

Enquanto nos quatro cantos da sala acendiam-se tochas fumegantes, o olhar de Aemer fora atraído por um objeto caído debaixo de um móvel. Uma pedra. A que tinha quebrado o vaso? Apanhou-a. Não era um simples pedregulho, era uma moeda de argilha, um *calculus*! Lembrando as palavras da jovem sacerdotisa que afirmava ter visto um objeto entrando pela janela, lembrando igualmente os desmentidos veementes do menino, Aemer interrogou a janela aberta. Os pintassilgos tinham sumido, os pios tinham cessado. O céu estava vazio e silencioso. O que pensar? Apertou a moeda de argila na mão.

Tanmuzzi aguardava, impaciente, a continuação do relato de Askum.

"Depois que saímos do templo, deixamos imediatamente a cidade. Huwa estava arrasado, não parava de repetir: 'Tanmuzzi confiou o vaso a mim, e eu não soube protegê-lo'. Dizia que tinha traído a sua confiança. Por mais que eu lhe garantisse que não era o responsável, ele não queria ouvir nada. Você o conhece, ele tem a obstinação dos mansos. Alguma coisa se quebrara dentro dele. Com o olhar perdido, Askum acrescentou: 'Ele não teria suportado se apresentar diante de você'."

"Mas você, sim!"

"Nem eu nem Huwa somos responsáveis pela ordem do mundo."

Responsáveis pela ordem do mundo... Pelo que somos responsáveis? Será que tudo o que acontece já está escrito? Será que não podemos acrescentar ou tirar algumas palavras nos grandes textos que dizem o mundo? Tanmuzzi sorriu tristemente, abraçando o seu amigo: "Eu não teria suportado se você não voltasse".

A fuga de Huwa doía-lhe. Huwa nascera ali, naquele domínio de onde nunca saíra. Seu pai, um dos jovens companheiros de Ninur, o avô de Tanmuzzi, viera com este último quando ele fundara o domínio.

Gigante de gestos refinados, de uma força prodigiosa, cuja presença discreta e atenta atraía-lhe inúmeras amizades,

Huwa era incrivelmente sedutor, mas não parecia reparar nas investidas das mulheres que trabalhavam no domínio. É prejudicado pela timidez, julgava Tanmuzzi. Mas o celibatário que era sentia-se pouco legitimado a intervir.

Quantos deuses?, perguntam os homens. Quantos filhos?, pergunta a mãe. Quantos soldados?, pergunta o capitão. Quantas estrelas no céu, quantos dias de chuva antes da lua cheia, quantas horas antes do raiar do dia? Quantas ovelhas?, pergunta o pastor. Contar, contar...

Da paliçada do cercado, um jovem escriba mal saído da escola contava as ovelhas enquanto um pastor as fazia passar de um curral para outro por um estreito corredor. Nos fundos do aprisco, debaixo de um caramanchão, Askum, o rosto descansado, estava instalado diante de um mercador vindo das montanhas de Zagros, sentado do outro lado de uma mesa baixa. Com um ar carrancudo que não desmentia a sua reputação, este discutia com firmeza. Bem ao contrário de Askum, cujo sorriso permanente o exasperava. Askum e Tanmuzzi tinham se conhecido na escola e não se separaram mais. Askum era o melhor aluno, com talento para a escrita, a leitura e para fazer contas. Quando, com a morte do seu avô Ninur, Tanmuzzi assumira a direção do domínio, Askum, naturalmente, tornara-se o intendente hábil e competente.

Animais por pedras preciosas. A transação, que requeria cálculos delicados, revelava-se mais laboriosa que o previsto. Carne, leite, lã, couro para alimentar o corpo e protegê-lo, em troca de vestimentas, jóias, enfeites para adorná-lo. Afastado, sentado numa cadeira de encosto alongado, uma espécie de trono pastoral, Tanmuzzi, com um cão ruivo aos seus pés, usando um magistral chapéu de folhas de tamareira, estava absorto na contemplação de duas magníficas pedras, uma peça de mármore e um bloco de lápis-lazúli de incomparável pureza, proveniente das montanhas de Zagros. Ele sabia apreciá-las. Não fora o seu avô quem estabelecera a diferença entre pedras nobres e pedras vulgares?

* * *

Argila e areia. Em Sumer, ao sul da Mesopotâmia, havia
falta de pedras. Na montanha, elas abundavam a ponto de,
identificando-se com elas, os habitantes se chamarem "homens-pedra".

Entre esses dois mundos, os combates nunca haviam cessado.

Um dia, ficou ainda pior. Despencando encostas abaixo
de supetão, os homens-pedra tinham se lançado sobre Sumer,
devastando as terras, roubando as vidas. Não precisaram mais
que poucos dias para conquistar o pavoroso nome: Ceifa-Mi-
lhares.

Na cabeça, traziam um demônio: Asakku. Asakku orde-
nara às pedras da montanha que combatessem do seu lado.
A maioria juntara-se a ele, algumas poucas recusaram.

Com o capacete envolto numa coroa de fogo, ele desaba-
va sobre os seus inimigos e os deixava mortos à sua passagem.

A grande sacerdotisa de Uruk em vão enviara seus melhores guerreiros. Tinham sido todos mortos. Só sobrara Ninur,
o Valente, o qual havia muito já largara as armas. Ele partiu
sem nenhuma ilusão para o combate. Não lhe faltavam bra-
vura ou coragem, mas nunca tivera que lutar contra adversários desses: com homens estava acostumado, mas pedras!

Como distinguir os homens-pedra, de frieza mineral, das
próprias pedras, suas aliadas, animadas por uma vitalidade
telúrica?

Combate ancestral entre o mundo de terra e o mundo de
pedra. Excitando os soldados de Sumer, Ninur multiplicou
seus assaltos. Os homens-pedra começaram a marcar passo.
Ele aproveitou para lançar um ataque fulminante. Eles recuaram. Ele organizou outro ataque, eles recuaram mais, retiran-
do-se no piemonte da montanha. Lá, aproveitando o terreno,
mandaram suas aliadas atacarem.

Rochas, seixos, pedregulhos resvalaram pela montanha,
esmagando os guerreiros sumérios.

Lajes, rochedos, seixos ergueram-se em mil barricadas, neutralizando seus ataques.

Era chegada a hora. A grande sacerdotisa mandou que os senhores elementos da Mesopotâmia, a terra e a poeira, atacassem. Apoiando-se nas colunas de terra, levados pelos turbilhões de poeira que os ocultavam aos olhares, os homens das estepes investiram contra a montanha. Ninur, transfigurado, derrubou as barricadas, voando até os mais altos cumes, atingindo a terra branca das neves glaciais. Os flancos da montanha logo ficaram cobertos de corpos. Os soldados de Asakku, congelados na rigidez dos trespassados, levaram para além da morte o seu nome de homens-pedra.

Asakku, cercado, viu Ninur atacar. Foi terrível o combate. Cada golpe de Ninur acabaria com qualquer outro guerreiro que não Asakku. Cada golpe de Asakku lançaria para a morte qualquer outro guerreiro que não Ninur. O fulgor em volta do capacete de Asakku enfraquecia, Ninur aproveitou para dar uma machadada medonha que rebentou o capacete, a cabeça e o corpo de Asakku.

Todos os homens-pedra tinham sido mortos.

Faltava julgar os seus aliados.

Em meio às encostas abruptas, descobriram uma morena bem chata, como que transplantada da terra-entre-os-rios. Ali erigiram o tribunal dos vencedores. Amontoadas umas nas outras numa longa fila, as pedras da montanha esperavam, preocupadas.

No silêncio dos cimos, repercutido pelo eco, caiu o veredicto definindo para todo o sempre o seu lugar na ordem mineral.

"Você, sílex, capaz de fazer o fogo, você me traiu. Eu o entrego ao talhador de pedras, que, com seu cinzel acerado, há de espedaçá-lo", declarou Ninur. "Vocês, blocos de lava nascidos do ventre da nossa mãe terra, e vocês, blocos de basalto das cores do luto, vocês se levantaram contra mim. Hão de arder no cadinho do ourives, o qual atiçará os fogos que hão de consumi-los, e suas brasas servirão para fundir obras gloriosas oferecidas aos deuses e às sacerdotisas. Quanto a você, diorito, felizmente voltou atrás. Não tendo cometido nenhuma violência contra mim, não será castigado. Oferecerá sua carne às estátuas eternas erigidas para os grandes reis. Quanto a você, cintilante hematita, não a vi nas fileiras dos meus inimigos. O artesão experto em todas as artes há de alçar o seu valor à escala do ouro."

A fila ainda era longa.

"Ah, aí está você, belo alabastro, brilhante como o dia, luminoso como a lua cheia, você sempre me foi fiel. Nos seus blocos maciços, serão talhados vasos de alto preço em que renomados lapidários hão de figurar cenas imemoriais."

O mármore branco avançou.

"Você se negou a fazer aliança com os homens-pedra. Há de ser estimado e sua nobre matéria dará vida aos rostos gravados dos deuses."

A cornalina veio em seguida.

"Cornalina, cuja lealdade jamais pôde ser questionada, os eméritos lapidários gravarão em tua carne púrpura os sinetes dos melhores dentre nós."

Enquanto a cornalina, o mármore, o alabastro, o diorito, o calcário branco se afastavam, a ágata, a calcedônia, o ônix, o cristal de rocha e o lápis-lazúli adiantavam-se. Alçadas à qualidade de pedras preciosas, estabelecidas no ápice da hierarquia mineral, deixaram a morena, que a escuridão já envolvia.

Enquanto o esperavam em Uruk a fim de lhe oferecer o trono, Ninur se deteve no coração da estepe. Ao ver os animais sossegados descansando sob a guarda do pastor, resolveu tornar-se pastor e fundou aquele domínio que hoje Tanmuzzi perpetuava. A grande sacerdotisa não tornou a vê-lo, mas ele nunca a esqueceu.

"Setecentos e trinta e seis!", declarou o irmão do mercador de Zagros, depois de conferir duas vezes o resultado da contagem, enquanto um serviçal dispunha sobre a mesa uma copela cheia de pó de argila, um pote e dois cofrinhos. Cheio de *calculi*, o maior era dividido em compartimentos onde se agrupavam as moedas de argila de mesmo formato. Cada formato representava uma quantidade: o bastonete representava um; a bolinha, dez; o disco, cem; o cone pequeno, trezentos; o cone grande perfurado, três mil.

Askum apanhou dois cones pequenos e os pôs em cima da mesa, depois um disco, três bolinhas e seis bastonetes. O mercador espiava cada um dos seus gestos, refazendo a conta em voz alta: "Trezentos, duas vezes, mais cem, uma vez, mais dez, três vezes, mais seis. Confere".

Tanmuzzi o observava. "Se só houvesse bastonetes para representar os números, nós não poderíamos contar", dissera-lhe o seu mestre na sua primeira aula. Abrindo um cofrinho cheio de bastonetes, alinhara-os no chão até que acabassem. Erguendo a cabeça, perguntara a Tanmuzzi: "Quantos tem aqui?".

"Não sei, é preciso contar."

A resposta de Tanmuzzi provocara uma imensa risada. "É o que eu estava dizendo! Como você vai contar?"

Tanmuzzi lançara-lhe um olhar desamparado. O mestre desgrenhara-lhe o cabelo. "Confie nos homens, Tanmuzzi, eles sempre encontram uma solução."

Ele reagrupara os bastonetes em pacotes. Depois, pedira-lhe para contar os pacotes.

"Aqui está a solução!", ele exclamara. "Vamos contar fazendo pacotes. Pacotes cada vez maiores. Pois o que queremos é utilizar o mínimo possível de sinais para representar o máximo possível de números." Concluiu com uma dessas expressões que só ele conhecia: "O que queremos é, com pouco, fazer muito".

Tanmuzzi nunca se esquecera daquela expressão.

A operação podia continuar. O mercador, aborrecido, observava Askum, o qual aproximou a copela cheia de pó de argila; o servo derramou um filete de água e Askum se pôs a amassar a pasta. O servo ia acrescentando água em intervalos regulares. Quando a argila chegou ao ponto que lhe convinha, Askum separou um punhado, que foi enrolando nas mãos sem deixar de sorrir para o mercador. Na palma da sua mão uma bola perfeitamente lisa tomava forma. Com cuidado para não estragar o feitio, Askum enfiou seu polegar nela e a rodopiou, abrindo uma cavidade. Quantas bolas iguais a esta aquelas mãos de agilidade desconcertante já tinham confeccionado?

Tanmuzzi sorriu. Na escola, o mestre, querendo mostrar como proceder, enfiara o polegar com tanto vigor que transpassara a bola. A obscenidade daquela ponta de dedo irrompendo da argila desencadeara hilaridade na classe. Alguém precisava ser punido. Foi Tanmuzzi. As varas foram implacáveis com suas costas lisas. O gosto amargo da injustiça nunca se apagou.

Agora oca, a bola estava pronta para acolher os *calculi*. Askum introduziu primeiro os maiores, o disco e as três bolinhas, chacoalhou a bola para que eles ficassem bem no lugar. Seguiram-se os dois conezinhos e os seis bastonetes. Pegando uma bolinha de argila, Askum tampou o buraco e alisou a superfície. Por fim, depois de enxugar as mãos, tampou o cofrinho. A bola, hermeticamente fechada, estava pronta.

Tanmuzzi observava a atuação do seu amigo. Todas aquelas manipulações pareciam muito laboriosas. Devia haver um jeito de ir mais depressa e reduzir todas aquelas etapas.

Para satisfazer o desejo do mercador e do irmão, o criado trouxe um jarro de cerveja, do qual beberam gulosamente com um canudo. Com esse sol, vão ficar bêbados em pouquíssimo tempo, pensou Askum. Ele optou por um copo de água aromatizada com mel, enquanto Tanmuzzi pedia leite de ovelha, que lhe serviram fumegante.

Levantando-se, aproximou-se da mesa, ajeitou o chapéu e abriu um segundo cofrinho. Continha dois cálamos de cortes diferentes, simples hastes de junco com uma extremidade seccionada obliquamente.

Jogando com o calibre, a inclinação e a pressão dos cálamos, Tanmuzzi pôs-se a inscrever na superfície mole os algarismos representando os *calculi* contidos na bola. Segurando esta com uma mão, nela aplicou duas vezes o cálamo largo, inclinando-o. Os dois entalhes grossos obtidos representavam os dois conezinhos. Aplicando a seguir o cálamo verticalmente, Tanmuzzi gravou uma ampla marca circular para o disco. Pegando o outro cálamo, apertou-o três vezes perpendicularmente na superfície da bola, deixando três círculos pequenos para as bolinhas. Por fim, inclinando-a, aplicou-o seis vezes, gravando seis entalhes finos e alongados para os bastonetes.

Tanmuzzi, criança, assistia pela primeira vez a esta operação enquanto seu avô Ninur lhe contava como tinham chegado a isso. Nos tempos antigos, a fim de guardar as provas das quantidades trocadas durante uma transação, os homens tinham decidido reagrupar os *calculi* numa espécie de bolsa de argila selada. A vantagem era evidente: fechada a bola, a quantidade ficava "aprisionada" e não podia mais ser modificada. Havia, porém, um inconveniente: quem quisesse conferir os termos do negócio precisava quebrar a bola. Com as marcas deixadas pelo cálamo representando os *calculi* ocultos, a quantidade encerrada na bola ficava doravante inscrita na superfície. Não havia mais necessidade de quebrá-la para conhecer o conteúdo.

Tanmuzzi não se cansava de admirar a magnífica inteligência do anônimo inventor que, ao substituir os objetos de argila por sinais inscritos num suporte, abrira o caminho para a escrita.

Após um longo silêncio, seu avô lhe confidenciara: "Como não soubesse ler nem escrever, dependi dos escribas e dos contadores a minha vida inteira. Essa ignorância entravou a minha liberdade e feriu o meu orgulho. As armas não substituem o cálamo. Você é quem vai gerir os rebanhos. Não dependa de ninguém. Se conhecer as três artes, a escrita, a leitura e o cálculo, ninguém conseguirá enganá-lo. Apóie-se no cálamo do escriba e no cajado do pastor. A palavra é um dom dos deuses, a escrita, uma criação dos homens. Nós, bem-aventurados homens de Sumer, somos os únicos dentre todos os povos a possuir duas memórias: uma habita o nosso espírito, a outra se inscreve na argila".

"Avô, e a escrita não vai fazer sumir a memória? Do que está escrito não é necessário lembrar-se."

"De fato, esse é um risco. Mas a bengala que auxilia o caminhante acaso o impede de andar quando ele desfaz-se dela, e a canoa que transporta o viajante acaso o faz esquecer os movimentos da natação?"

Antes de encerrar a conversa, seu avô pedira-lhe para refletir sobre o selo que ele em breve precisaria adotar. "Escolha bem, ele será sua assinatura e sua identidade. Sua vida inteira ele irá representá-lo."

Tanmuzzi soltou a pedra púrpura pendurada ao seu pescoço, um cilindro de cornalina finamente gravado. Segurando-a entre o polegar e o indicador, fez rolar o cilindro pela parte virgem da bola. Ao lado das marcas gravadas em côncavo pelos cálamos surgiram os sinais em relevo recém-inscritos pelo selo. Um desenho e uma frase.

O desenho: duas ovelhas pastando sob um cálamo e um cajado de pastor apoiados um no outro.

A frase: *Tanmuzzi celebrando Inanna e Aemer sua bem-amada sacerdotisa*.

Muito tempo depois de tê-la escolhido, Tanmuzzi percebera a ambigüidade da frase. Queria dizer que Aemer era a sacerdotisa bem-amada de Inanna, ou que Aemer, a sacerdotisa de Inanna, era a bem-amada de... Tanmuzzi? As duas não eram incompatíveis.

Chegou a vez de o mercador estabelecer seu documento, ele fazia questão de efetuar a operação em pessoa. Gestos hesitantes, marcas imprecisas, ele visivelmente não tinha o hábito de utilizar o cálamo e não demorou a cometer um erro, voluntário ou não. Tanmuzzi identificou-o de imediato, apanhou um prego de argila cozida, precipitou-se para a mão do mercador e nela plantou o prego. Era assim que eram tratados os fraudadores em Sumer. O irmão do mercador desembainhou o gládio; Tanmuzzi empunhou o bastão que nunca o deixava. Askum se interpôs e logrou restabelecer a paz.

O irmão do mercador pegou a bola com raiva, alisou a argila a fim de fazer sumir os sinais errados, lançando olhares de ódio para Tanmuzzi, o qual se divertia intimamente. Recomeçou a inscrição. Chegando penosamente ao fim do documento, soltou do punho um saquinho de couro, dele tirou um selo cilíndrico de ágata e o rolou sobre a bola com gesto seco, quase brutal.

Tanmuzzi e o mercador trocaram as bolas contábeis. Estando cada parte de posse do documento autenticado pelo selo da outra parte, estava concluída a transação.

Tanmuzzi colocou a bola contábil no forno para argila. Cozida, ela resistiria às investidas do tempo. Terminada a queima, ele guardou a bola na sala dos arquivos, ao lado de dezenas de outras.

Em geral, Tanmuzzi deixava que Askum cuidasse deste tipo de transação. A qualidade fora do comum das pedras envolvidas fizera com que abrisse uma exceção.

Caía a noite. Preferindo jantar com os companheiros que com seu anfitrião, o mercador acomodou-se à entrada do cercado, próximo aos animais que agora lhe pertenciam.

Tanmuzzi foi até o seu quarto. Puxou a cortina da porta, cujo vão vermelho deveria afastar os demônios, como era costume. Tanmuzzi não acreditava, mas a cor alegrava a fachada. Lá dentro, uma cal extinta passada sobre a argila escura clareava as paredes. Uma cama de juncos — demasiado estreita para duas pessoas —, uma cortina de linho pendendo na abertura da porta, um baú com tangas guardadas em pilhas, uma mesa e um banquinho. Mobília sumária. Alguns objetos pessoais numa estante de tijolos secos. O piso de chão batido ostentava tão-somente um espesso pelego.

Um cômodo mais amplo, contíguo, servia de sala de música. Cistre, flauta, trombeta, tamborins. No centro da sala, o instrumento preferido de Tanmuzzi, uma lira com cabeça de touro que ele dotara com onze cordas.

Ao amanhecer, o mercador deu o sinal da partida. Sob os latidos de Leão, o cão de Tanmuzzi, o rebanho, enquadrado pelos homens das montanhas, abalou-se na direção do levante, levantando uma nuvem de poeira dentro da qual sumiu. Enquanto Tanmuzzi pensava em seus animais — mesmo habituado, sentia um pequeno aperto ao vê-los se afastarem —, Askum alegrava-se com a partida do mercador e do seu irmão: "Não gosto deles. Jantaram à parte. Apesar do que houve entre nós, vai contra os costumes".

"Nós não nascemos na mesma altitude, eles são das montanhas e nós, da planície. Eles se acham mais próximos do céu, e nós mais próximos da terra."

Askum, preocupado:

"Você lhe infligiu uma temível afronta."

"Então eu tinha de me obrigar a não notar o embuste, me deixar enganar sem dizer nada?"

"Ele não é homem de esquecer uma humilhação dessas."

"Azar. O fato é que ele possui as pedras mais lindas que existem."

Nascido a leste, posto a oeste, o sol parecia seguir seu curso imutável. Como os demais astros, não era livre para andar à vontade. Aquele trajeto imprimira-se no espírito de Tanmuzzi durante suas intermináveis andanças pelas estepes; ele o "via" como uma marca tangível traçada no céu.

Com seu chapéu reconhecível entre todos, seu cajado na mão, acompanhado de Leão, ele avançava, sentindo sempre o mesmo prazer: a textura do solo, a densidade do ar, a direção do vento. Indo de pastagem em pastagem, de ponto d'água em ponto d'água, capaz de efetuar distâncias fora do comum sem cansaço, ele estava em seu elemento.

Naquela solidão habitada, ele entretinha com a natureza

uma cumplicidade que o contato com os homens, mesmo com Askum, não podia lhe fornecer.

Mergulhado nesse silêncio povoado de ruídos furtivos, ele existia tanto para si mesmo como para o restante do universo, sentia-se sem limites e isso lhe causava um sentimento de alegria, plenitude, apaziguamento. Ele era parte do mundo que o nutria, e que ele próprio, por sua vez, nutria.

Tanmuzzi era pastor até o mais fundo do seu ser. Seguir os animais, abrir-lhes caminho, trazer de volta os extraviados, curar os feridos, pôr fim às agonias, tudo aquilo era-lhe tão natural e necessário como andar e experimentar sua liberdade.

Manejando a maça, a lança, o gládio e o dardo, puxara ao seu avô Ninur as qualidades do combatente excepcional. Mas nessa arte do manejo do cajado é que ele era inigualável. Às vezes, para alegria dos companheiros que se juntavam à sua volta, ele lançava-o bem alto no céu, mais alto que o olhar alcançava. O cajado, invisível por um momento, ressurgia de repente, correndo para o chão. Num gesto de incrível rapidez, Tanmuzzi o recuperava em pleno vôo, desencadeando ovações.

Eles se pareciam. O cajado era, na ordem vegetal, o que Tanmuzzi era na ordem dos humanos: flexível, sólido, suave ao toque, resistente aos golpes, temperado em todos os fogos. Eram inseparáveis.

Ao deixar a sala dos arquivos, Askum foi ao encontro de Tanmuzzi para conversar sobre um contrato. Mal dando a impressão de escutá-lo, Tanmuzzi inopinadamente pediu-lhe que descrevesse Aemer.

Askum hesitou:

"Bem... O que posso dizer é que ela é mais bonita que todas as mulheres do domínio."

"Não estou perguntando a sua opinião, estou pedindo uma descrição precisa, a forma dos olhos, o arco das sobrancelhas, o oval do rosto, o abaulado da fronte."

Sentaram-se debaixo de um tamarindo. Tanmuzzi escutava atentamente, interrompendo regularmente o amigo para exigir mais precisão. Askum, inesgotável, falava, falava. Quando calou-se, constatou que Tanmuzzi dormia. Askum olhou para ele, comovido. O seu amigo, decerto habitado por um sonho, tinha a fisionomia de uma criança radiante.

Ao retornar de uma viagem de poucos dias, Tanmuzzi comunicou a Askum sua partida para Uruk:

"Deixo o domínio com você. Tome conta dele como se fosse meu."

"Mas ele é s... Você se diverte caçoando de mim. Vai ficar muito tempo fora?"

"O que você prefere?"

"Pois olhe, que você fique muito tempo com ela, pelo seu prazer, e que volte logo, para o meu prazer."

"Como?"

"É problema seu."

Askum mandou preparar o prato preferido de Tanmuzzi, espetinho de gafanhoto. Com as asas tostadas crocando entre os seus dentes, eles trocaram recordações de escola. Askum sabia que o seu amigo estava partindo por um longo tempo.

Tanmuzzi voltou para o quarto logo após a refeição. Em seguida, o som da lira elevou-se na noite. Askum imobilizou-se, escutou atentamente. Desconhecia aquela melodia. Sorriu: Tanmuzzi estava compondo. Askum imaginava a identidade da inspiradora daquela música tão fluida, que as sonoridades da lira carregavam noite afora.

Askum queria aproveitar a viagem para enviar mercadorias para Uruk, fardos de lã, peles trabalhadas; Tanmuzzi se opôs, estava saindo para uma viagem privada, não de negócios.

Levou seus instrumentos musicais, cuidadosamente guardados em caixas de junco, o bloco de lápis-lazúli envolto em várias camadas de tecido, um cofrinho de madeira nobre e cabazes repletos de alimentos para o trajeto, que Askum fizera questão de encher pessoalmente. O todo, coberto com uma lona pesada, ocupava toda a carroça; eram necessários dois pares de bois para puxá-lo. Pôs-se a caminho. Durante um bom tempo, Leão acompanhou seu dono, até imobilizar-se a um sinal de Tanmuzzi. Era a primeira vez que eles se separavam. Era impossível levá-lo até Uruk, ele não conseguiria viver trancado, mesmo que num espaço amplo. Além disso, sem ovelhas para correr atrás... Sentado no meio do caminho, Leão olhou com tristeza Tanmuzzi se afastar.

Teria sido mais cômodo e mais rápido fazer a viagem por navio, seguindo os canais até Uruk. Mas a água não era o elemento de Tanmuzzi. Ele não gostava daquela sensação de ser levado pela corrente. E também não queria se precipitar, os acontecimentos muito esperados não merecem ser entregues à precipitação da urgência.

"Uruk, a murada", assim a cidade era comumente designada. O sentido da expressão aclarou-se imediatamente para Tanmuzzi tão logo entrou nela. Iguais às ovelhas, os homens estavam encerrados por detrás das muralhas. Quem seria o pastor?, ele se perguntou.

Seguindo docilmente a carroça, deixava-se levar pela corrente dos transeuntes, olhando para todo lado, indo de surpresa em surpresa.

As casas encostavam uma na outra! E havia casas dos dois lados da rua. Grudadas umas nas outras em inacreditável diversidade, algumas térreas, outras dotadas de escadas, pardieiros apertados ladeando residências luxuosas cercadas de muretas. Então, a cidade era isso.

Tudo impedia Tanmuzzi de se desviar do caminho, ele

podia apenas acompanhar a rua como a água acompanha o leito do rio. A cidade também era isso.

Ele, tão sensível aos sons, ao sopro do ar, aos passos dos animais, aos batimentos de asas, aos pios dos pássaros, ao corrimento da água, não ouvia nada. Ou melhor, era uma tal confusão de ruídos que ele se via incapaz de isolar um só. Desde que cheguei, vi mais pessoas, objetos ou habitações que durante a minha vida inteira, ele observou. O que faz com que elas se amontoem desse jeito quando há tanto espaço nas estepes? Deve haver alguma vantagem. Quarenta mil pessoas comendo todo dia, bebendo todo dia! Quantas frutas, legumes, cereais, carne, cerveja? Sem a gente, lá do campo, quero saber de que jeito eles iriam se virar!

E todas aquelas atividades reunidas, comércios, artesãos. Ferreiro, tanoeiro, tecelão, tintureiro. Vendia-se de tudo, fabricava-se de tudo. Era fantástico.

Mergulhado na multidão indiferente, Tanmuzzi, pela primeira vez na vida, foi confrontado a essa pergunta: o que me distingue dos outros e me faz diferente? O que faz com que eu seja Tanmuzzi, igual a mais ninguém?

Lembrou do motivo pelo qual estava ali. Um sopro de alegria tomou conta dele. Achou tudo quase bonito, e a cidade, nem tão desagradável assim.

A tarde mal começou e não está fazendo muito calor, ele constatou. Essa, pelo menos, é uma vantagem: as casas são tão altas e as ruas tão apertadas que o sol e a poeira não conseguem entrar. A cidade também era isso.

Os bois estavam exaustos. Apesar das chicotadas, a carroça avançava com dificuldade em meio às outras carroças e aos carregadores. Uma silhueta, imediatamente engolida pela massa, atraiu o olhar de Tanmuzzi. Ele perscrutou a multidão. Nada. No entanto, tivera a impressão... A silhueta tornou a aparecer lá adiante. Tanmuzzi pôs-se a correr, perdeu o chapéu, teve a maior dificuldade do mundo para evitar que fosse esmagado, apanhou-o e prosseguiu, abrindo caminho em meio aos grupos que o insultavam. Alertado pelo alarido, o homem se virou. Huwa!

Ficaram plantados no meio da rua, se empurrando, provocadores, felizes.

"Patrão, patrão...", balbuciou Huwa. "Patrão, o vaso, juro, eu não podia fazer nada." O seu olhar se desfez ante a lembrança que o devorava.

"Calma", Tanmuzzi tentou apaziguá-lo, comovido ao rever aquele garoto alto, frágil feito um menino. "Como você conseguiu sobreviver esse tempo todo?"

"Com minha força, sempre aparece alguma coisa para carregar. Você está indo para o templo de Inanna, não é, patrão? Posso levar você? Conheço o caminho", ele acrescentou, maliciosamente. Apontou para dois monumentos ao longe.

O templo branco, o templo vermelho. O primeiro, em que morava o rei, dedicado a Amu, pai de todos os deuses; o segundo, a Inanna, a Dama de Uruk.

A fachada coberta de mosaicos pintados flamejava sob o sol. Tanmuzzi e Huwa penetraram no jardim que cercava o templo vermelho, mas Tanmuzzi via apenas a escadaria monumental que subia até o santuário. Erguendo o pano que cobria o carregamento, pegou o cofrinho e pediu ao cocheiro que esperasse. Ao pé da escadaria, Huwa se deteve, preparando-se para voltar sobre seus passos.

"Ah, não, dessa vez você não vai me deixar!", exclamou Tanmuzzi. Surpreso com sua violência, baixou o tom de voz: "Senti muito a sua falta. Fique".

Subiram, em silêncio, a imponente escadaria.

Eanna, morada do Céu? Que nome poderia simbolizar melhor o templo de Inanna? Chegando ao alto da escada, Tanmuzzi experimentou um sentimento de embriaguez, estava no meio do céu!

Apesar de sua pressa em encontrar Aemer, precipitou-se para a balaustrada do terraço. De início, não viu nada. Acometido por um terrível mal-estar, como se estivesse sendo atraído pelo vácuo, cambaleou. Nunca experimentara sensação igual, o terraço vacilava sob os seus pés. Como por reflexo, ergueu os olhos; só o céu estava estável à sua volta. Seria um aviso? Fechando os olhos, procurando recobrar o domínio de si mesmo, declamou o célebre poema de Uruk para acalmar seu pavor.

"Constrói um templo para mim", Inanna pedira ao deus Enmerkar. E o templo foi construído com pedras vermelhas, quadrado inconcluso. "Cerca, como um anel, minha cidade para mim", Inanna pedira. E a cerca cingiu a cidade como o anel cinge o dedo da deusa.

Do templo nascera a cidade. Os agricultores dos arredores juntaram-se ao redor da construção para ficar o mais perto possível do local sagrado. Desses agrupamentos nasceram o poder, o exército, a riqueza.

Tanmuzzi agarrou-se ao parapeito, inspirou longamente, abriu os olhos e forçou-se a olhar ao longe. O mal-estar se dissipara.

Uruk em sua imensidão!

Jamais, até onde a memória alcançava, existira um ajuntamento mais amplo. Uma quantidade de habitações ligadas por ruas, praças, canalizações, e unidas por toda sorte de instituições criadas para facilitar a vida coletiva. O conjunto se beneficiava de uma proteção comum: as prodigiosas muralhas que Tanmuzzi descobria do alto do terraço de Eanna. Cingindo a cidade — e sufocando-a, pensou —, reforçando a unidade e a solidariedade dos habitantes, as espessas muralhas continham torres fortificadas, feito presas no maxilar de uma fera.

"São essas as novecentas torres de que tanto falam!" Tinha que admitir, seu número absurdo, proclamado para celebrar o poder de Uruk, parecia conforme a realidade.

Tanmuzzi estava começando a compreender o que se dizia a respeito das muralhas. Elas estabeleciam, dizia-se, uma demarcação radical entre dois universos. Dentro delas, tudo era ordem e organização, o espaço policiado da cidade abrigando o rei no seu palácio branco, a deusa no seu templo vermelho. Fora delas, a desordem e o caos, o espaço indeterminado do deserto e das estepes. "Então, vou viver no meio do caos!", exclamou Tanmuzzi.

Lá, aquele risco cintilante margeando o cercado, o Eufrates! Tanmuzzi fez um esforço para acompanhar o curso, a montante para o norte, a jusante para o sul, onde perdeu-se no horizonte. Que privilégio poder dominar uma extensão tão ampla, que favor estender o olhar para tão longe! A voz do guarda o fez voltar a si. O cofrinho ainda estava debaixo do seu braço, Huwa ainda estava do seu lado. Tanmuzzi lhe pôs o cofrinho nas mãos. Tarde demais para soltá-lo! A Huwa só restou seguir os passos do seu patrão, revivendo com pavor aqueles momentos em que tinha falhado.

A porta se abriu.

Fluida no seu manto de aparato, um cinto de cornalina em volta da cintura, um aro de ouro no tornozelo, um colar de pérolas roçando a borda de uma túnica decotada que mais revelava do que escondia seus seios, Aemer deteve-se em plena luz, segurando na mão uma haste de junco coroada com um laço, atributo de sua majestade.

"Aí está você, finalmente, Tanmuzzi das estepes!"

Tanmuzzi não conseguiu tirar os olhos do rosto dela.

"Será que está me confundindo com a deusa Inanna?", ela caçoou. "Sou apenas sua sacerdotisa."

Tanmuzzi continuava imóvel.

Compreendendo que não chegaria a nada assim, Aemer adotou o tom da conversação:

"Uruk esperava o seu avô Ninur, para festejá-lo, mas ele desdenhou a realeza que lhe ofereciam, preferindo os vastos espaços das estepes."

"Você o censura por isso?", Tanmuzzi conseguiu articular.

"Ele fez o que julgava ser o melhor para si mesmo. Nem todo mundo tem essa coragem." Dirigindo-se a Huwa, postado no meio do salão, ela apontou para o cofrinho, com o qual ele não sabia o que fazer: "Isso já está se tornando um hábito".

Huwa baixou a cabeça.

"Você parecia tão infeliz. Mas não teve culpa nenhuma, coitado. E você, Tanmuzzi, por que demorou tanto?"

"Eu tinha uma tarefa a cumprir, sacerdotisa."

"E cumpriu?"

"Sim."

Com naturalidade, ele pôs o cofrinho sobre a mesa baixa perto da janela. Huwa estremeceu. Aemer mal o abriu e deixou escapar uma exclamação. Estendeu a mão, hesitou e retirou delicadamente a máscara que o cofrinho continha. Afastou-se devagar, até segurá-la com o braço estendido.

"Sou eu! Exatamente eu!", ela murmurou.

Virando-a num gesto brusco, levou-a ao rosto. Ajustava-se perfeitamente. Uma diferença: o olhar de Aemer era animado com luminosa mobilidade, enquanto na cavidade das órbitas de mármore duas pedras de lápis-lazúli estavam incrustadas numa fixidez azul.

"Uma mulher, bem viva", a frase ecoou nos ouvidos de Tanmuzzi. Teve vontade de gritar para Aemer: "Mova-se, por favor, mova-se!". Pressionando a máscara junto ao rosto, ela mantinha-se imóvel. Máscara perfeita, congelada na sua intemporalidade de pedra. Tanmuzzi precipitou-se, arrancou a máscara, ergueu o braço para jogá-la ao chão.

"Patrão, pare!"

A exclamação de Huwa interrompeu Tanmuzzi no meio do gesto. Huwa, atônito por ter ousado, estava dividido entre o temor e o júbilo.

Uma mulher e seu duplo, uma máscara e seu duplo. Assombrosa parecença. Tanmuzzi e Huwa estavam pasmos. Os mesmos olhos amendoados, as mesmas sobrancelhas arqueadas, os mesmos lábios finos, as mesmas bochechas, o mesmo ovalado do rosto, o mesmo penteado liso, com repartido no meio. A mesma gravidade, a mesma tristeza contida.

"Você tem medo que ela fique grudada no meu rosto?", exclamou Aemer para Tanmuzzi, os olhos negros brilhando de malícia. "Mas você também não pode me oferecer só objetos quebrados!"

Huwa saiu da sala, faceiro.

"Oh, Tanmuzzi, me desculpe, nem o convidei para sentar", disse Aemer num trejeito. "Isso faz parte da minha função, estou falhando em todas as minhas obrigações."

Sentando-se a uma boa distância, ela indicou-lhe uma cadeira, e então chamou uma serva.

"Quer tomar uma das nossas deliciosas bebidas? Cerveja, quem sabe?"

"Nunca antes de o sol se pôr." Hesitando: "Leite, por favor?".

"Ovelha? Cabra?"

"Cabra."

Aemer pediu leite de cabra e uma bebida cujo nome ele desconhecia. Súbito, ela perguntou a Tanmuzzi:

"Você já havia me visto?"

"Nunca."

Ela insistiu:

"Em alguma cerimônia? Numa recepção? Durante um cortejo? Uma procissão?"

"Nunca, estou dizendo."

"Bem. Mas o artista que realizou esta máscara já me viu?"

"Nunca."

"Só resta uma possibilidade, o pastor Tanmuzzi é mágico", ela exclamou.

"Sou tão mágico como você é deusa. A realidade é mais humana do que você considera. Askum, que você mal teve tempo de avistar, teve tempo para observá-la. Ele é prodigioso. Tudo o que ele olha fica incrustado na sua memória. Eu o interroguei. No começo, era terrivelmente vago, eu só enxergava pedaços de você, não o conjunto. Adormeci subitamente. Só então, num sonho, você apareceu."

"E aí?", ela perguntou.

"Você é tal como a vi, ainda mais linda."

Tanmuzzi bebia com pequenos goles. Passando em frente às janelas, os pintassilgos começaram sua ronda enlouquecida em volta do templo. Aemer e Tanmuzzi, cada um por si, avaliava a grandeza do que acabava de lhes acontecer. Nunca vi uma escultura assim, pensava Aemer. Um rosto de mármore em tamanho real, animado com tamanha vida! E é um rosto de mulher, e é o meu rosto. Naquele instante, ela soube que a máscara duraria mais do que ela. Transcendendo o tempo, permaneceria como em si mesma. Ela viu desfilarem os meses, os séculos. Ouviu a máscara proclamar, às suas irmãs ainda por vir, que Aemer, a sacerdotisa de Inanna, havia existido e lhes dirigia uma saudação provando que, para além das diferenças causadas pelo desfilar das eras, ela era igual a elas. Aemer em sua permanência.

Tanmuzzi oferecia-lhe a imortalidade. Não a imortalidade de uma deusa, mas a de uma mulher bem viva destinada a deixar de existir. A imortalidade de ter sido. Ela soube que o amaria mais que a todos os outros homens que conhecera ou haveria de conhecer.

Depois de um dia assim, Tanmuzzi adormeceu sem sequer dar uma olhada no quarto luxuoso que lhe fora reservado.

A manhã estava linda, ainda não fazia muito calor. Aemer e Tanmuzzi desciam alegremente a escada do templo.

"Eu tinha ouvido muito falar em você. A primeira vez foi durante uma recepção. Um dignitário estava nos contando a história de um pastor que, segundo ele, possuía os mais belos rebanhos de Sumer. É verdade?"

"Está conforme a verdade."

"Ele afirmava que esse pastor possuía tantas cabeças de gado..."

"... quantas são as estrelas do céu, sei, sei", interrompeu Tanmuzzi.

"É verdade?"

"Isso não quer dizer nada. O número de estrelas no céu..."

Dando de ombros: "As pessoas não sabem o que estão dizendo. Não temos como representar esse número com um cálamo. E, por sinal, nem com muitos outros números".

Chegavam ao jardim. Ela lhe mostrou as amendoeiras, as nespereiras de torturado tronco, as macieiras, as pereiras. Quando apontou para um arbusto de tronco cendrado, a fisionomia de Tanmuzzi iluminou-se. Ele exclamou: "E nem o número das sementes de todas as romãs de todas as romãzeiras de Sumer".

Ela olhou para ele, surpresa.

"Sim, eu estava dizendo que há montes de números que não temos como representar, como o número de sementes de todas as romãs de todas as romãzeiras de Sumer."

"Estou lhe mostrando árvores, você me fala em números", ela observou, tristonha. "Dizem, no entanto, que a gente das estepes é mais..." Ela buscou a palavra.

"... terra a terra, não é? Pelo contrário, temos todo o tempo e todo o espaço para pensar."

"Não se zangue. Esse jardim é importante para mim, eu queria mostrá-lo a você. Bem. Você disse todas as romãzeiras de Sumer? Onde é que você vai buscar essas idéias?"

"Não são idéias. Eu fiz isso."

"Você contou todas as sementes de todas as romãzeiras de Sumer?"

"Só as do meu jardim. Pois lá os *calculi* já não eram suficientes e, de qualquer modo, não haveria bolas suficientemente grandes para contê-los. Imagine se eu tivesse incluído todas as romãzeiras de Sumer!"

"Imagino que você não teria tido tempo."

"Estou falando dos números, não do tempo!"

Compreendendo que ela estava caçoando dele, prosseguiu lentamente:

"Se eu tivesse incluído todas as sementes de todas as romãzeiras de Sumer..."

"Esse número não existe!"

"Mas é claro que existe. Você conta o número de sementes numa romã, multiplica pelo número de romãs numa romãzeira, e depois pelo número de romãzeiras..."

"Mas então qual é o problema?"

"É que o número existe e não se pode registrá-lo."

"Por que você quer registrá-lo, para que transação? Em troca do quê?"

"Em troca de nada", explodiu Tanmuzzi.

"Então você conta, assim, por nada!"

"É, quero registrar este número só por registrar."

"Mas aí é que está, você está dizendo que não pode. Aliás, por que você não pode?"

"Porque não há signos suficientes. Eu teria de inventar muitos signos novos. Com esses que temos, não dá para ir além de cem mil. Talvez um pouco mais."

"Você fez mesmo isso? Contou as sementes de todas as romãs das romãzeiras do seu jardim?"

"Passei horas nisso."

"É isso que fazem os pastores de Sumer!", ela caçoou. "Ficam contando sementes de romã. E as suas ovelhas faziam o quê, enquanto isso, pesavam a própria lã?"

"E as sacerdotisas, o que é que elas contam?", ele perguntou bruscamente. Por pouco não continuou: "Seus amantes?". Não precisou terminar a frase, Aemer compreendeu.

"Cada um com a sua função", ela declarou, altiva. Acrescentou, mas só em pensamento: uma prostituta sagrada é obrigada a sempre, sempre ter amantes.

Postando-se diante dele: "Você tem uma filha, Tanmuzzi das estepes?"

"Não."

"Uma mulher?"

"Não."

"Uma mãe." Depois de um breve silêncio: "Dessa você não tem como escapar".

"Tenho, sim."

"Saiba, Tanmuzzi, que as mulheres passam a vida contando. Não conheço nenhuma que não saiba contar até vinte e oito, o número de dias dos nossos mênstruos, nenhuma que não saiba contar o número de semanas que a separam do parto... Oh! desse número eu não preciso. E não nos chamam de 'mulheres incultas', nós, as sacerdotisas a quem a maternidade é proibida?"

Ela se acalmou. "Os números", ela disse de mansinho, confidência de mulher para homem, "é algo que vocês têm na cabeça e nós, na barriga."

Tanmuzzi se desculpou, consciente de havê-la magoado. "Só acho que é importante saber até onde vão os números", ele concluiu.

Ela meneou a cabeça. "Eu nunca tinha me feito esta pergunta. Você vem lá do fim das estepes e me fala de coisas em que nunca tinha pensado. Seja como for, enquanto sacerdotisa, os números de que dispomos me bastam... De súbito: quem são seus próximos, Tanmuzzi?"

"Meus próximos? Que pergunta! Meus próximos... não demora dizer. Askum, que você já conhece. Huwa, que você também conhece, e... Leão. Esse você não conhece."

"Leão? Que nome estranho."

"Bem merecido. Ah, Leão!" Um sorriso aclarou seu semblante. "Quando o trouxeram, era uma bola grande e ruiva, um filhote magnífico. Decidi levá-lo a caçar para ensinar-lhe o ofício. Há horas seguíamos a pista de uma gazela. Ele estava exausto. Ela acabou nos escapando. De repente, nos vimos diante de um leão enorme. Armei o meu arco. O cachorro, esborrachado no chão de tanto trotar, ergueu-se nas patas. Jogou-se, latindo, em cima do leão. O outro olhou, desconcertado. Eram igualmente ruivos, mas não exatamente do mesmo tamanho. O cachorro prosseguia mais e mais, o leão virou a cabeça, incomodado, olhando para o outro lado como se não estivesse interessado no que se passava. Então, exasperado, ele se virou e soltou um terrível rugido. O cachorro fugiu, uivando. O leão nos deu as costas e se afastou dignamente. O cachorro não foi visto durante dois dias. Daí o nome dele."

"Por que você não o trouxe? Se ele enfrentou um leão, pode me enfrentar."

"Você, sim, mas não a cidade. Ele não suportaria viver aqui. Não mais que eu. Vamos até minha casa, ele vai fazer festa para você."

Preocupada, Aemer mergulhou num banho apenas morno. A noite para a qual se preparava, e que esperava havia tanto tempo, iria modificar o curso de sua existência. Tantas perguntas. Iria abandonar as suas funções de grande sacerdotisa? Aceitaria, enfim, ser uma mulher como as outras? Tanmuzzi ficaria junto dela? Como sempre, o Destino irá decidir, mas mais uma vez vou fazer o possível para não ser sua prisioneira, prometeu a si mesma.

Não conseguindo relaxar, saiu do banho. Uma jovem sacerdotisa a levou até a cama e começou a massageá-la ternamente com óleo de mirto, enquanto a manicure, segurando suas mãos, tirava a pele que cobria o alto das unhas com um pequeno instrumento arredondado, até que a meia-lua leitosa das lúnulas aparecesse em sua perfeição. Aemer estava começando a se sentir mais tranqüila.

Depois de acomodá-la numa cadeira, o cabeleireiro tratou de redesenhar o repartido, bem no meio, antes de jogar sobre a nuca a massa escura dos cabelos. Separou algumas mechas e arrumou três pega-rapazes, fixando-os sobre a testa.

Aemer escolheu pessoalmente sua vestimenta no rico guarda-roupa, um traje de linho claro tão fino que deixava transparecer sua pele morena.

Voltando com um *nécessaire* de maquiagem, a jovem sacerdotisa experimentou os vários *khols* nas costas da mão. Optando pelo mais intenso, pediu a Aemer que mantivesse os olhos abertos. Pôs mãos à obra, acentuando o desenho dos olhos amendoados, realçando as sobrancelhas que desenhavam dois arcos alongados de um preto muito intenso. Aplicou em suas faces uma película de pó ocre tirada de um pequeno pote, suspendeu um colar de lazulite em seu pescoço, prendeu os brincos combinando, enfiou pulseiras de ouro nos pulsos, dispôs um tapa-seios no peito e, nos ombros nus, jogou um xale. Um toque de perfume, e Aemer estava pronta. A jovem sacerdotisa, a manicure e o cabeleireiro recuaram a fim de apreciar o resultado. Nada a retocar. Aemer era realmente a mulher mais formosa de Uruk.

Para aquele pastor vindo das estepes, a grande sacerdotisa de Inanna, deusa do Amor, precisava ser mais formosa ainda. Envolta no "bom aroma dos deuses", Aemer deixou seu quarto.

Tanmuzzi insistira para que Huwa viesse à festa oferecida em sua homenagem. O salão estava lotado. Tanta gente, tanta luz, tanto barulho! Huwa queria fugir. Tanmuzzi o reteve. "Se eu ficar com você, vou ficar exposto a todos os olhares", Huwa gemeu, apavorado. Avistando um local afastado, foi para lá tão discretamente quanto possível.

Tanmuzzi avançou, régio. Todos o miravam, espreitando as suas reações. Impassível, ele se sentou em frente a Aemer, a qual soube dissimular a impaciência que sentia ao vê-lo. Ela estava magnífica. Ele contentou-se em dirigir-lhe um sorriso reservado. Abruptamente, ele perguntou se podiam servir-lhes de beber.

"Leite de cabrita, de ovelha, de vaca?", inquiriu Aemer, maliciosa.

"De uva."

"Eu lembrava que você nunca bebia antes do pôr do sol, mas você não especificou quanto tempo depois."

Um criado serviu vinho a Tanmuzzi. Uma gota. Surpreso, Tanmuzzi interrogou Aemer com o olhar.

"Ele está seguindo as minhas instruções", explicou Aemer. "Pedi que as bebidas alcoólicas só fossem servidas em pequenas quantidades. Faço questão que, esta noite, a única embriaguez seja a dos nossos corpos."

"Poderia abrir uma exceção?" Tanmuzzi mostrou Huwa, a um canto da sala: "Gostaria que lhe servissem vinho. Peça para que insistam, ele não bebe nunca. Seria bom ele perder um pouco a cabeça".

Olhando na direção indicada pelo criado que enchia o seu copo, Huwa avistou Aemer. Ela erguia, na sua intenção, um copo do qual bebia sem tirar os olhos dele. Impossível recusar. Tanmuzzi, atônito, viu Huwa esvaziar seu copo num gole só.

Caiu a cortina, revelando uma orquestra completa. Um instrumento atraía todos os olhares. O que mais impressionava, afora o seu tamanho inusual, era uma cabeça de touro dourada, postada feito uma proa diante da caixa de ressonância incrustada de lápis-lazúli, com uma estranha barba trançada de um preto de betume, longa e densa, e as onze cordas, presas com tachas douradas na trave que unia os montantes crenados. Ela mandou trazer minha lira sem me avisar, irritou-se Tanmuzzi. Uma grande sacerdotisa pode se permitir tudo?

Os instrumentos de sopro começaram. Assumindo a abertura sozinha, a flauta avançou um bocado na melodia até que a trombeta, que iniciara bem depois, fosse obrigada a forçar o ritmo para alcançá-la. Caminharam um trecho juntas, e então a voz aguda se extinguiu, engolida pelos acordes triunfantes.

Dois homens maciços de torso nu investiram a pele estendida de um grande tambor circular. Ao seu lado, animados por uma enérgica moça, címbalos excitados tentavam rivalizar com os batimentos surdos. Teriam conseguido, não fosse a música interrompida a um sinal de Aemer. Ela voltou-se para o seu convidado: "Sua lira o espera, Tanmuzzi!".

E agora, ela está me obrigando a me exibir diante dos cortesãos. Ficou tentado a permanecer sentado. Não posso, porém, lhe infligir uma afronta dessas. Ele se levantou, lançando-lhe ao passar um olhar assassino, e sentou-se atrás da lira, no meio da orquestra, sem ousar erguer os olhos para o salão.

Entrou para dentro de si mesmo, imediatamente adotou a postura apropriada, adiantou a mão para as cordas.

Um longo rufar de tambores, o trovão anunciando a chuva redentora. Um silêncio. A primeira corda vibrou num lamento frágil. Aemer foi transportada para a estepe. Lá, juntou-se a Tanmuzzi. Era a melodia que ele compusera na última noite passada no aprisco, uma música dos espaços sem fim, que nada parecia poder esgotar.

Seguindo as instruções, o criado encheu repetidas vezes o copo de Huwa. Ébrio, Huwa pensou avistar Tanmuzzi deixando o salão com Aemer. Subjugado pelo movimento dos dançarinos, levantou-se e se aproximou do palco. Estava fascinado por um dos dançarinos. Um jovem de mediana estatura, olhos azuis imensos, rosto maquiado. Apertado em suas roupas de seda, dançava divinamente, o corpo animado por movimentos sensuais maravilhosamente equívocos.

A intensidade da atenção que aquele belo rapaz lhe devotava atraiu o olhar do dançarino. Dirigiu a Huwa um sorriso cheio de promessas.

Huwa nunca sentira uma sensação igual. Subitamente atravessado por uma onda de alegria que o levava a amar a humanidade inteira, sentiu um calor no coração. Explodia de alegria e desejo.

Já não sabia onde estava. Percebendo, assombrado, que se achava no meio do salão, atraindo os olhares principalmente das mulheres, precipitou-se para sua mesa, à parte, fazendo um sinal ao criado que, um sorriso nos lábios, tornou a encher-lhe o copo.

Terminada a dança, o dançarino veio sentar-se à mesa de Huwa sem pedir seu consentimento. Ficaram juntos a festa toda. Aqueles olhos azuis!

Tarde da noite, saíram de mãos dadas. Foi naquela noite que Huwa adotou definitivamente a cidade. Nada do que acabava de se passar poderia ter acontecido no aprisco.

Uma leve brisa soprava no terraço. Aemer e Tanmuzzi o atravessaram sem trocar uma palavra. Como no dia da sua chegada, Tanmuzzi se aproximou da balaustrada e olhou. O firmamento refletia-se na terra! Milhares de luzinhas cintilavam, outro céu se estendia aos seus pés, Uruk à noite... Estrelas habitadas, tão próximas, tão distantes. Ele ergueu os olhos. Sensação indizível. Naquele terraço, em pé dentro da brisa, Tanmuzzi estava no cerne do mundo, entre dois céus, o dos homens e o dos deuses.

Aemer, retraída, respeitava a sua contemplação.

Depois de percorrer um corredor fracamente aclarado, detiveram-se diante de uma porta. A um sinal de Aemer, Tanmuzzi empurrou-a. Um leito vasto como a estepe! Foi só o que Tanmuzzi viu. Atravessando o quarto, aproximou-se, não conseguindo evitar um pensamento para a sua pobre cama tão estreita.

Um aroma maravilhosamente agradável recendia ali. Perfumadores haviam sido dispostos em vários pontos do cômodo, cujo piso fora besuntado com óleo de cipreste. Do outro lado da cama, duas tochas, postadas para chamar a atenção. Contornando a cama, Tanmuzzi aproximou-se:

"Mas é..."

"O vaso que você me ofereceu", confirmou Aemer.

À distância das janelas, banhando em luz suave, o vaso de alabastro. Em perfeito estado!

"Não está quebrado!", exclamou Tanmuzzi, estupefato, esquecendo de imediato o leito vasto como a estepe. Onde estão os pedaços que Askum me descreveu? Ele mentiu?, perguntou-se.

"Askum não mentiu", declarou Aemer, lendo os seus pensamentos.

"Ele estava ou não quebrado?"

"Cada um pode, por sua vez, negar-se a acreditar no que vê! Você acha que há alguém capaz de trabalhar tão bem quanto o seu lapidário? Este vaso, assim como a máscara, são únicos."

"Estava quebrado ou não?"

"Estava."

"Então, não é o mesmo vaso."

"Estava, e não está mais", precisou Aemer, risonha. "Não é preciso invocar a obra de algum mágico, os artesãos de Uruk realizam verdadeiros prodígios."

Ela pegou sua mão. O primeiro contato entre eles. Ele estremeceu; deslizou os dedos pelo alabastro.

"Você não percebe nada?"

Ele gostaria de lhe dizer o que estava percebendo. Sua pele, somente sua pele.

"Não", ele respondeu.

"Concentre-se!"

Ele fechou os olhos, deixando-se guiar qual criança brincando de cego. Aemer sorriu, comovida.

"Nada ainda?"

"Sim, sim!", ele exclamou.

Uma presilha metálica! Indetectável à vista, quase indistinguível ao toque. Uma segunda presilha, mais outra, mantinham os pedaços do vaso impecavelmente colados. Ele acompanhou com os dedos os motivos em relevo.

"Você precisa confiar nas pessoas que o amam", disse Aemer, suavemente. "E se agora cuidássemos de nós?"

Ficaram um longo instante imóveis, deitados, afastados um do outro. Com pressa e sem pressa. O leito era tão amplo que, para juntar-se, era preciso querê-lo de fato.

Ele não agüentou mais, puxou-a para si, pôs seus lábios sobre os dela. Estava beijando-a! Nunca ousara sonhar com isso, nunca cessara de sonhar com isso. Desembaraçou-a de suas roupas, soltou o tapa-seios, desprendeu o colar, tirou os brincos, deslizou as pulseiras. Então foi a vez dos cabelos, ele os desatou, embaralhou o repartido, desmanchou os pega-rapazes. Ajeitou-se mansamente em cima dela.

A cornalina balançava acima do rosto de Aemer. Ela a apanhou no ar com os lábios, chupou-a suavemente olhando Tanmuzzi nos olhos: "Você é de cornalina, eu sou de lápis-lazúli". Depois, largando a jóia: "Vejo um cálamo. Um cajado de pastor. Pare de se mexer! Não estou conseguindo ler". Ela leu em voz baixa: "Tanmuzzi celebrando Inanna e Aemer sua bem-amada sacerdotisa". Ela sorriu. "Você é esperto. E qual dos dois sentidos você privilegia?"

"Vou fazer amor com a sacerdotisa de Inanna?"

Ela jogou-lhe os braços em volta do pescoço: "Adoro você, adoro você". Pôs-se a declamar:

Quando para o pastor Dumuzzi eu tiver me banhado,
Quando com khol tiver pintado os olhos,
Quando meu dorso tiver sido moldado por suas doces mãos,
Quando com leite e creme ele tiver alisado a minha coxa.

Ele quis calá-la com um beijo. Ela desvencilhou-se e prosseguiu:

Quando em minha vulva ele tiver pousado a mão,
Quando feito o seu barco preto...

Ele selou seus lábios com um beijo mais ardente. Ela continuou falando dentro da boca dele, ele bebeu suas palavras. Vencida, ela calou-se. Ela desprendeu Tanmuzzi dos seus lábios, pôs a mão na sua cabeça, empurrou-a devagar. Ele deslizava ao longo do corpo dela, inexorável, experimentando o sabor da sua pele úmida. Ele desceu ao longo do seu ventre, deteve-se na orla do triângulo. Ela entreabriu as coxas.

"Beba em minha taça, meu Tanmuzzi."

Noite de felicidade, noite de amor. Pela primeira vez, Aemer conheceu o prazer sem limites.

Houve outras noites, parecidas com aquela. A paixão que os unia não definhava. Ela preenchia as noites de Tanmuzzi, mas tanto mais vazios pareciam-lhe os seus dias. Seria possível viver apenas de noites de amor?

Pela primeira vez na vida, Tanmuzzi entediou-se.

As orações sem fim, as oferendas incessantes, os sacerdotes, as sacerdotisas que encontrava por toda parte começavam a irritá-lo!

Às vezes, em companhia de Huwa, ele passeava pela cidade. Pessoas, casas, ruas demais! Aquela profusão de gente, de mercadoria, enojava-o. Tanmuzzi sufocava. Sentia saudade das estepes.

Fazia tempo que Tanmuzzi vinha pensando nisso. Certa manhã, ele resolveu, pediu para se encontrar com o menino. Aemer espantou-se com o rogo, mas mandou que fossem realizadas buscas. Huwa levou Tanmuzzi até um dos bairros mais pobres da cidade, próximo às muralhas. Abandonado pelos pais após o incidente do vaso, o menino fora enviado para uma instituição. Foi trazido por uma espécie de guarda.

Askum tinha falado num moleque insuportável; Tanmuzzi viu chegar um garoto indolente, cabeça raspada, uma roupa horrível.

"Como você se chama?", ele perguntou.

"Não sei."

"Antes de vir para cá, como se chamava?"

"Não me lembro."

"Você não se lembra de nada?"

O menino não respondeu.

"E do vaso", ele inquiriu abruptamente, "você lembra? Foi você quem quebrou?"

Até então o menino mantivera os olhos fixos no chão. Ele ergueu corajosamente a cabeça, enfrentando Tanmuzzi.

"Não fui eu", ele declarou com voz gélida, e indignação no olhar.

"Ele tinha uns cachos compridos que esvoaçavam no vento", disse Huwa, no caminho de volta.

Tanmuzzi esperou que Aemer terminasse seu ofício da tarde. Excitado, relatou-lhe o encontro.

"Tem certeza de que ele não mentiu?", ela perguntou quando ele concluiu.

"O olhar de uma criança não engana. Ele não tem culpa

nenhuma nesse caso, Aemer. E", ele acrescentou, "você sabe disso."

Ela ergueu a cabeça, surpresa.

"Eu não tinha certeza...", ela balbuciou.

Ela falou sobre a tristeza sentida quando o vaso se quebrara, do menino turbulento, das pedras encontradas nos seus bolsos, do castigo. Sua voz mudou quando ela revelou a descoberta do *calculus* debaixo do móvel, as afirmações da jovem sacerdotisa e os pintassilgos voando ao redor da janela. Mas não falou nada sobre o aviso da deusa, nem sobre a sua injunção.

"Um *calculus* quebrou o vaso! Por que não me disse antes?"

"É tão mais fácil acreditar que foi um acidente, um menino turbulento, do que imaginar... Venha!"

Ela o levou até o seu quarto. Havia uma caixinha na cabeceira da cama, ela a abriu. O *calculus* descansava sobre um tufo de lã. Parecido com os que Tanmuzzi utilizava, não tinha nada de especial, um pequeno cone...

"Ele foi injustamente acusado, Aemer, é preciso reparar esse erro."

"Mas você não tem culpa!"

"Se uma criança diz a verdade e não se acredita nela, ela nunca mais vai ter confiança nos homens. Deixe-me levar o menino para meu domínio. Ele precisa de ar puro, exercício, espaço."

Aemer sentiu uma dor no peito. Ele então estava pensando em voltar para casa.

"Só os pais dele podem autorizar isso", ela respondeu.

"Eles consentiram, encontrei com eles há pouco."

"Você já ajeitou tudo", ela constatou, triste.

Tanmuzzi não respondeu. Aemer soube que sua partida era inelutável. Que idéia essa de querer segurar um pastor dentro de um templo, no coração da cidade!

"Tanmuzzi!", ela gritou.

Ele ergueu a cabeça. Ela olhava para ele, os olhos brilhando. Com voz embargada, ela confidenciou:

"Todo ano, você sabe, no dia do Ano Novo, o rei desposa uma das sacerdotisas de Inanna para assegurar a fertilidade das terras. Sempre achei um jeito de ele não me escolher, e até agora deu certo. Por quanto tempo ainda vou conseguir? Tanmuzzi, você vem de uma linhagem heróica. Nada se opõe a que você se torne rei de Sumer. Você poderia ser meu esposo." "Tornar-me rei! Isso nunca, Aemer."

Aemer descia a escadaria monumental ao braço de Tanmuzzi, pressentindo que aquela seria a última vez. Chegando à entrada do jardim, ela o convidou a dar um último passeio.

Fazia um ano, já, que ele chegara em Uruk.

Naquele início de outono, com o calor esmorecendo, o jardim recobrava vida. As nespereiras regurgitavam de frutas. Tanmuzzi pegou uma, descascou-a, ofereceu-a para Aemer. Chegando diante das romãzeiras que se vergavam igualmente sob o peso de suas frutas, Tanmuzzi pegou uma romã, tirou a casca com os dentes e arrancou a membrana que isolava as sementes. Separou uma, introduziu-a na boca de Aemer: "*Ges*, eu te amo". Separou uma segunda, que lhe pôs sobre a língua: "*Min*, um pouco". Então seguiu debulhando a fruta, enunciando as sementes: "*Es*, muito. *Limmu*, apaixonadamente. *Iá*, nem um pouco. *Ás*, eu te amo. *Imin*, um pouco. *Ussu*, muito. *Ilium*, apaixonadamente. *U*, nem um pouco. *Uges*, eu te amo. *U-min*, um pouco. *U-es*, muito. *U-limmu*, apaixonadamente".

"Pare! Pare agora, está bem assim", interrompeu Aemer, com a boca cheia. "Não brinque com os presságios, Tanmuzzi, nunca se sabe o que essa sua brincadeira nos reserva. A menos que você governe os números de modo a fazê-la parar em apaixonadamente. Seja como for, eu não teria paciência para esperar até o final da contagem e, aliás, nem quero saber."

Ela aconchegou-se nele. Ele prosseguia mentalmente a contagem das sementes. Súbito, veio-lhe à memória o que ela lhe confidenciara: "Vocês têm os números na cabeça, e nós, na barriga". Ele sentiu vergonha. Uma gargalhada o tirou dos seus pensamentos.

"Você sabia, quando me contou aquela história de números, que as romãs são um poderoso afrodisíaco?", perguntou Aemer.

"Não! Mas você sabe." Ele olhou para ela dolorosamente, ele acabava de entender. "Então, nossa primeira noite, era isso?"

"De jeito nenhum!", exclamou Aemer, assustada. "Não foi isso que eu disse."

Tanmuzzi se fechara.

"Por favor, Tanmuzzi, não pense assim. Eu não o fiz beber nenhum amavio, nenhum! Você acha que eu seria capaz? Olhe para mim! Acha que eu seria capaz?" Ele evitou o seu olhar. "Então você acha que nós precisamos ser ajudados para nos amar?" Lágrimas puseram-se a rolar pelo seu rosto. Com voz alquebrada, ela murmurou: "O prazer que sentimos só se deve a nós, Tanmuzzi, aos nossos corpos, ao nosso amor".

Ela caiu em prantos.

Por que estou ficando maldoso assim?, perguntou-se Tanmuzzi. — Será a cidade? O ciúme? A novidade de amar? Ou estou simplesmente me revelando tal como sou?

Aemer recuperou o sorriso.

"Aliás", ela o interpelou, "você sabia que as romãs têm outras virtudes? Eliminam os vermes amarelados e chatos que existem nas fezes?"

Ele deu de ombros, ofendido.

"Na primeira vez que passeamos por aqui, eu disse para você que esse jardim era muito importante para mim, vou lhe contar por quê. Era uma bela tarde de outono, eu tinha dezesseis anos, o jardim era magnífico. Adormeci. Uma sensação de frescor me despertou aos sobressaltos. Alguém, um dos jardineiros, tinha desatado a minha tanga. Ele deitou-se em cima de mim, eu não conseguia me mexer. Por nada no mundo eu teria chamado por socorro, o que aliás não teria servido de nada, a noite caía, o jardim estava deserto. Eu me debati, arranhei, mordi. Ele me nocauteou. Quando voltei a mim, um momento depois, ele estava me penetrando. Foi terrível. Eu nunca havia sido impregnada. Ele foi apanhado. Foi condenado, assisti à execução. Felizmente, não tive nenhum filho. E nunca terei. No dia seguinte, voltei até o jardim. O homem que fizera aquilo comigo não poderia triunfar e semear em mim o medo, matar em mim o amor pelas árvores, pelas flores. Ele não poderia matar em mim o desejo e o gozo do corpo. Por isso é que me tornei grande sacerdotisa de Inanna, para que ele não matasse a mulher dentro de mim", disse Aemer num tom neutro, distante.

Tanmuzzi quis tomá-la nos braços. Ela o deteve num gesto.

Agora, podia deixar que ele partisse.

Tanmuzzi chegou até a carroça que o levaria de volta para o seu domínio.

A lira estava solidamente guardada num baú, assim como os demais instrumentos. O menino já estava acomodado atrás. Aemer o avistou e acenou-lhe, desajeitadamente. Tanmuzzi tomou Aemer nos seus braços: "Não fosse por esse menino, nunca teríamos nos encontrado, não é? Vamos lhe dar um nome".

Aemer refletiu. Um sorriso doloroso desenhou-se em seus lábios.

"O menino-do-*calculus*", ela sugeriu.

"Eu queria lhe perguntar por que você é chamada de memória do tempo", perguntou Tanmuzzi.

Como única resposta, Aemer colocou-lhe o *calculus* na mão.

"Tanmuzzi está de volta! Tanmuzzi está de volta!"

E lá estava Leão pulando sobre ele, esfregando o focinho úmido nas faces do seu dono. Askum jogou-se nos braços do amigo. Avistando junto dele o garoto amedrontado, examinou-o, reconhecendo com esforço naquele menino magro o demônio rechonchudo de olhar malicioso e insolente. Por que o trouxe?, perguntou-se, descontente. Puxando Askum à parte, Tanmuzzi contou-lhe o que descobrira a respeito do vaso. Askum explodiu: "Eu disse e repeti para Huwa que ele não era culpado. Ele não quis me ouvir. Ele hoje deveria estar aqui conosco. Por que não está?".

Tanmuzzi se manteve evasivo. Cada coisa a seu tempo, ele pensou. E, voltando ao menino:

"Vocês já se conhecem, acho", ele disse, provocativo. "Askum, está aqui um aluno para você, terá de ensinar a ele tudo o que sabe."

"E você vai ensinar o resto, imagino. Você acha que já não tenho muito que fazer, as contas, a administração, os contratos...? Bem..." Ele piscou para o menino. "Vou acabar achando um tempinho. Mas ele tem que ser sensato."

"Mas não demais", corrigiu Tanmuzzi.

Ao saber qual era o nome do menino, Askum deu de ombros, contrariado: "Um nome é coisa para a vida inteira. Ele não pode se chamar para sempre Menino-do... isso, Menino-do... aquilo. Dar para ele um nome que lembre um erro pelo qual foi injustamente acusado, você acha que vai ajudá-lo a superar essa história?".

"Ora, e você agora entende de criança! No entanto, você acreditou nessa história. Foi você que me contou assim que chegou de Uruk! Como ele era turbulento, era obrigatoriamente o culpado. E, além disso, era mentiroso. Você não acabou de pedir para ele ser comportado?"

"Comportado não, sensato."

Askum acusou o golpe.

"Tudo bem, tudo bem, mas pondo esse nome nele vocês só pensaram em vocês mesmos."

Tanmuzzi reencontrou sua cama, tão estreita; seu quarto, tão pequeno. Depois de guardar os instrumentos na sala de música, ele deu a volta no recinto, inspecionou os animais, ficou um bocado de tempo na sala onde trabalhavam o leite, reencontrando os aromas que tanto tinham lhe faltado, o agri-doce do soro, o ranço da manteiga, o cheiro forte dos queijos. Estava novamente em casa, novamente ativo, era pastor novamente.

Rei de Uruk! Ela me pede para ser rei de Uruk. O que fiz para aceder a tal função? Acaso venci batalhas, derrotei os ini-migos de Sumer, efetuei proezas dignas dos heróis? Não é es-se o meu destino. Ninur quis assim. Somos pastores, não so-beranos. Os reis vivem em palácios, e nós nas estepes. Eles precisam de muros para sustentar seu poder, de fronteiras pa-ra delimitar seu território, de muralhas para defender suas cidades. Minhas fronteiras são o horizonte, meu território é sem limites, meu poder está em mim e nesta terra. De todo modo, estaríamos separados; eu no templo branco, ela no tem-plo vermelho. Não vou percorrer o caminho inverso àquele cumprido por Ninur... Seria, no entanto, o único meio de tê-la como esposa. Amor impossível!

Bastou uma lição para Askum perceber a amplitude de sua tarefa. Não só não haviam ensinado nada ao Menino na-quela instituição, como tinham-lhe feito esquecer, aparente-mente, o que sabia antes de ingressar. Levando muito a sério o seu papel de professor, Askum começou ensinando-lhe a contar com o auxílio dos dedos da primeira mão: *ges, min, es, limmu, iá;* da segunda mão: *ás, imin, ussu, ilimu*. Depois, o mo-do de combinar os números para ir adiante: *u-ges, u-min, u-es, u-limmu*...

Askum esforçava-se por mostrar-se severo, mas volta e meia deixava escapar gestos de afeto, e retratava-se depressa.

Foram juntos até os pântanos cortar juncos a fim de con-feccionar cálamos. Askum presenteou o Menino com um dos seus cofrinhos para guardar os cálamos. O seu primeiro obje-to verdadeiramente seu.

Ensinou-lhe a escrita dos números, a inclinação e a pres-são dos cálamos conforme se registrava um cone, um disco, uma bola.

"E os jovens escribas ainda se queixam!", exclamou Askum. "Complicado demais! Signos demais para memorizar!", eles gemem, sem cessar. "Se eles soubessem como era antes! Não conheci esse tempo; os meus pais, talvez, ou meus avós... Devia ser terrível, eles tinham um signo para 'dez-carneiros', outro signo para 'dez-ovelhas', outro para 'dez-cabras', outro para 'dez-cordeiros', outro para 'dez-bodes'. Como eles se viravam? Isso é que era complicado!"

"Aos poucos, e porque a gente sempre vai em direção ao mais simples, criaram um signo especial para 'dez', a bola que utilizamos hoje. Só para o 'dez', sem especificar o quê: o mesmo signo para os carneiros, ovelhas, cabras, para todas as coisas. Pois bem", concluiu Askum com um muxoxo, "prefiro ser escriba hoje do que no tempo dos meus pais. Você pode agradecer a eles."

"Obrigado, obrigado", cantarolou o Menino, caçoando de Askum.

O intendente meneou a cabeça enquanto se afastava: de que adianta eu explicar... Depois, compreensivo: ele não liga para como era antes, já tem muito que se ocupar com o hoje. Ele se virou. O Menino brincava, tranqüilo, esquecendo-se do que Askum acabava de lhe contar.

Antes era pior, que argumento idiota!, admitiu Askum. Pior seria ter sido melhor antes.

O Menino era sem igual quando se tratava de espantar os pássaros com pedras, atingia-os em pleno vôo com uma habilidade estupenda. Aos poucos, ia readquirindo a vivacidade que Askum vira no santuário. Precisaria de tempo para que a sua alegria e despreocupação retornassem. Talvez nunca retornem, refletiu Askum, amargo.

O Menino fazia sólidos progressos, apreciando as aulas do intendente, que inclusive lhe davam prazer. Mas o melhor presente era o momento em que Tanmuzzi o convidava a acompanhá-lo em seus longos passeios.

Tanmuzzi enfiava a casaca, apanhava o cajado, ajustava

o chapéu. Uma vez reunido o rebanho, partiam os três, Tanmuzzi, Leão e o Menino. Trocando apenas poucas palavras, comendo suas provisões, dormindo ao relento. De tempos em tempos, Tanmuzzi indicava ao Menino alguma coisa para olhar, um sinal para notar, um cheiro para sentir, um ruído para ouvir. O menino nunca saíra de Uruk. Como poderia suspeitar da existência daqueles espaços abertos nas quatro direções?

Em poucas semanas, o mundo ampliara-se para ele.

"*Ges, mis, es...*" O Menino ria, tentando escapar dos braços de Tanmuzzi, que contava os compridos cachos dos seus cabelos.

Tanmuzzi afeiçoava-se a ele.

Mas saía cada vez mais sozinho com seus animais, ficando ausente por várias semanas. Lá, mergulhado na estepe, com o seu rebanho e com Leão, sonhava até dizer chega. Ela lhe fazia falta já antes de encontrá-la. Depois que se tinham separado, fazia mais falta ainda, muito mais do que ele receara. Uma falta insaciável que o tempo não preenchia.

Estamos aí, os dois, vivendo na mesma terra, no mesmo momento, a uns poucos dias de carroça um do outro, e estamos distantes como se vários séculos e o mar intransponível nos separassem.

Askum administrava o domínio sozinho e cuidava do Menino. Não agüentando mais, interpelou Tanmuzzi na volta de uma de suas longas ausências: "Você não pára de sair! Eu não gosto de crianças e não quero ter filhos. Você me traz um menino, e sou eu que cuido dele. Você é responsável por ele, então devolva-o para a instituição de onde o tirou". Askum acalmou-se pensando no Menino. Um sorriso surgiu nos seus lábios. "Ele fez progressos fantásticos. Está contando perfeitamente, começando a manejar o cálamo. Mas..." Askum completou: "ele precisa mais de afeto que de aulas".

Askum, no entanto, continuou com as aulas. O contador que ele era fazia questão que o Menino compreendesse bem a diferença entre escrever e calcular. "Não é a mesma coisa, de jeito nenhum. Escrever os números e fazer contas são dois ofícios distintos, o *dubsar* escreve, o *lugesdab* calcula. O primeiro usa a tabuleta de argila e o cálamo, o segundo usa o *gesdab*, a tábua de calcular e gravetos de madeira."

"Pois eu prefiro ser pastor. Que idéia, passar a vida com um cálamo que nem você, eu prefiro morrer."

Ele mergulhou o odre no canal. Enquanto esperava ele encher, pôs-se a cantarolar: "*Ges, min, es, limmu, iá, ás, imin, ussu, ilimu, u, u-ges, u-min, u-es, u-limmu*", experimentando um prazer sensual nesse debulhar dos números.

"Ele tem fôlego!", entusiasmou-se Askum. "Vai dar um bom caminhante, igual Tanmuzzi." O Menino declamara a longa lista dos números sem retomar a respiração.

O verão anunciava-se terrível. A noite era tórrida, Tanmuzzi deitou-se sobre a cama. A ausência de Aemer fez-se ainda mais presente. Seu desejo por ela, mais premente. Se ela vier morar aqui, terei de mudar de cama, ele pensou seriamente, e de quarto — uma cama com metade do tamanho da dela já não caberia aqui. Precisaria mudar muitas coisas, um pouco de renovação nesse domínio administrado por dois solteiros não viria mal.

"Está sonhando, Tanmuzzi?"

"Sim, estou sonhando."

"A grande sacerdotisa num aprisco!"

"Mas aqui ela não seria mais a grande sacerdotisa!"

"E aí?"

"Pelos seus lindos olhos?"

"Pelos meus lindos olhos, exatamente. Ela traria para cá tudo o que uma mulher pode trazer, a graça, a doçura, a perseverança."

Imerso no seu diálogo interior, Tanmuzzi reviu-a na última manhã no jardim. Naquele dia ele compreendera por que havia ancorada nela tão profunda tristeza.

De Aemer à máscara, da máscara à peça de mármore (na

qual fora talhada), da peça de mármore à transação (por meio da qual ele a adquirira), da transação à bola contábil (que a oficializara), Tanmuzzi sentiu a necessidade imperiosa de recuperar esta última.

A transação datava de vários anos e, no entanto, várias vezes voltara a pensar nela. Seria pelas condições difíceis em que ela se desenrolara, ou sua duração atipicamente longa? Nenhum ruído. Homens e animais dormiam. Tanmuzzi entrou na sala dos arquivos, acendeu a lâmpada. As bolas contábeis estavam guardadas dentro de nichos cavados nas paredes. A classificação por ordem cronológica ajudou-o a encontrar facilmente o que procurava. Voltou para o quarto, depositou a bola sobre a mesa, olhou demoradamente para ela.

Quebrou-a com um soco.

Daquela sua violência, da sua irritabilidade permanente, Tanmuzzi conhecia o motivo. Ele não suportava ser separado de Aemer. Por que será que ela foi a única mulher que me emocionou?, não cessava de se perguntar. Uma mulher que não pode morar na minha casa, com a qual não posso me casar, com a qual não posso ter filhos. Esta noite, ela talvez esteja dormindo com outro homem. Um longo tremor o percorreu. Isso não pode continuar. Amanhã, vou voltar para Uruk. Se preciso, torno-me rei de Uruk. Custe o que custar. O que custar, ele prometeu a si mesmo.

Saiu do seu longo devaneio, apaziguado.

Diante dos seus olhos, a bola estripada, os *calculi* espalhados. Ele teria de fazer outra bola. Faltaria, é claro, o selo do mercador. Azar. Foi até o ateliê, voltou com o jarro de argila.

Toda grande casa tinha obrigação de ter, sempre prontas, massa para o pão, argila para as tabuletas. A massa protegida por um pano, o torrão de argila pela água do jarro em que estava mergulhado. Terra, água, cereais e fogo. A riqueza!

Digno filho de Sumer, Tanmuzzi aos poucos tomara consciência do duplo presente que recebera como herança. O primeiro datava de antes da fundação de Uruk. Lá, fora cumprido um ato fundamental: a passagem dos objetos em sua multiplicidade e diversidade — cabeças de gado, pedras preciosas, vegetais, peças de tecelagem — para os *calculi* de argila, objetos convencionais representando as coisas em sua ausência.

Uruk havia sido fundada. As gerações haviam sucedido as gerações, cada uma trazendo sua contribuição. E então uma nova etapa, fundamental no dar-se conta da quantidade, se cumprira: a passagem dos *calculi* para os signos inscritos sobre um suporte.

Seria possível ir mais longe?

Tanmuzzi mergulhou a mão no jarro de argila, tirou um torrão escorrendo, confeccionou febrilmente a nova bola, inseriu o polegar, tirou-o, vasculhou o cofrinho de *calculi*, apanhou um. Quando ia inseri-lo, hesitou, largou-o, olhou para a bola. Tomado de uma vontade irresistível, achatou-a entre as mãos.

E a bola se tornou tabuleta.

Na superfície ligeiramente abaulada, com os cálamos biselados inscreveu os signos gravados na bola que ele acabava de quebrar.

Aqueles que, primeiro, inscreveram signos na superfície de uma bola contendo *calculi* tinham, sem perceber, tornado esses *calculi* inúteis. Ao conservá-los, contudo, tinham feito apenas metade do caminho...

Ele exultava: a fina tabuleta coberta de signos que ele segurava na mão atestava que era possível passar sem os *calculi*.

Tanmuzzi levantou-se, saiu para o jardim. Nem um sopro. O calor opressivo, a noite escura. Uma noite de incêndio.

Tudo se encadeava. Sem os *calculi*, de que servia uma bola oca? De que servia, inclusive, ela ser redonda? Afinal, de que servia uma bola? Os *calculi* tinham permitido que se efetuasse um longo caminho, agora estavam se tornando um fardo. Tanmuzzi compreendeu afinal o motivo da sua irritação durante as transações contábeis.

Voltou para o seu quarto, trocou o banquinho pela cadeira de encosto alongado, instalou-se à mesa, pegou novamente o cálamo e continuou gravando signos na tabuleta. Um ruído furtivo chegou até ele. Tanmuzzi estremeceu. O Menino estava olhando para ele.

"O que está fazendo em pé no meio da noite? Deveria estar dormindo."

"Não consigo. Posso ficar um pouco com você?"

"Hum. Um instantinho, mas depois, você vai se deitar."

O Menino se aproximou.

"O que você está fazendo?"

"Escrevendo."

"Desenhe um carneiro para mim."*

Tanmuzzi olhou para ele, surpreso, e obedeceu. Desenhou um círculo com uma cruz dentro.

"Isso não parece um carneiro", constatou o Menino, decepcionado. "Você não sabe desenhar?"

"Não. Só sei escrever."

"Então, aqui, você escreveu 'carneiro'? Mas por que você fez um círculo com uma cruz no meio?"

"Não sei."

"Você faz e não sabe por que faz?"

"Pode ser que o redondo seja um cercado, e a cruz, um carneiro dentro do cercado."

"Sim, mas eu pedi um 'carneiro', e não um carneiro dentro de um cercado. E uma cruz não tem patas, não tem rabo, não tem..."

"O que deu em você?", Tanmuzzi interrompeu-o, surpreso com sua veemência.

"Nada, nada." Ele não queria dizer que estava com medo. Por isso é que ele não conseguia dormir.

"Aliás", admitiu Tanmuzzi, "a gente não precisa saber tudo o que está fazendo."

---

* No original, "*Dessine-moi un mouton*", conhecida frase de *O pequeno príncipe*, de Saint-Exupéry. A cena que se segue e o diálogo entre o homem e o menino envolvendo desenho e escrita enquanto representação são ainda uma longa referência à obra, já mencionada no capítulo anterior. (N. T.)

"Ah, tá."

O Menino considerou-o com condescendência. Olhando pela porta aberta, avistou uma nesga de céu fervilhando de estrelas: "Escreva 'estrela' ", ele pediu.

Tanmuzzi escreveu "estrela".

"Agora está parecido", constatou o Menino, satisfeito.

"E 'pássaro'."

Tanmuzzi escreveu "pássaro".

"Agora está parecido, mas de longe", admitiu o Menino. "Por que você não desenha um pássaro, simplesmente?"

"Porque cada pessoa iria desenhar o seu, e iriam ficar todos diferentes. Uma iria desenhar o pássaro voando, outra, pousado numa árvore. Como existem muitos pássaros diferentes, existiriam muitos desenhos diferentes, e ninguém iria entender nada."

"Ah...", disse o Menino, não convencido com a explicação.

"Os escribas levaram tempo, mas acabaram por entrar num acordo para que um mesmo signo represente 'pássaro'. Já não se trata realmente de um desenho, é um pássaro, como dizer... mais simples. A escrita é isso."

"Você ainda pensa na grande sacerdotisa?", perguntou o Menino. E sem esperar pela resposta: "Muitas vezes vejo você sonhando. Eu nunca sonhei com uma mulher", ele disse, tristonho. Súbito: "Escreva 'mulher'".

Tanmuzzi escreveu "mulher".

O Menino olhou, decepcionado. "É como o 'carneiro', não ficou parecido", ele resmungou.

"Hã, ficou sim... como explicar?", gaguejou Tanmuzzi.

"Você já viu uma mulher nua?"

"Já vi até várias, se lavando no açude."

"Bem, na parte de baixo do ventre, você viu um lugarzinho escuro?"

"Que nem o pêlo da ovelha?"

"Hã... é. E no meio, mas você não... você não pode ter visto. No meio, tem uma fendazinha." O Menino escutava, estupefato. "Por isso é que eu fiz esta forma, com três traços e um tracinho no meio. Vamos, agora me deixe sozinho."

Com a tabuleta bem firme na mão, Tanmuzzi foi tomado pela vontade louca de escrever outra coisa que não números, outra coisa que não contratos. Pegou um cálamo talhado em ponta.

O seu desejo de escrever e a abundância do que ele ansiava por expressar eram tais que a mão aplicada em traçar as linhas curvas não conseguia acompanhar o ritmo do seu pensamento. Tanmuzzi sentiu urgência, precisava ser mais rápido, escrever tudo o que tinha para dizer. Trocou de cálamo, tornando a pegar o biselado. Seus dedos desembaraçados pela música estavam prontos para a escrita. A longa prática da lira ajudava-o a apor marcas breves e eficazes; as linhas curvas dos desenhos, demoradas demais de traçar, deram lugar a pequenos segmentos breves. No quarto tórrido ergueu-se o canto do cálamo na tabuleta de argila.

Não havia o menor sopro de ar. A noite não trouxera nenhuma melhora. A atmosfera estava pesada, como que ameaçando temporal. "Não vai chover, aqui nunca chove", resmungou Tanmuzzi. Ele adormeceu, sonhando com a chuva do Dilúvio, mas uma chuva comportada que caísse durante algumas horas e parasse e, em vez de derramar toda a água do céu de uma vez só, derramasse um pouco de cada vez, de modo mais contínuo.

Um ruído de passos precipitados não conseguiu tirá-lo do seu sonho. Askum entrou no cômodo feito um furacão: "Tanmuzzi! Tanmuzzi!". Deparou com seu amigo adormecido, cabeça sobre a mesa. "Está dormindo", murmurou, comovido. Ao ouvir um sopro atrás de si, virou-se com vivacidade.

O Menino também dormia, encolhido em cima da cama.

"Acorde, acorde!", gritou Askum, sacudindo Tanmuzzi.

O Menino levantou-se num salto, olhando para Askum sem entender. Tanmuzzi abriu os olhos: "Está chovendo?". "Estamos sendo atacados!", urrou Askum, cada vez mais assustado. "Os homens da montanha... Voltaram! Um pastor acaba de avistá-los. Vão estar aqui em instantes. Depressa, por favor."

O Menino precipitou-se para Tanmuzzi. Os homens da montanha... Tanmuzzi estava com dificuldades para entender. Percebendo que estava segurando a tabuleta, colocou-a sobre a mesa com cuidado.

O Menino tremia. Tanmuzzi fingiu que o xingava: "Está vendo, eu disse para você ir dormir no seu quarto."

"O pastor escutou o que eles falavam, eles vieram para matá-lo", sussurrou-lhe Askum, tão baixinho quanto possível. O Menino ouviu.

"Não!", ele gritou, precipitando-se para Tanmuzzi. Aninhou-se em seus braços.

Tanmuzzi afagou com carinho seus compridos cabelos cacheados: "Não tenha medo, não é nada. Tanmuzzi é forte".

Askum, de mansinho, afastou o Menino.

Tanmuzzi apanhou seu cajado: "Olhe só como Tanmuzzi é forte", disse bravamente.

"Não tente enfrentá-los", suplicou Askum, "eles são muitos. Por favor, Tanmuzzi, engane-os!" Empunhando a pele de carneiro, jogou-a nas costas do amigo: "Vá para junto dos animais, eles o protegerão".

Tanmuzzi apanhou o *calculus* que Aemer lhe oferecera e seguiu Askum. Ordenou-lhe que fugisse com o Menino. "Ele precisa viver", insistiu. O Menino abraçou-o. Tanmuzzi beijou-o com imensa ternura.

"Vou precisar dizer-lhe como, uma vez, duvidei de você", Tanmuzzi confidenciou a Askum.

"Amanhã, amanhã", respondeu Askum, com lágrimas nos olhos, puxando o Menino que se deixava levar enquanto olhava para Tanmuzzi.

"Askum, a tabuleta! Em cima da mesa!", exclamou Tanmuzzi antes de desaparecer.

Os cachorros se puseram a latir.

Ao longe, tochas se agitavam. Por que eles não latiram antes?

E Leão? Onde está Leão?

Tanmuzzi jogou-se no chão. Ajudando-se com os cotovelos, dirigiu-se para o cercado. Não era fácil rastejar com um cajado. Rastejar feito um covarde, no meu próprio domínio! Ele se levantou, furioso consigo mesmo. Engane-os!, dissera Askum. Como sempre, ele tinha razão: para que facilitar a tarefa deles? Abaixando-se a contragosto, Tanmuzzi se pôs a rastejar. O solo ainda estava quente.

Ele se introduziu no cercado, fechou a porta atrás de si. Os animais estavam amontoados em volta da entrada. Eles virão todos para cima de mim e farão um barulho tremendo, ele receou.

Eles não reagiram. Orelhas em pé, fixavam-no com seus olhos doces. Naquele silêncio inesperado, continuou rastejando. Chegando à altura deles, hesitou, temendo sua reação. Avançou, eles se afastaram. O rebanho fechou-se sobre ele. Com sua pele de carneiro nas costas, era impossível avistá-lo, poderia ficar ali até de manhã.

Naquela estranha e terrível noite, Tanmuzzi era um animal em meio aos outros. Você é nosso pastor, tomou conta de nós, nos alimentou, cuidou, nos ajudou a parir. É nossa vez de protegê-lo, pareciam murmurar.

Ele avançou no meio deles feito a proa de um barco fendendo a água calma, seu sulco imediatamente apagando-se naquele mar de lã. Que apaziguador era sentir aqueles pelegos roçando-o! Várias vezes, sufocando sob a pele de carneiro, largou o cajado, fez uma pausa, recuperou-o. Quando já tinha avançado profundamente dentro do cercado, deteve-se, ficou de costas. Nas noites sem lua, as estrelas são rainhas. "Tantas ovelhas quantas..." Sorriu ao lembrar desta frase, que nunca se justificara. Poderia acreditar-se na estepe, sozinho em meio a suas ovelhas.

Os assaltantes penetraram no quarto de Tanmuzzi. Atacar em plena noite é contrário aos costumes, só podem ser os homens das montanhas, refletiu Tanmuzzi. Vieram vingar a afronta que infligi ao mercador de Zagros. Mas por que esperaram tanto tempo? Ressoou o estardalhaço de objetos sendo quebrados. Tanmuzzi procurou interpretar cada barulho. As ovelhas tinham se amontoado mais para junto dele. Eu nunca deveria ter dado ouvidos a Askum. Imaginando a tabuleta reduzida a migalhas, amaldiçoou-se por ter deixado o seu quarto. Eu deveria defender o que me é caro. Ele quis se levantar, alguma coisa o impediu. Submetido a duas forças contrárias, uma incitando-o a correr para o quarto, a outra mantendo-o no chão, chorou de raiva e impotência. Foi então que ouviu a voz de Aemer: "Por que foi embora? Comigo você não corria risco algum. Como quer que eu o proteja, se está tão longe de mim?".

A mesa, a lâmpada, as estantes, a cadeira, o banquinho, quebrados, as tangas laceradas, a cama despedaçada. O chefe dos assaltantes, de todos o mais veemente, tinha o maior prazer em destruir tudo. Investindo contra o cômodo contíguo, seus homens tiveram um momento de hesitação.

Diante deles, bem arrumados, os instrumentos de Tanmuzzi. Aquela lira, aquele tambor, aquela flauta, não eram seus inimigos, não tinham recebido a missão de destruí-los. Eles gostavam de música, alguns dentre eles tocavam. Fascinados pela delicadeza dos instrumentos, não se moveram. Esbarrando neles, seu chefe jogou-se em cima da lira, fitou-a, ergueu o braço e abateu sua espada, decepando a cabeça dourada do touro, que quicou no piso, indo imobilizar-se aos pés dos homens, estupefatos por não verem uma torrente de sangue brotar da ferida de madeira. Ostentando seu desprezo por aqueles guerreiros sensíveis que ele comandava e queria provocar, o chefe mais uma vez abateu sua espada, seccionando num só golpe os montantes e as cordas. Todas as onze! Elas emitiram, ao distenderem-se, um lamento lancinante.

Tanmuzzi escutou o grito. Eu deixaria isso também acontecer? Congelados pelo olhar assassino do seu chefe, os homens se calaram, reprovando a execução da lira.

Tanmuzzi ergueu-se, aliviado por poder, finalmente, combater. Mas prometeu a si mesmo não morrer na escuridão da noite. Resistiria até a aurora. Cumprindo o caminho inverso do seu antepassado Ninur, o pastor Tanmuzzi se fez guerreiro. Livrando-se da pele de carneiro, ergueu o cajado, estandarte do pastor e, dentro da noite, clamou seu próprio nome: "Tanmuzzi!", que explodiu feito um desafio nos ouvidos dos atacantes.

Sabendo agora onde estava aquele a quem tinham vindo executar, os guerreiros correram para o cercado. Um estrondo ameaçador os acolheu, o martelar de centenas de cascos no chão seco.

Um animal pôs-se a balir e o balido cem vezes multiplicado erigiu uma barreira sonora anunciando aos assaltantes as dificuldades que os esperavam. Em vez de fugir à sua chegada, mesclaram-se a eles, entravando sua marcha. Gritos de raiva, palavrões. Os balidos redobraram. Para avançar, os assaltantes tiveram que abrir uma passagem a golpes de espada. O velho carneiro, monumento ovino milagrosamente ileso de tudo o que deveria tê-lo abatido — picadas de cobra, degolas —, avançou para cima de um homem, mandando-o rodopiar no ar com prodigiosa chifrada. O corpo espatifou-se num ruído surdo.

Apesar dos seus esforços, os animais não puderam impedir que a horda atingisse Tanmuzzi. O pastor os esperava.

Teve início o combate.

Tanmuzzi ceifou as primeiras fileiras como na colheita. Dando saltos de dez pés, esquivando, batendo. Com sensacional destreza, passava o cajado de uma mão para outra. Os homens, que, julgando-o ocupado de um lado, atacavam por outro, ficavam pasmos ao dar de frente com ele.

Ágil, resistente, o cajado era todas as armas ao mesmo tempo: lança, espada, maça, chicote. Tanmuzzi fazia-o rodopiar em volta do pulso, num assobio tornado assustador pela velocidade que ele lhe imprimia, o cajado se transformava num escudo intransponível no qual vinham se estilhaçar as armas dos seus adversários. Nenhuma palavra, nenhum grito veio perturbar a luta que tomava conta do cercado. Tanmuzzi percebia as respirações roucas, o rangido das sandálias, o choque entre as armas. Sentia o ódio e o desejo alucinado que eles tinham de abatê-lo. Mas ele não estava só. Durante toda a noite, ouviu Aemer chamar por ele. Essa voz o susteve. Dar-lhe-ia forças para resistir até a aurora.

Isso que ele combatia numa frente apenas.

Não por muito tempo. Acabava de identificar dois grupos tentando se infiltrar pelas laterais para pegá-lo de flanco. Em poucos instantes, estaria cercado.

Num clarão, Tanmuzzi vislumbrou uma bola flamejante saltando por cima dos assaltantes. Julgando não poder evitá-la, Tanmuzzi postou-se sobre as pernas. Vindo não se sabe de onde, Leão caiu aos seus pés, latindo de alegria.

"Sai daqui! Sai daqui!", Tanmuzzi ordenou.

Pela primeira vez, Leão negou-se a obedecer. Tanmuzzi deu-lhe um pontapé para fazê-lo sair. Leão levantou a cabeça. No seu olhar, Tanmuzzi leu uma incompreensão absoluta. Que seja, vamos combater juntos, resolveu.

Presas, garras. Leão não cometia o erro de encarniçar-se sobre suas vítimas. Saltando, mordendo, degolando, era-lhe suficiente deixá-las sem condições de prosseguir o combate. Lutava com uma ferocidade que Tanmuzzi nunca vira nele. Uma fera.

Os dois grupos infiltrados nos seus flancos tinham se juntado. Tanmuzzi e Leão estavam cercados. Sem que Tanmuzzi pudesse dizer nada, Leão veio postar-se atrás dele. O cão e o seu dono iam lutar juntos, costas contra costas. Entre dois assaltos, Tanmuzzi lançou um olhar para o céu.

Noite sem lua. A mulher, a lua. Naquela noite, nem uma nem outra estavam presentes.

Muitas estrelas tinham sumido. Havia, agora, mais ovelhas no cercado do que estrelas no céu.

Um urro rasgou o ar. Leão fora atingido. Tanmuzzi, impotente, nada podia fazer para protegê-lo. Leão prosseguiu, mordendo, arranhando.

Uma luz ofuscante clareou a noite. O chefe dos assaltantes, cabeça cingida numa coroa de fogo, avançava em direção a Tanmuzzi, que se lembrou. O relato de Ninur. O demônio de Asakku a que o seu ancestral trouxera a morte trazia a cabeça cingida de uma coroa de fogo. Tanmuzzi compreendeu. Os assaltantes estavam vindo da montanha, tal como Askum tinha afirmado. Mas eles não vinham lavar a injúria feita ao mercador, vinham cumprir a vingança de Asakku. Os homens-pedra estavam ali para dar a morte ao neto de Ninur.

O dia nascia. Restava apenas uma estrela no céu. Tanmuzzi abordava a aurora, feito um náufrago chegando à praia. Conseguira não morrer em meio às trevas. Largando o cajado, apanhou o *calculus*, reuniu suas derradeiras forças e lançou-o na direção da última estrela da noite. O *calculus* elevou-se. Surpresos, os assaltantes o acompanharam inquietamente com o olhar. Esbarrando nos primeiros raios de sol, ele cintilava no ar.

Derradeiro presente para Aemer.

Um sopro terrível. Os assaltantes baixaram a cabeça. Mal tiveram tempo de ver Tanmuzzi arremessar-se sobre suas lanças e espadas erguidas. Permaneceram muito tempo obcecados pelo seu grito.

Cumprira-se a vingança de Asakku.

No meio do cercado, ao lado dos despojos de Leão, foi encontrado o corpo de Tanmuzzi, o peito crivado de ferimentos. O selo de cornalina não estava mais em seu pescoço.

Afastaram os animais mortos, não escapara nenhum. Decapitado, o velho carneiro parecia ainda mais furioso. Fincado no solo, o cajado de Tanmuzzi alçava-se acima dos corpos. Enterraram Tanmuzzi com ele.

Com o coração apertado, Askum penetrou no quarto. O espetáculo era aflitivo. Da mesa despedaçada, em meio aos escombros, sobrava apenas um pé indecente, erguido em derradeira ofensa. Um breve olhar pela sala de música acabou de oprimir Askum. Avançando feito um sonâmbulo, ele inclinava-se, juntava um caco, contemplava-o com uma surpresa consternada e repunha-o delicadamente em meio aos demais. Supremo ultraje, os assaltantes tinham deixado a cabeça dourada do touro sem dúvida para testemunhar o pavor dos que iam descobrir a devastação. Repousando sobre um dos lados, sofrendo ainda com o golpe terrível infligido pelo chefe, mas conservando toda a dignidade dentro da sua dor, ela flamejava ao sol nascente.

A lira desarticulada dava pena de se ver. Pedaços de corda pendiam dolorosamente do montante poupado, acima da caixa de ressonância cuja incrustação de lápis-lazúli já não passava de estilhaços em torno do grande tambor estripado.

Não fosse a necessidade de procurar pela tabuleta mencionada por Tanmuzzi, Askum teria fugido para longe do aprisco. Ajoelhou-se e começou a vasculhar. Madeira, junco, tecido, cerâmica, argila misturados. O jarro, a bola, o cofrinho, a lâmpada, a cadeira, o baú, a cama, as tangas, tudo o que pertencera a Tanmuzzi tinha sido triturado! De tamanho ímpeto de fúria destrutiva, como é que um só objeto poderia ter saído ileso?

Dos escombros, Askum acabou retirando uma plaqueta de argila coberta de signos. Seria a famosa tabuleta? Nem a água do vaso e nem o óleo da lâmpada tinham se espalhado pelas faces quase secas. Estava intacta.

Askum limpou um pequeno espaço onde depositou os fragmentos da bola que conseguira recuperar, assim como a tabuleta. Contemplou-os. Aos poucos, foi se estabelecendo a relação.

A tabuleta substituía a bola!

Que ganho imenso! Não confeccionar mais bolas! Askum sorriu ao lembrar do que tinha acontecido com seu patrão, daquele polegar que tanto os fizera rir. Os melhores amigos do mundo, a vida pela frente... Askum ficou um longo instante revivendo aqueles momentos passados juntos. Tristemente, retomou a lista interrompida: não fabricar mais *calculi*... nem *calculi* e nem cofrinhos!

As críticas que ele secretamente acumulara ao longo dos anos de prática, e que não se permitira formular, afluíam-lhe à consciência. O tamanho das bolas, por exemplo. Como determiná-lo com antecedência? Quantas vezes, quando principiante, não tivera de refazer a bola ao perceber que os *calculi* todos não cabiam dentro dela! Outro ponto o irritava: a impossibilidade de estabelecer uma relação sistemática entre a importância do número e o tamanho da bola, um pequeno número podendo precisar de uma grande bola. Três bastonetes e um cone grande precisavam de uma bola menor do que duas esferas e um cone perfurado? Que exasperante era isso, por que quanto mais ovelhas são, maior é o cercado, não é? Deveria haver uma relação entre o tamanho do cercado onde estão presas as ovelhas e o da bola onde estão presos os *calculi* representando o número de ovelhas, certo?

Quantas manipulações esta "simples" passagem da bola para a tabuleta viria a suprimir! Ah! Tanmuzzi, será que você se deu conta do que estava realizando?

O Menino não saía do cercado. Ele também vasculhava. Procurava pelo *calculus* que Tanmuzzi levara consigo ao sair do quarto.

O leite escorria novamente, as ovelhas pariam, os queijos eram preparados.

Não foi obra de Askum a tabuleta ter saído intacta do saque. Mas era a ele que incumbia o dever de descobrir seu segredo. Resolvido a dedicar-se exclusivamente a esta tarefa, delegou a gestão do domínio aos seus colaboradores.

Instalou-se no quarto de Tanmuzzi, recolocado em condições, e lançou-se no estudo das inscrições da tabuleta, com toda a perspicácia, a atenção e o vasto saber de letrado que construíra, mas, principalmente, com todo o amor que sentia por seu amigo.

Como acreditar que Tanmuzzi passara a noite jogando ao acaso, com o cálamo, marcas sobre a argila? Afinal, tudo levava a acreditar nisso, já que Askum nunca vira garatujas iguais. Como se tudo houvesse sido feito para resistir ao deciframento. Superando o mal-estar que aquela confusão de inscrições desencadeava dentro dele, Askum resolveu estudar a tabuleta. Nisso passou seus dias, suas noites.

Começou tentando estabelecer relações entre certos signos gravados por seu amigo e aqueles que ele conhecia. Imaginou de que maneira Tanmuzzi teria passado dos signos todos curvos para aqueles picados e pontiagudos que estavam diante dos seus olhos. Tentava refazer a passagem dos primeiros para os segundos, recompondo as etapas.

Não restava a menor dúvida, aqueles não eram signos insanos dispostos sem intenção.

Tratava-se de uma escrita. Era preciso decifrá-la.

Askum não saía mais do quarto, para o qual mandara transportar uma cama. O Menino trazia-lhe as refeições; não trocavam uma só palavra. A lâmpada a óleo ardia todas as noites. Askum tinha o olhar febril dos inspirados.

Numa primeira vitória, conseguiu reconhecer alguns signos. Os traços contínuos, os desenhos, os arredondados tinham sumido. O círculo que representava a palavra "carneiro" fora transformado em quatro entalhes.

Precisou de vários dias para identificar todos os outros signos que Tanmuzzi, em sua pressa, inscrevera na tabuleta. Tanmuzzi não o deixava, a sua presença, outros diriam sua ausência, acompanhava-o sem cessar. Ele chegava a sentir certo prazer naquela grafia vívida e nervosa. Imaginava o seu amigo, coagido pela urgência, pressionando o cálamo num ritmo cada vez mais rápido.

"Você pressentia a sua morte próxima", ele murmurou. "Naquela noite atroz, Tanmuzzi, meu irmão, você foi aquele-que-vai-depressa-e-direto-sobre-a-tabuleta. *Dubsar.*"

Askum compreendeu a extensão daquilo que Tanmuzzi

havia realizado. O seu amigo efetuara uma dupla simplificação espantosa, a passagem do curvo para o plano tratando-se do suporte, e a passagem do curvo para o reto tratando-se da escrita.

Aquilo que estava inscrito na tabuleta não procurava imitar as coisas, e sim ser um representante dentro de uma cadeia de sentidos. Já não se tratava de uma escrita de coisas, mas de uma escrita de palavras. Já não se tratava de parecer, e sim de significar.

Algo novo na representação acabava de nascer: o sentido! O Menino entrou no quarto feito um furacão, radiante. Acabava de encontrar, no cercado, o selo de Tanmuzzi. O selo estava intacto. Já o *calculus* permanecia inencontrável.

Algumas horas mais tarde, Askum acabava de decifrar a tabuleta, cujo título tornara-se límpido para ele. O que estava inscrito ali tinha um valor inestimável aos seus olhos. Era a prova de que a escrita não servia apenas para estabelecer contratos, não estava ligada apenas à contabilidade, aos números e à gestão do mundo. Ela permitia expressar os sentimentos e os pensamentos mais profundos dos seres humanos.

Deixando o quarto depois de tantos dias, dirigiu-se para o forno. Havia um fogo latente sob as cinzas. Askum inseriu a tabuleta de Tanmuzzi. Depois, cansado, foi para o seu próprio quarto, lavou-se, vestiu-se. Quando voltou, a tabuleta estava cozida. Doravante indestrutível, poderia atravessar os séculos.

Askum depositou sobre a mesa o selo de cornalina e mandou chamar o Menino. Acariciou-lhe os cabelos: "Fizemos um bom trabalho, você e eu. Encontramos o que estávamos procurando. Nossa tarefa está concluída". O Menino se aproximou, pôs a mão no ombro de Askum.

"Você gostaria de saber o que me manteve afastado de vocês este tempo todo?", perguntou Askum.

A resposta do Menino estava em seus olhos.

Askum lhe contou o que Tanmuzzi havia criado naquela noite fatal. Era difícil de formular, era tão novo!

"Se os signos já não figuram as coisas que eles representam, como saber o que eles querem dizer?", perguntou o Menino.

"Eles vão dizer os sons que compõem os nomes das coisas", Askum tentou explicar.

"Os sons? Mas são tantos."

"E as coisas, você acha que são menos? Cada palavra que você pronuncia é feita de sons. Sempre haverá menos sons do que coisas. Para escrever o nome do seu amigo, serão precisos três signos: o primeiro se lerá TAN, o segundo MU, o terceiro ZI."

"Então não vai haver mais desenhos?", perguntou o Menino, tristonho.

"Mas vai ficar tudo tão mais simples!", entusiasmou-se Askum.

"Certamente, certamente. Mas não vou aprender logo. Dê-me um tempo."

Tempo. Fora preciso muito tempo para se chegar nisso. Askum estava orgulhoso de Tanmuzzi. Agradeceu o amigo por ter-lhe proporcionado ser testemunha de um acontecimento desses. Mas aquela descoberta, ele sabia, outros homens, em outros lugares, em outras circunstâncias, a realizariam, ou já a tinham realizado.

No dia seguinte, Askum partiu para Uruk.

Quantos acontecimentos desde a sua primeira visita ao templo de Inanna. Huwa, o vaso, o Menino...

Em alguns instantes, reveria Aemer.

Askum foi conduzido diretamente para o seu quarto. Ela apressou-se em recebê-lo: desde que soubera da morte de Tanmuzzi, esperava por ele. Olharam-se sem dizer palavra.

Ela continuava bonita, o seu rosto não mudara, não mais que o da máscara de mármore. Mas, por dentro, ela fora atingida. Askum era o único capaz de observá-lo.

Ele apresentou-lhe duas caixas. Aemer abriu-as; uma continha o selo de Tanmuzzi, a outra, a tabuleta.

Erguendo a cabeça, Askum avistou o vaso de alabastro.

Em perfeito estado, tal como Tanmuzzi o trouxera. Cruzando o olhar com o seu, Aemer sorriu tristemente. "Algumas presilhas e o vaso está consertado. E o coração, o que o conserta?"

Huwa esperava por Askum. Precipitou-se, aos prantos. A maquiagem que cobria o seu rosto escorria-lhe pelas faces. Askum nem pensou em sorrir. Huwa arrastou-o para o terraço, no lugar em que, alguns anos mais cedo, tinham se reencontrado depois de subir a monumental escadaria do templo vermelho.

"Conte para mim o que você anda fazendo em Uruk", pediu Askum, tentando tirá-lo da sua dor.

"Faço parte da trupe de dança do templo. E continuo tocando pífaro. Tornei-me um excelente dançarino."

"Você está feliz?"

"Sim... não. Eu era feliz, oh, como nunca tinha sido antes. Mas depois da morte de Tanmuzzi..."

Askum tornou a encontrar Aemer em seu quarto. Ela indicou-lhe uma cadeira, depois estendeu-lhe a tabuleta, esperando que ele a lesse para ela. Ele nunca tinha se visto em semelhante situação. Era mensageiro; a menor imperícia poderia causar graves ferimentos.

Ele segurou bem a tabuleta nas mãos e pronunciou:

Canto de Tanmuzzi o pastor para Aemer sua bem-amada, grande sacerdotisa de Inanna.

Aemer ergueu-se, resplandecente de felicidade. O título, em si, era uma promessa.

Fazendo girar entre os dedos o selo de cornalina, ela se lembrou da frase que Tanmuzzi mandara inscrever ali: *Tanmuzzi celebrando Inanna e Aemer sua bem-amada sacerdotisa.*

Quase igual. Mas a ambigüidade sumira.

Depois de dar a Aemer o tempo de que ela precisava, Askum iniciou a leitura. Sua voz grave assumia o texto, perturbada às vezes pela emoção. Nenhuma vez, porém, ele se interrompeu. Tanmuzzi escrevera o canto numa só torrente, Askum devia lê-lo numa só torrente. O que ele fez sem olhar para Aemer, para que ela pudesse deixar seus sentimentos se expressarem livremente.

Em alguns momentos, ele tropeçava numa palavra, sua elocução tornava-se insegura. Ele se emendava. O texto desfilava.

Aemer, olhos fechados, escutava. A ela se dirigiam as mais belas palavras de amor que um dia já foram escritas.

A noite estava prestes a cair. No céu puro de Uruk cintilou a primeira estrela. De pé, em frente à janela do seu quarto, enquanto voavam os pintassilgos silenciosos, Aemer fitou-a demoradamente.

"Primeira a aparecer, última a desaparecer, você será de ora em diante a nossa estrela", ela murmurou. "Eu te ofereço dois nomes. *Dilbat*, estrela do amor, que dedico à deusa Inanna. *Estrela do Pastor*, que dedico a Tanmuzzi das estepes, o pastor. Toda manhã, na aurora do novo dia, pensarei em você. Toda noite, no crepúsculo, pensarei em você. E o céu, com isso, estará mudado."

Ela se afastou da janela. Nenhuma lâmpada estava acesa no quarto, os limites da cama perdiam-se na escuridão. Ela meneou a cabeça: uma estrela brilhando eternamente no céu não substitui um amante numa cama, mesmo que pelo tempo de uma noite.

De que servia, agora, tanto espaço? Ela resolveu mudar de leito. "Não, claro que não!", ela exclamou. "Uma cama estreita tornaria a sua ausência menos gritante e acabaria por amainá-la." Ao seu amante perdido, fez ela a seguinte promessa: "Esse lugar vazio ao meu lado será seu para todo o sempre".

Askum resolveu permanecer em Uruk até que Aemer

aprendesse o cântico de cor, já que ela não sabia decifrar os signos de Tanmuzzi.

Todo dia, ele ia até o seu quarto e lia o cântico para ela. Ela escutava e declamava junto com ele.

Certa manhã, no início de uma sessão, ela pediu notícias do Menino. Ele planejava voltar para Uruk? "Ele fica no aprisco, lá encontrou o seu lugar", respondeu Askum. Aemer não insistiu. Foi buscar o selo de Tanmuzzi, ofereceu-o a Askum: "Dê para ele. O domínio precisa de um novo pastor".

Askum saiu de Uruk ao amanhecer. O dia havia sido longo para Aemer. Ela saiu no terraço do santuário. Lá, no sopro do ar trazido pela noite, declamou o cântico de Tanmuzzi para se assegurar de que o sabia de cor. Ele agora estava inscrito na sua memória. Ela apanhou a tabuleta e a quebrou.

A memória levava a melhor sobre a escrita, e os sons da voz de Tanmuzzi habitando o seu espírito levavam a melhor sobre as palavras gravadas na argila cozida.

Recordou a pergunta que ele outrora lhe fizera: "Por que você é chamada de memória do tempo?".

Ela não havia respondido.

3

UR

UM MILÊNIO DEPOIS.

Um acesso de tosse sacudiu Bilili, seus cabelos cacheados varreram seus ombros nus. Penando para recobrar o fôlego, segurou-se na parede rugosa da muralha. Sabia que não podia nada contra aquelas crises; qual a cheia da primavera, eram inelutáveis e imprevisíveis.

Esforçando-se para olhar à sua volta, mirou os objetos em redor de modo a deixar o mundo entrar dentro dela e expulsar a angústia que a oprimia. Esperou, estava acostumada. Sua vista clareou. Reassumindo o próprio corpo, movimentou os membros, o torso, a cabeça.

Soltou a parede, cerrou os punhos e afastou-se. Depois de alguns passos, que ela pretendia lépidos, tomou consciência das tensões que a habitavam. Relaxou. Por fim, o ar penetrou-a. A crise passara. Não é hora de ficar doente, ela pensou, alegre.

Dali a uns dias, na festa do Ano Novo, Ur seria invadida por uma multidão de estrangeiros à cidade, agricultores da região, beduínos, habitantes da muito próxima Eridu, de Larsa, Uruk, Lagash e Girsu, que viriam assistir ao casamento sagrado. Era o período do ano em que ela mais trabalhava.

Afastando-se das muralhas, Bilili caminhou em direção ao bairro sagrado, no coração da cidade. O bairro dos templos, Ur estava repleta deles! Tinham nomes que ela continuava achando perturbadores, Ekishnugal, Ehursag, Enunmah, "templo da grande luz", "templo-montanha", "templo do altíssimo príncipe".

Depois dos templos, as tumbas. Bilili passou em frente aos túmulos dos primeiros soberanos de Sumer, onde jaziam, segundo afirmavam, tesouros que inflamavam o espírito das suas companheiras de trabalho.

Bilili aos poucos aprendera a conhecer aquela cidade, para a qual fora levada à força e que, ela sabia, seria sua até a morte. Ela ali sufocava, esbarrava nas muralhas que incessantemente lhe lembravam o seu confinamento.

"O Pífaro Comprido."

Famoso tanto pela beleza das suas mulheres como pela qualidade das suas cervejas, o cabaré se acomodava numa reentrância das muralhas, afastado dos bairros residenciais. As noites ali eram agitadas, a música endemoniada, a bebida inesgotável.

Esbelta, pele morena, pescoço delicado e firme, pernas de músculos alongados, Bilili deslocava-se entre as mesas atraindo os olhares como os frutos atraem a abelha. A Estrangeira! Ela agradava os homens que procuravam nela a selvageria isenta de crueldade, gritantemente ausente de suas vidas monótonas. A flexibilidade do seu corpo felino incitava os imaginativos a fantasiar alguma posição que suas esposas rígidas não conseguiriam executar. Uma hora passada em seus braços, e eis que eles partiam para uma longa viagem resplandecente, da qual retornavam com uma provisão de promessas para um punhado de semanas.

Bilili era Mar'tu, de uma das tribos beduínas que vagavam, nômades, desde Sumer até as terras do Oeste. As relações entre essas tribos e Ur eram instáveis, às vezes havia guerra, às vezes paz, mas nunca uma paz completa.

A última guerra se encerrara com uma terrível derrota dos Mar'tu. Oferecida pelo rei, como butim, a um de seus valorosos oficiais, Bilili se vira encerrada no "Pífaro Comprido" e posta a trabalhar aos dezesseis anos naquele cabaré de Ur, sob as ordens de uma severa matrona de bom coração.

Tinha acabado se conformando. Aquele lugar ou outro qualquer... Teria sido fácil fugir, não correria risco algum, sabia disso. O quanto valia, para o seu dono se dar ao trabalho de mandar guardas à sua procura? Mesmo porque seu valor estava diminuindo: quanto mais vitoriosos eram os exércitos de Ur, mais escravos traziam e menor era o seu preço.

Os beduínos de passagem em Ur para negócios sempre achavam um tempinho para lhe dar notícias da tribo. Certo dia, o chefe de uma tribo distante entrou na cidade, encarapitado em soberba montaria. Ninguém nunca vira um animal desses. Alto, raçudo, pêlo liso, cauda nervosa. Tão diferente de um burro ou de um onagro. Um cavalo! O primeiro que entrava em Ur. O cavaleiro avançava majestosamente; abrindo passagem com dificuldade, divertia-se excitando, com os calcanhares, a montaria, que investia em meio aos curiosos assustados, e ria com um riso sonoro e insolente.

Bilili o avistou. Reconhecendo a bela postura dos Mar'tu, o cavaleiro estendeu-lhe a mão, içando-a ao seu lado. Bilili, triunfante, atravessou a metade da cidade sob os olhares de inveja dos transeuntes, que ela sobrepujava. Aquele foi o seu dia.

Beduínos que residiam em Ur às vezes iam ao Pífaro Comprido especialmente para fazer amor com "uma da terra". Bilili preferia seus corpos secos e nervosos aos dos sumérios, não raro ameaçados pela corpulência. Eles não cansam suficientemente o corpo, ela pensava, deveriam andar mais, correr, gastar energia.

Bilili não era sozinha. Tinha uma amiga no cabaré. Sem Aemer, sua vida seria muito mais difícil. Era preciso vê-las, as duas *kezertu*, as-do-cabelo-que-ondula, andando pelas ruas de Ur, causando inveja nas mulheres que tão ostensiva liberdade enraivecia e fazia sonhar. A morena Bilili e a clara Aemer. Mesma idade, mesmo porte, mesma indomável irreverência. Divertindo-se feito as adolescentes que nunca haviam sido, percorriam a cidade, risonhas, em busca dos prazeres de que as haviam privado. As prostitutas eram respeitadas, não eram de modo algum mantidas na inferioridade. As escravas, sim, eram maltratadas; oferecidas nos santuários, marcadas como bichos, tatuavam-lhes na palma da mão o sinal do deus do templo ao qual eram ligadas: uma meia-lua para Sin, uma estrela de oito pontas para Inanna-Ishtar... Não era como prostituta, e sim como Mar'tu que Bilili era desprezada. Para os habitantes de Ur, aqueles beduínos eram uma "gente sem casa".

A rua das Compras e o *karu*, mercado do porto, eram os locais preferidos de Aemer e Bilili. Não passava uma semana sem que fossem vistas ali, comprando tudo o que podiam, perfumes, jóias, roupas.

Juntas, tinham descoberto o henê, juntas tinham trocado o escarlate da romã pelo açafroado que avermelha por um tempo a palma da mão.

Seu último achado, na rua das Compras, era a roupa de decência. Uma maravilha, aquela pecinha de tecido que aprisionava o sexo e as nádegas, amarrava-se justo abaixo do umbigo e oferecia um duplo prazer. O de colocar esta roupa e sentir-se bem firme dentro dela, e o de tirá-la e sentir-se liberada. Sem contar que lhes proporcionava um novo elemento de erotismo, que elas haviam sido as primeiras a pôr em prática.

O confeiteiro de Ekishnugal era incontestavelmente o melhor da cidade. Bilili e Aemer, suas clientes mais fiéis. Elas se lambuzavam de bolos de mel, de frutos secos aromatizados. E não engordavam. Mas a delícia das delícias estava no *karu*. As tâmaras de Dilmun! Infelizmente, só se encontravam raramente. O mercador recebera ordem expressa de reservar um tanto para elas a cada navio que chegava.

Casa-cujo-alto-terraço-inspira-pavor, Etemenigu, assim é que os sumérios denominavam o zigurate. Bilili, a menina beduína, sentia aquele pavor quando, caminhando na estepe, avistava ao longe o terrível edifício, única montanha daquele espaço plano. À imagem dos habitantes daquela cidade contra a qual sua tribo seguidamente lutava, o zigurate parecia querer, com sua presença incontornável, lembrar-lhe que ela era dominada.

Mas quando o via de mais perto, Bilili ficava fascinada como nos primeiros dias. Apavorada e fascinada. O edifício, maciço e elegante, causava-lhe uma sensação contraditória.

No chão, Bilili se sentia esmagada pelo volume considerável da sua base de tijolo cru, mas, assim que o seu olhar se elevava, o monumento encolhia numa perspectiva fugidia que o fazia parecer muito mais alto do que era na realidade.

Seus três terraços sobrepostos, cada vez menos extensos, figuravam os degraus de uma escadaria gigantesca construída à medida dos deuses, a fim de que estes pudessem com facilidade chegar à terra, ou deixá-la. O zigurate era o vínculo entre esses dois mundos, ele tornava os deuses acessíveis aos homens.

Três escadarias situadas frente ao sol nascente, duas laterais e uma central, uniam-se no primeiro terraço. As duas laterais paravam aí, enquanto a central seguia em sua progressão até o topo, onde se erguia o santuário de Sin, o deus Lua, jovem touro de cornos potentes, queixo ornado de uma barba azul, nascido do estupro da deusa Ninlil pelo grande deus Enlil.

O que poderia haver de mais impróprio, para um beduíno, que uma escada? Para a gente da tribo de Bilili, nenhum objeto era mais alto que o homem. "Nosso mundo está à altura do homem", diziam, orgulhosos.

Menina, Bilili só conhecera a horizontalidade, um universo ao rés do solo. Em Ur, ela descobrira a altura do interior, a verticalidade. A primeira vez que galgara o zigurate, mesclada ao medo ela sentira uma espécie de embriaguez.

Durante suas infindáveis corridas nas estepes, ela jogava com seu peso, contando com ele para pular e ressaltar. Cada pulo, cada salto, preparava o seguinte. Nas escadarias do zigurate, ela simplesmente não tinha mais peso. Cada subida, começada como uma ascensão, transformava-se em elevação. E, principalmente, que não viessem lhe dizer que a leveza que ela sentia se devia à perda de peso! Ela não estava emagrecendo. Estava evaporando. Há muitos anos, no tempo em que Bilili estava bem, ela apostava corridas com Aemer. A brincadeira preferida delas era ver quem chegava primeiro, não ao topo, nem sequer ao segundo terraço, mas ao primeiro. Elas nunca tinham subido até o topo, onde se erguia o santuário de Sin. Como a maioria dos habitantes da cidade, não tinham esse direito. Alguns raros privilegiados tinham o direito de ver os deuses fora das procissões. Em Ur tudo girava em torno da lua. Assim como Uruk era a cidade de Inanna, Ur era a cidade de Sin, seu pai. As festas eram marcadas segundo suas fases, e o mês começava com o desaparecimento da lua nova.

Sempre o mesmo maravilhamento. Ao contemplar a cidade aos seus pés, Bilili e Aemer se extasiavam. De lá dava para ver as muralhas! Cercando a cidade, defendendo-a e estrangulando-a. Mas era a água que toda vez as surpreendia. Ur era cercada de água. O Eufrates, que a margeava a oeste, os largos canais que a contornavam a leste, e o canal, tão importante para os habitantes, que a atravessava de par em par.

Assim como Bilili execrava a cidade, Aemer era louca por ela. Não poderia passar sem elas: a multidão, as ruas superlotadas, a vida trepidante. Exceto, no pior do verão, as terríveis tardes mortas em que toda vida cessava. Nesses dias, e toda vez que tinha necessidade de estar sozinha, Aemer ia até o seu lugar secreto. Nem Bilili sabia da sua existência. Uma pequena angra ao longo do Eufrates, em direção ao mar. O lugar era agora inseparável de Adappa. Aemer lembrou-se da primeira vez em que o vira. Na verdade, não tinha sido ela, e sim ele quem a notara. Havia quase três anos ela percebera que um garoto a vinha seguindo, de uns catorze anos no máximo, com o uniforme dos escolares. Ela não lhe dera muita atenção. Como ele persistisse, ela quis saber por conta de quem agia. Virara-se subitamente, ele não teve tempo para escapar.

"Você não acha que é um pouco criança para ficar seguindo as mulheres na rua?"

Ele enrubesceu.

"Então, por que está me seguindo há vários dias?"

"Porque acho você bonita."

Foi a vez de Aemer enrubescer.

"Pois eu não o acho nem um pouco bonito", ela afirmou.

Adappa levantou a cabeça, com lágrimas nos olhos, ferido.

"Não, não", ela se emendou. "Na verdade, você até que é um garoto bonito. Mas, um conselho, estude bastante por enquanto, e depois, você vai interessar, vai agradar às mulheres, tenho certeza. Que ofício você quer seguir mais tarde?"

"*Dubsar.*"

"Escriba! Mas é muito difícil."

"E daí?", ele retrucou. "Você quer me desanimar?"

Ela meneou a cabeça, desconcertada com a reação dele.

"Eu vou ser escriba, mas nem no palácio e nem no templo. Quero ser livre, escrever o que eu quiser. Não só copiar textos ou fazer cálculos."

"Você estuda direito, pelo menos?"

"Hmm... não muito."

"Então você não tem a menor chance de chegar lá."

Aemer o tinha ferido duas vezes. Sentiu-se culpada.

No dia seguinte, Adappa estava lá, esperando. Aemer sabia que teria sérios problemas se a flagrassem, ela, a *kezertu*, falando com um menino daquela idade. Estava para proibi-lo de voltar, quando lhe veio à memória a frase, revolvendo tantas lembranças: "Acho você bonita". Não teve coragem.

"Como é que você está na rua a esta hora? Já deveria ter voltado para casa. Os seus pais não ficam zangados?"

"Oh, não, nunca!" Aemer teve a impressão de perceber uma pontinha de pesar. "Meu pai está fora o tempo todo, visitando as províncias." Ele não mencionou a mãe. "Moro numa casa grande, posso mostrar para você, se quiser. É repleta de servos. Há um velho servo que cuida de mim, eu gosto dele, conheço-o desde sempre e ele nunca fica bravo comigo."

Adappa freqüentava as aulas da *eduba* mais renomada da cidade.

"O único que me dá medo é o Pai da *eduba*. Quando ele entra na sala, todos nós trememos."

"Ele bate em vocês?"

"Nunca. Essa é a função do encarregado do chicote e, pode acreditar, ele adora isso. A gente gosta é do Irmão Grande, ele passa para a gente os exercícios de escrita e declamação."

Ele falava, falava. Aemer sentia que era a primeira vez que ele se abria. Contava para ela o que fazia durante os seus dias. Ela não podia lhe contar o que fazia durante as suas noites. Súbito, ela perguntou: "Você sabe qual é a minha profissão?".

"Sei."

Eles não tornariam a falar sobre isso.

Então, sem saber por quê, Aemer postou-se diante dele: "Você não quer me ensinar a escrever?".

Atônito, Adappa balbuciou: "Você pede isso para mim? Mas... eu não vou ser capaz, ainda não sei o suficiente".

"Sabe o suficiente para me ensinar o que eu não sei. Você será o meu Irmão Grande."

Um orgulho louco tomou conta de Adappa. Ele lançou-se sobre Aemer para abraçá-la. Estavam em plena rua. Aemer interrompeu o seu gesto sem que ninguém percebesse.

Dois dias depois, na mesma hora, no mesmo lugar, ele corria para ela brandindo uma tabuleta de argila. "Siga-me", ela murmurou, arrastando-o para a pequena angra ao longo do Eufrates.

"É um segredo entre nós?", perguntou Adappa, olhos brilhando.

Ele avisou que a tabuleta era de muito má qualidade. Pegou o cálamo.

"Primeiro, você tem que verificar se o cálamo não está meio reboto. Ele tem de ser apontado regularmente."

Ele pediu que ela passasse o indicador pelo gume.

"Bem, vamos começar. É desse jeito que se segura."

"Eu sei", ela o interrompeu.

"Mas você disse que não sabia nada!"

Ele tinha razão. Era melhor esquecer tudo e recomeçar do começo. Como numa tabuleta nova, ela pensou.

"Você tem que apertar o cálamo sempre do mesmo jeito, é muito importante!" Aemer estava longe. "É que nem andar num chão mole", prosseguiu. "Você não está me ouvindo."

"Estou, sim... Mesmo assim, repita."

"Eu estava dizendo que é que nem andar num chão mole, os rastros dos seus pés devem ficar sempre iguais."

A imagem agradou Aemer. Escrever é andar, é ir além.

Adappa obrigou Aemer a escrever linhas e linhas, só para exercitá-la na pressão do cálamo. O resultado foi lamentável. Aqui, marcas mal perceptíveis, lá, sulcos profundos, como se ela estivesse manejando uma relha de charrua.

Adappa pegou o cálamo de volta: "Você aplica com um gesto seco", ele mostrou. "Aperta, tira, aperta, tira. E principalmente, não mexa quando ele está lá dentro, senão você alarga a marca. Sabe o que diz o professor? 'Nem pata de pássaro nem casco de boi.' É um poeta, esse homem!"

Depois de algumas linhas, Aemer sentiu dor em tudo, no indicador, nas costas da mão, no pulso.

"Os *dubsar* escrevem horas a fio sem sentir dor nenhuma", declarou Adappa sentenciosamente.

Irritada, Aemer retorquiu: "Não é mais extraordinário que usar a enxada, ou ceifar a cevada, desde o alvorecer até o crepúsculo".

"Eu não sei, nunca usei a enxada nem ceifei a cevada, nem juntei tâmaras, e nem mungi ovelhas."

"Pois deveria. Seria bom para você!"

Ela se foi, deixando-o ali.

Adappa chamou-a de volta: "Você fica com raiva só para ter um pretexto para não continuar".

Como é que ele tinha adivinhado?

* * *

"U, a, i." Da escrita das palavras à escrita dos sons. Adappa ensinou Aemer as três vogais, a utilização das consoantes e a formação das sílabas. "*Ur, ar, ir, uh, ah, ih, tu, ta, ti, nu, na, ni, bu, ba, bi, zu, za, zi...*" Aemer o apressava, sempre querendo saber mais, ansiosa por recuperar o tempo perdido. Obrigado a estudar seriamente para conseguir atender aos pedidos dela, Adappa, para espanto de seus professores, tornou-se o melhor aluno da *eduba*.

No dia seguinte, Aemer estava à margem do Eufrates. Adappa não estava. Ela esperou, ele nunca chegava atrasado. Era por causa da altercação da véspera, tinha certeza. Azar, se ele era suscetível a esse ponto... Ela se levantou e foi embora. Há anos venho aqui para ficar sozinha e, quando ele não está, vou-me embora, ela refletiu. Voltou sobre os próprios passos, sentou-se em frente ao rio e o esqueceu.

Depois de um bocado de tempo, avistou-o, caminhando devagar como se estivesse com dificuldade para andar. Vinha com um sorriso forçado. Ela perguntou se ele tinha brigado. Ele disse que não, mas deixando escapar tamanha careta de dor que ela não acreditou. O encarregado do chicote o tinha surrado com as varas. "Estou acostumado", ele bravateou. Mas não queria dizer por que motivo havia sido punido. Ela pediu que ele tirasse a roupa. Ele se recusou com veemência.

"Não seria a primeira vez que eu veria um homem sem roupa", ela encorajou.

"É, mas seria a primeira que eu me mostraria nu."

Ah, o pudor da adolescência! O pudor que nela nunca tinham respeitado. Ele não podia ser pressionado. Aemer pôs a mão no ombro dele. Delicadamente, livrou-o de sua roupa. Ele deixou, com as faces vermelhas. Cada movimento arrancava-lhe um gemido. Quando ficou com o torso nu — ele já tinha uns pêlos no peito —, Aemer conteve um sorriso. Pediu que ele se virasse.

Um massacre!

Suas costas estavam estriadas de marcas azuladas, mas nenhum vestígio de sangue era visível. As varas tinham penetrado profundamente a pele, sem nunca entalhá-la. O encarregado do chicote conhecia o seu trabalho: a dor sem os riscos de infecção que as chagas abertas poderiam acarretar. Aemer molhou um pano no rio, passou-o levemente pela pele machucada. Adappa relaxou. Virou a cabeça para Aemer, forçando-se a sorrir apesar da dor: "Você não nota nada?".

"Noto, sim, ele cuidou bem de você", exclamou Aemer.

"Olhe bem para as marcas, são todas da mesma profundidade. Não diga que não, eu já vi as costas dos alunos castigados. Nem fundas demais, nem superficiais demais, não é? O encarregado do chicote maneja o instrumento dele como os bons escribas utilizam o cálamo. O problema é que, desta vez, minhas costas é que são a tabuleta. Assim é que você tem que escrever."

Aemer caiu na gargalhada.

Era preciso passar-lhe um ungüento rapidamente. Adappa tinha que ir para casa, o velho empregado se encarregaria disso. No caminho de volta, enquanto Aemer insistia para descobrir a causa do castigo, ele acabou confessando que tinha roubado uma tabuleta novinha para os exercícios de escritura deles.

Algum tempo depois, Adappa anunciou que ia lhe ensinar a escrita dos números. Aemer afirmava que não sentia essa necessidade. Adappa convenceu-a. Antes de começar, ele avisou, sem jeito, que só poderia lhe ensinar o método antigo. "Não conheço o método novo. O professor de cálculo falou que era um método realmente mais simples, mas que não ia explicar para nós porque... ele não disse por quê. Porque ele não compreende, simplesmente. Era melhor nem falar para a gente, então!", explodiu Adappa.

Tiveram início as aulas. Numa delas, Adappa chegou com um saco cheio, pesado, que depositou aos pés de Aemer. Tirou do saco tabuletas cobertas de números: "As tabuadas", ele anunciou. "Quanto mais você sabe de cor, menos pesado fica o saco."

Nada poderia impedir Aemer e Bilili de assistir à festa do Ano Novo. Era também a chegada da primavera e o anúncio da cheia. A cidade estava lotada de gente, vinham de toda parte, as pessoas acorriam ao bairro dos templos onde se daria o casamento sagrado. Excitadas feito garotas, Aemer e Bilili acompanhavam as procissões até ficarem exaustas.

As moças vinham em massa escolher um namorado, sonhariam com ele enquanto não recebiam dos pais o esposo que eles tinham escolhido para elas.

O casamento sagrado era o momento da refundação da cidade. Naquela noite, o rei e a sacerdotisa, no seu leito no centro do templo, obravam para reativar a fertilidade e a abundância. Uma pergunta perseguia o espírito de todos, será que o rei consumava sua união com a sacerdotisa ou seu relacionamento se mantinha casto?

Uma estranha atmosfera planava sobre a cidade, o erotismo pairava no ar, fazendo vibrar os corpos. Excitados, os homens dirigiam-se em massa para os inúmeros cabarés da cidade. Noites extenuantes para as *kezertyu* do Pífaro Comprido.

No meio da noite, Aemer se pôs a dançar, envolvendo os espectadores.

Não foi embora com nenhum homem. O seu corpo esgotado não teria suportado o menor contato. Felizmente, com o tempo, aprendera a se preservar. Da bebida, principalmente. A cerveja deixa vazia a cabeça e grande a barriga.

A matrona do Pífaro Comprido nunca exercera pessoalmente a profissão — alguns afirmavam que ela nunca fora "aberta" —, o que não a impedia de conhecer todos os seus recursos, todos os seus perigos. Ela confidenciara a Aemer que, criança, sonhara em ser sacerdotisa. Não tendo conseguido, por um motivo que se negara a revelar-lhe, direcionara-se para uma "casa". Para ela, não havia sumérias, gutis, mar'tu, elamitas: todas as meninas que trabalhavam sob sua autoridade eram "suas meninas".

"Quando vim parar no Pífaro Comprido", Aemer contava para Bilili, "ela imediatamente tomou conta de mim: 'É uma profissão como outra qualquer, minha filha', ela repetia o tempo todo."

"Ela me disse a mesma coisa!"

"É porque deve ser verdade. Ela imediatamente me ensinou as receitas para as situações 'difíceis', como ela dizia. Quando um homem subir com você, e não conseguir, o que você faz? Simples! Pega um tufo de pêlos de um carneiro no cio. Fácil! Você mistura com umas gotas do esperma do animal. Fácil! Enrola tudo com um pano fino. Prende o pano nos lombos do homem. 'O que você está fazendo, querida? Nada, nada. Mas que pano é esse que você está metendo nas minhas costas? Nada, estou dizendo. Só uns pêlos de carneiro no cio e umas gotas de esperma. Do mesmo carneiro, é importante. É só isso? Então tudo bem, querida.' "

"E você vai. Prende o conjunto dos lombos dele com um cordão que amarre bem. Ele está de barriga para baixo, com o pano grudado acima das nádegas. Ele se vira, você olha bem nos olhos dele e declama sete vezes — nem seis, nem oito: sete. 'Meu amante, excita-te! Excita-te como um touro selvagem. Faz seis vezes amor comigo, como um corço! Sete vezes, como um cervo! Doze vezes, como um macho de perdiz!' "

"E funciona?", perguntou Bilili, esforçando-se para manter a seriedade.

"Ah, certamente. Eu tinha tudo, o cordão, o tufo de pêlos, mas nunca consegui as gotas frescas de esperma."

"Que pena!", explodiu Bilili.

Elas caíram na gargalhada.

Encontravam-se no quarto de Aemer, o de Bilili sendo muito pequeno e escuro, e não raro falavam do seu trabalho. No mais das vezes, riam dele. Era a única maneira de ele não se tornar insuportável. Aemer usava outra maneira, toda sua. Resolvera pegar o que havia de melhor em cada homem que encontrava. Ela estava ali, eles vinham... e voltavam feito as ondas, ou sumiam para todo o sempre, levados pelo largo. Certa vez, um marinheiro lhe trouxera um pedaço de marfim vindo de Meluhha. Ela mandara talhá-lo para fazer um pente pequeno.

Outra vez, um rapaz com um rosto de surpreendente fineza a fizera sonhar. Ele declamara um poema antigo que os marinheiros cantavam, à noite, no mar. Olhos cerrados, ela o escutara falar dos mergulhadores nus de Dilmun que desapareciam no fundo das águas por tanto tempo que só poderiam ter se afogado. E surgiam numa fonte de água, um braço erguido para o céu, rindo feito garotos, ostentando na ponta dos dedos esguios pérolas que cintilavam ao sol. Depois, fizera-lhe amor com paixão.

Ao alvorecer, na hora de deixá-la, ele estendera-lhe uma pérola de embriagante pureza. Ela nunca tornara a vê-lo.

Agarrado ao mastro, Unzu olhava, aflito. O barqueiro, que manejava com dificuldade a pequena embarcação nas águas agitadas, ordenou que se sentasse. Teimando em ficar de pé, Unzu tentava enxergar o mais longe possível.

O cadáver de uma vaca, inchado a ponto de rebentar, passou perto dele. Com a ponta do arpéu que lhe passou o barqueiro, Unzu empurrou-o. A vaca afastou-se, balançada pelo vento. Outros cadáveres flutuavam ao longe. Um rebanho inteiro se afogara.

Não haveria piores circunstâncias para empreender uma viagem. Se não fosse a convocação endereçada pelo chefe da administração central, Unzu teria esperado alguns dias. Era loucura atravessar o país de ponta a ponta em plena inundação.

Água a perder de vista. Adiantada em várias semanas, a cheia pegara a todos de surpresa. O Eufrates, inchado com as águas acumuladas nas montanhas do norte, transbordara para bem além da área habitual, aniquilando os dispositivos de regulagem da cheia. Sua violência tornara qualquer proteção ineficaz.

Graça dos deuses concedida aos humanos a cada ano, a cheia regenerativa se transformara em inundação destrutiva. As habitações de tijolo cru, dissolvido, tinham desabado. Somente aquelas protegidas por um revestimento de tijolo cozido haviam resistido. Unzu não recordava ter visto desastre igual. Tinha apenas vinte e quatro anos, mas o barqueiro, quase um idoso, confirmou. E não havia chovido uma gota sequer. Felizmente, o céu estava nublado e encobria o sol.

Não havia a menor elevação natural que permitisse aos homens, aos animais e às habitações escapar ao avanço das águas, cuja camada era fina, sem dúvida, mas a extensão, imensa. Unzu não conseguia evitar de efetuar um rápido cálculo de volume, totalmente vão. Sorriu ante esse reflexo que já se tornara uma mania; não podia associar dois números sem adentrar em cálculos complexos.

Unzu morava havia alguns anos em Agadé, a antiga capital de Sargon. Era encarregado da inspeção da rede de irrigação para toda a província, uma das trinta com que o país contava. Um cargo que não preenchia todas as suas aspirações, mas que tinha a vantagem de afastá-lo de Uruk, onde nascera, do outro lado do país.

O tempo passara. Ele atualmente ficaria feliz em voltar para o sul e ser nomeado, por que não, em Ur, a capital do poderoso reino da nova dinastia. Mas, para isso, não podia perder a vida naquela aventura. É o que teria acontecido não fosse a habilidade do barqueiro e seu extenso conhecimento do rio.

Nenhuma vela no horizonte. Eles eram os únicos que se atreviam a enfrentar o perigo. Unzu tivera que insistir, e pagar bastante caro, para que o marinheiro aceitasse pegar o barco.

Enquanto profissional avisado, Unzu adivinhava sob as águas os diques rompidos, os aterros desabados, os canais danificados, as comportas destruídas. Que imensa tarefa era recolocá-los a funcionar! A ele e ao seu chefe é que incumbiria a direção das obras. Ele pensava poder tirar alguma vantagem daquela calamidade para melhorar o sistema de irrigação, que, em vários aspectos, deixava de ser satisfatório. Estava com a cabeça cheia de projetos.

"Olhe, olhe!", gritou o marinheiro.

Dois homens, cada qual agarrado a um odre-flutuador de couro, remavam com as mãos. Entretidos numa conversa que parecia captar toda a sua atenção, passaram sem lhes dirigir a palavra. Unzu e o barqueiro caíram na gargalhada.

Unzu pegara no sono. Entreabrindo os olhos, julgou estar sendo acometido pelo que os povos do deserto chamavam "miragem". O Muriq-Tidnim, "muro que afasta os Mar'tu", barrava o horizonte, dando a impressão de surgir da água.

Unzu já o avistara durante suas viagens, mas desta vez a visão era insólita e preocupante. Qual fora o deus que mandara erguer aquela parede de tijolos em meio às águas? Não era um deus, e sim um rei, Shu-Sin, quem mandara edificá-la para proteger o país das incursões nômades. O relevo não fora generoso com Sumer, não lhe oferecera nenhuma defesa natural. Os habitantes só podiam contar com as construções que erguiam sem cessar, muros, muralhas, cercas, fortalezas. Mas Unzu conhecia os trunfos dos nômades, sua rapidez, sua mobilidade, sua imprevisibilidade. O confronto, que não deixaria de rebentar, opunha duas maneiras de conceber a existência, o movimento à implantação, o efêmero ao duradouro; temos os nossos templos, nossas cidades, nossas casas para defender, e eles, desde que tenham seu quinhão de céu e espaço, não se apegam a nenhum lugar em especial. As muralhas nos protegem, a extensão os fortalece. Que país irei deixar aos meus filhos?, perguntou-se.

Das montanhas do norte até o mar do Sol levante, era um só país! Unzu se parabenizava por poder cumprir um trajeto tão longo sem que nenhuma fronteira viesse entravá-lo.

Ia longe o tempo em que o país se achava fragmentado em dezenas de cidades que não paravam de combater entre si.

Longe, o tempo em que os templos tinham dado surgimento às cidades.

Longe, o tempo em que as cidades tinham anexado os campos vizinhos, cada qual se tornando um pequeno país, com seu soberano, seu clero, seu exército. Orgulhosas da sua independência e das suas diferenças, elas não tinham deixado de combater, Isin, Kish, Larsa, Lagash, Uruk. Até que Ur, levando a melhor sobre as outras todas, fundasse um poderoso império unificado sobre uma extensão considerável. A administração, tornando-se mais e mais poderosa, centralizara-se, instaurando uma rígida hierarquia. "Organização" tornara-se a palavra mestra. Organização do poder, dos transportes terrestres, da navegação, do correio, da coleta de impostos, do sistema de irrigação.

Unzu era um dos elos desta corrente que constituía a força do império de Ur.

Levada pelas águas, a embarcação vogava em alta velocidade. No horizonte, o Muriq-Tidnim estendia sua silhueta sombria. Fascinado, Unzu fixou-a até sentir seus olhos arderem. Um povo que conseguira construir uma muralha assim era invencível. Essa idéia o apaziguou.

Detiveram-se no pequenino povoado de Babilu. Como o barqueiro se negasse a seguir adiante, Unzu pôs-se à procura de outra embarcação e outro atravessador.

Na manhã seguinte, o sol compareceu e não foi mais embora. A reverberação era terrível. Estavam cercados por um imenso espelho de cobre que refletia os raios, cem vezes multiplicados. Unzu precisou amarrar um pano em volta do rosto para não ficar com a pele completamente queimada.

Quando a água tiver se retirado, vai deixar um imenso lago de lama, no qual vamos afundar até os joelhos. A tosquia vai ser adiada. Nenhum trabalho será possível enquanto a terra não secar. Com as semeaduras proteladas, ou até anuladas, o risco da fome era real. Os grãos armazenados nos depósitos reais seriam suficientes para alimentar a população?

Os festejos do Ano Novo não deveriam reativar a prodigalidade da natureza? Diante de tal desolação, Unzu não pôde deixar de admitir que alguma coisa não funcionara direito em sua celebração.

Chegaram em Uruk. A cidade da qual ele um dia fugira. Unzu resolveu passar uma noite ali a fim de fazer uma visita aos seus pais, que não tornara a ver depois de ter se instalado em Agadé. Passada a surpresa, seu pai fez a pergunta que Unzu temia: "Meu querido filho, não está para nascer esta criança que sua mãe e eu esperamos, impacientes? Porque", ele prosseguiu com voz inquieta, "temos uma surpresa para você. Não é?", perguntou à sua mulher, a qual sorvia as suas palavras.

"É, sim", ela arrulhou, "um presente que vai encantá-lo e que..."

O pai fez sinal que se calasse, ele é que iria anunciar a novidade: acabava de adquirir uma maravilhosa casa em Ur, próxima ao bairro sagrado, para Unzu e sua bem-amada nora. Uma casa que ele quisera espaçosa, a fim de que pudesse acolher numerosa prole. A mãe compôs uma fisionomia de supliciada ao acrescentar: "Você é o nosso único filho, Unzu".

Ur, término da viagem, estava a uns trinta quilômetros de distância. Atravessara o reino de norte a sul, de uma assentada, em plena inundação! Uma proeza.

As muralhas, de uns vinte metros de espessura, protegiam a cidade não só dos ataques inimigos, mas também das inundações. Ur não sofrera com a catástrofe.

Unzu tomou um banho, lavou-se demoradamente, deixou-se ungir com óleo para acalmar a pele ressecada de vento e de sol, deixou-se raspar a barba. Ostentando seus melhores trajes, dirigiu-se para o palácio. Nunca pusera os pés por lá. De súbito, aquela convocação o preocupou. Que erros ele poderia ter cometido para ser chamado de urgência? Seria uma destituição? Não, tranqüilizou-se, se fosse esse o caso, uma carta seria suficiente. Era, portanto, mais sério. À medida que se aproximava de Ehursag, seus temores iam crescendo. Unzu saiu da sua entrevista atônito. Imaginara qualquer coisa, menos aquilo. *"Gugallu, gugallu,* sou um *gugallu"*, repetia. O chefe da administração régia acabava de nomeá-lo responsável pela irrigação da região de Ur!

Puabi — seus pais tinham feito questão de lhe dar o nome de uma rainha defunta — era bonita, de uma beleza sem originalidade, pequenos olhos risonhos, rosto largo, uma covinha no queixo. A estatura sólida, formas cheias, um colo atraente, trajando com certa elegância roupas luxuosas que ela adorava. A idade, sem dúvida, iria rapidamente alterar a sua silhueta.

Há quatro anos estava casada com Unzu. Tendo permanecido em Agadé, aguardava o seu regresso com impaciência. Nunca tinham estado tanto tempo separados.

Não foi Unzu quem chegou, e sim uma carta enviada de Ur em que ele lhe contava a dupla novidade, o glorioso cargo, a suntuosa casa. O seu marido finalmente acedia à situação que eles mereciam! Ela ia voltar para Ur, reencontrar seus pais, suas amigas. Aqui, nessa cidade de província que não se reerguia da grandeza passada, ela morria de tédio. Um sentimento de esperança tomou conta dela, aquelas mudanças decerto os ajudariam a encontrar uma feliz solução para o problema que os minava.

Unzu tendo imediatamente assumido suas funções, ela preparou a mudança com uma sensação de euforia. Assim que tinha um momento livre, tentava imaginar sua nova morada, apesar das poucas informações fornecidas pelo marido. A localização, principalmente, encantava-a. Ela teria como vizinhas as mulheres dos altos funcionários do palácio, seus filhos brincariam com os delas. Ela seria convidada às recepções reais...

Com as águas começando a se retirarem, a navegação voltou ao normal. Puabi pôde deixar Agadé.

* * *

Ur. Puabi parou defronte a SUA casa. Uma casa com piso superior! Só havia um punhado delas em toda a cidade. Seguida por suas servas, ela entrou, exausta. Unzu acorreu, ela jogou-se em seus braços. Assim que ela saciou sua sede, Unzu levou-a para visitar a residência. Um grande pátio central, para o qual davam vários cômodos, com duas árvores magníficas, de uma altura que atestava a antiguidade da construção. Um imenso quarto para o casal, vários, já arrumados, para os filhos. Espalhadas por toda parte, dependências e salas para guardar os mantimentos. Seus sogros tinham cuidado de tudo. A casa fora inteiramente mobiliada, e uma pergunta atravessou-lhe a mente. Onde vamos pôr os móveis que estão para chegar de Agadé? Eles bem que podiam ter pedido sua opinião.

Por fim, a cheia dava a Unzu uma oportunidade inesperada de mostrar o que sabia fazer e pôr em prática a sua concepção de uma irrigação mais eficiente. Num primeiro momento, consertar os estragos mais graves para tentar salvar a colheita. Depois, conceber um novo sistema, mais eficaz, capaz de resistir às cheias.

Seria necessário contratar muitos homens para arear, esvaziar, limpar, desobstruir. Refazer os aterros, reconstruir alguns diques, consolidar outros, escavar os canais enlodados.

A fim de evitar nova destruição dos diques, Unzu pensara em multiplicar os canais de derivação para que servissem de escoadouro e ampliar os reservatórios. Já sonhava com um novo projeto que compreendesse não só os canais de irrigação, mas também vias aquáticas ligando Ur à maioria das cidades e aldeias da região. Esta volta ao Sul era-lhe realmente favorável.

Como Unzu e Puabi ainda não tinham filhos, Unzu resolveu colocar todas as chances do lado deles. Toda noite, ele obrava conscienciosamente, até a exaustão, toda noite ela o acolhia, ajudando o quanto podia. Obrigação de um resultado, que a cada dia os afastava um pouco mais. O prazer, sufocado pela exigência da eficácia, desertara os seus amores mercenários. Eram ambos agradecidos aos esforços do outro. Causavam-se pena.

E quando se desuniam, o corpo inundado de suor, sua separação os libertava — e os devolvia à própria solidão. Puabi sabia que os deuses eram inexoráveis. Estava convencida de que, com as orações e as oferendas apropriadas, poderia modificar os seus decretos. Como toda sumeriana, conhecia os rituais para tanto. Freqüentava regularmente o zigurate. Assim como a lua faz a luz, a mulher faz a criança, assim vai o ciclo do mundo. A Sin, o deus lua que presidia aos nascimentos com sua imemorial capacidade de renascer toda noite de si próprio, Puabi dirigia as oferendas para que ele a libertasse do seu estado de "flor que nunca irá gerar o fruto".

Sin, luminária dos céus, senhor dos destinos, luz dos *Igigu* e de todas as multidões, àquele que não tem filho proporcionas um filho. Sem ti, a infecunda não concebe, não fica grávida.

Certa noite, voltando tardiamente do zigurate, Unzu a esperava, irritado. Puabi nunca o tinha visto tão furioso. "Tenha êxito, primeiro, na semeadura, e só então poderá preparar a colheita!"

Para Unzu, as semanas que se seguiram foram duras. Ele receava as visitas dos seus pais que, viajando com mais e mais freqüência desde Uruk, só tinham olhos e interesse para o ventre de Puabi. Seus olhares repletos de uma curiosidade impudente o humilhavam.

Ele se ausentava por muitos dias, às vezes até uma semana, voltando esgotado depois de ter cruzado o interior. Mordaz ironia, ele era responsável pela irrigação da região mais rica do país a fim de devolver à terra sua fertilidade, e revelava-se impotente para fecundar sua esposa. Enquanto nos campos seus esforços eram coroados de sucesso, em seu leito eles eram vãos.

Aquilo não podia continuar. Puabi foi quem primeiro teve a coragem de tocar no assunto. Aquela verdade tão difícil de admitir, e mais ainda de enunciar, deu-lhe lágrimas nos olhos. Com uma voz quebrantada, pediu ao esposo que pusesse fim a suas tentativas. Com uma calma que impressionou Unzu, ela lembrou-lhe a conduta a seguir em caso de esterilidade da esposa. Ele tinha o direito de lhe pedir para encontrar uma mulher que assegurasse a sua descendência.

Unzu correu para a rua e andou até a primeira taberna. Bebeu sombriamente, solitariamente, apesar dos convites dos outros bebedores para que se juntasse a eles. A noite caíra. Ele não conhecia bem a cidade, o que o ajudou a se perder. Precipitou-se em cada taberna que encontrou pelo caminho, saindo sempre um pouco mais bêbado. Cruzou com grupos de soldados que zombavam do seu traje luxuoso manchado de cerveja. Deambulou muito tempo, seus passos cada vez mais incertos. Tropeçou num torrão de terra e desabou. Teria dormido ali se um homem não o tivesse sacudido e ajudado a levantar-se. Sem dar atenção à feia esfoladura no seu joelho, Unzu retomou sua marcha. Nunca tinha bebido tanto, queria beber ainda mais. Raiva, desilusão, tristeza, decepção...

Com o traje coberto de pó, mancando, empurrou mais uma porta. O ruído, a música, os cantos o colheram. Quis sair, mas um homem tão ébrio quanto ele o empurrou. Viu-se do lado de dentro.

Através da névoa da sua embriaguez, Unzu distinguiu uma silhueta. Agarrou-se a uma mesa, fechou os olhos, pegou a cabeça entre as mãos e sacudiu-a para evacuar aquela visão.

Ela estava olhando para ele.

Desabando sobre um assento, deu o tempo necessário para que a fantasmagoria desaparecesse. Um tempo que lhe pareceu uma eternidade. Abriu os olhos. Aemer sentada à sua frente.

Duas estátuas, o olhar gelado.

O barulho ao redor os protegia do silêncio que se fizera entre eles. Unzu, desembriagado, foi o primeiro a falar:

"Pensei que você estivesse morta."

"Pensei que você estivesse casado."

"Estou casado."

"Não estou morta."

Não conseguiram dizer mais nada. O gelo que congelara os seus olhares estava começando a fissurar. Então, como tivessem recobrado alguma força:

"O que um bom marido faz aqui?", ela perguntou.

"O que uma mulher feito você faz aqui?", ele perguntou. Eles tinham se expressado num tom de violenta indiferença.

"Pergunte ao seu pai", ela respondeu.

"O meu pai? Ele me disse que você tinha morrido", ele exclamou.

Aemer abriu a boca; o grito de raiva ficou preso em sua garganta. Meneando a cabeça, olhos semicerrados, arrasada, ela murmurou: "Ele não chegou a mentir. Certa manhã, enquanto eu trabalhava no pátio e esperava você voltar, ele me comunicou que você tinha concluído seus estudos e ia voltar de Ur para se casar. Sua mãe acrescentou que a sua futura esposa iria chegar com todas as suas servas. Ela aceitaria me manter, esclareceu, mas você não queria que eu ficasse. De qualquer modo, eu teria fugido. Foi aí que eu morri".

"Ah! Que infames! Eu não disse nada disso. Aemer, você acredita em mim? Eu não quebrei a nossa promessa." Ele agarrava raivosamente a borda da mesa. "Aemer, você acredita em mim?", ele repetiu, surdamente.

Seu joelho doía. Ele precisava lhe contar.

"Assim que cheguei, procurei por você, pedi notícias suas. Falaram, assim, em meio a outras notícias sobre a família, que você tinha pedido para ir embora. Eu não conseguia acreditar. E que, em sua grande bondade, o meu pai tinha lhe concedido este favor, pois, ele insistia, teria tido o direito de se opor à sua partida, já que você era sua escrava."

"Mentira, tudo mentira!", ela berrou. "Como eles puderam fazer isso?"

"Fiquei desesperado", murmurou Unzu, imerso em suas recordações. "Foi quando eles me fizeram a proposta de casamento. Aceitei como uma fuga, e como um castigo, como uma triste vingança também, já que você não me queria mais. Casei-me rapidamente. No dia seguinte às bodas, meu pai me informou que você morrera num acidente. Não tinha contado antes para não me magoar, pois sabia que eu gostava de você. Pranteei você. A casa foi se tornando insuportável, tudo me lembrava a sua presença. Eu escutava a sua voz, os seus risos, revia o lugar onde eu a ensinava a escrever. Precisava ir embora, ou teria perdido o juízo."

Aemer chorava mansamente. As lágrimas escorriam, discretas, cada uma delas levando, misturados, um grão de khol e um pouco de mágoa.

"Fui embora para Agadé com minha mulher, a fim de assumir o cargo de responsável pela irrigação."

Aemer e Unzu partilhavam, sem saber, a mesma sensação, ambos enxergavam o outro com o rosto que tinha no seu último encontro, seis anos antes. Já não existia nada além do massacre das suas esperanças. Em volta deles, tudo se apagara: os sons, os homens, as recepcionistas, a música. Aquelas mentiras, aquelas intrigas de que tinham sido joguetes tinham-nos projetado no fundo de um abismo, onde brotava um raio de luz que os isolava em meio a trevas escuras.

Estavam sufocando.

Precisavam sair daquele lugar, respirar, caminhar dentro da noite.

A lua fizera-se cheia para o seu reencontro.

"Você acabava de chegar da sua roça", recordou Unzu.

"Com o meu pai, que me vendeu como escrava para saldar suas dívidas!", Aemer acrescentou indiferente.

"Mesmo assim, quando ele foi embora você não conseguia parar de chorar. Dava vontade de pegá-la no colo e consolar você."

"Você passava do meu lado, sem dizer uma só palavra, como se eu não existisse. Eu pensava: é normal, sou invisível. Durante anos, depois disso, desejei ser invisível, por isso é que hoje eu quero que todo o mundo me veja. Mas você está mancando?" Ela se ajoelhou, passou o dedo em volta da ferida. Ele levantou-a. Deixaram atrás de si as luzes do cabaré.

"Certa manhã", ela murmurou, enquanto eles andavam pelas ruas vazias, "em vez de passar sem me ver, como de costume, você veio na minha direção e falou: 'Quer que eu lhe ensine a escrever?'."

"Foi o único pretexto que encontrei para abordar você", ele se desculpou.

"Lembro da primeira vez que você me tocou. Você apertou a mão em volta da minha para me ensinar a usar o cálamo."

"Sim, eu me lembro. Você se virava muito bem. Mas foi você quem primeiro me beijou."

"Você tinha que dizer que não, se não era do seu agrado!"

"Mas era tudo o que eu queria! Só não tinha coragem. Eu pensava, se a beijar, ela vai achar que é porque sou filho do patrão e acho que posso fazer o que quero." Ele se calou, e então: "Quando eu fui para Ur, os seus seios mal estavam começando a crescer".

"E logo pararam... talvez por você ter ido embora."

"Agora que eu voltei, eles vão crescer de novo!", ele exclamou.

A lua se escondera por detrás das muralhas.

"Você ainda não me disse por que foi até aquela taberna."

"Para fazer amor."

"No seu estado? Você não teria conseguido, coitado. Então a sua mulher não lhe basta?"

"Eu me casei porque você tinha partido, embora tivéssemos prometido esperar um pelo outro até eu voltar de Ur", disse ele num tom crispado em que transparecia a censura.

"O quê?", ela caiu num riso desvairado. "E eu fui embora...", um soluço sacudiu-a, "...porque você se casou... e a gente tinha prometido esperar um pelo outro..."

Ela sacudiu a cabeça como que para sair de um sonho ruim.

Ficaram um momento calados.

Ao longe, o som surdo das rodas de uma carroça mostrava que Ur ainda não estava inteiramente adormecida.

"Então você se casou", ela prosseguiu, dolorosamente, "e aparece bêbado num cabaré no meio da noite."

Ele contou, amargo, sobre a esterilidade da mulher.

"Agradeça a ela. Sem essa esterilidade, não teríamos nos encontrado", ela observou.

"Aemer, escute...", ouvi-lo pronunciar seu nome a fez estremecer.

"Quando comecei este trabalho na taberna, depois que fui embora da casa dos seus pais", ela interrompeu, "eu nunca tinha sido 'aberta'."

A noite terminara.

Num mesmo passo lento, Aemer e Bilili galgaram a escadaria central do zigurate sem trocar uma só palavra. Bilili reservando o seu fôlego para a subida, temendo ser acometida de um acesso de tosse, Aemer se calando por comunhão.

Subida mais tediosa, ó quão diferente das de outrora! Postadas, cada qual, diante de uma escada lateral, investiam os degraus. Bilili ganhava sempre. Certa vez, Aemer ganhou. Saboreando sua vitória, esperou pela amiga, que não chegava. Lá em baixo, Bilili, caída, segurava o tornozelo. Ficou três semanas imobilizada, para prejuízo da dona do cabaré, que quis proibi-las de ir ao zigurate.

Bilili levou tempo para recobrar o fôlego. Aquela chegada no segundo terraço sempre lhe provocava o mesmo efeito. Ficava sufocada pela extensão que conseguia abarcar com o olhar. Todos aqueles rios, aqueles reservatórios, aqueles canais. Brilhando sob o sol, feito uma rede imensa, as malhas do sistema de irrigação enervavam o campo verdejando até onde a vista alcançava. Ainda mais além, para o lado do oeste, ela julgava avistar os confins das estepes onde passara os seus primeiros anos.

"Então a mulher dele é estéril! Mas que história!", caçoou Bilili depois que Aemer terminou de lhe contar o que Unzu lhe dissera algumas horas mais cedo. "E está pedindo para você lhe dar um filho, é isso?" Olhou para a amiga. "Você nunca tinha me falado sobre ele", disse, num tom de censura. "Vou lhe contar um caso que se passou na minha tribo, no tempo dos meus avós.

"Um rapaz e uma moça. O rapaz era Mar'tu, todas as moças estavam apaixonadas por ele. Ele não tinha pressa de se casar, passava o tempo pescando e correndo pela estepe. A moça era suméria, de uma nobre família de Ur. Quando ela fez catorze anos, os pais decidiram casá-la. A jovem se negou, pois queria escolher ela mesma o seu esposo. 'De jeito nenhum!', disse o pai. Pelo menos ver o seu rosto. 'De jeito nenhum!' No dia do casamento, ao amanhecer, ela deixou a cidade. Um dia magnífico, nunca se sentira tão livre. Mas quando o sol se pôs, veio o frio, a fome, ela tremeu de medo. Nunca passara uma noite fora.

"O rapaz pescava não longe dali. Aproximou-se. Um Mar'tu! Ela estava sozinha, estava escuro, teve um movimento de recuo. Porém, quando cruzou o seu olhar, soube que não tinha nada a temer. O rapaz jogou um cobertor sobre os seus ombros, acendeu uma fogueira e repartiu com ela queijo, pão, tâmaras e a água do Eufrates. No dia seguinte, quando acordou, ele não estava mais ali. Sabia que não tinha sonhado, o rosto e a voz dele estavam gravados na sua memória."

"É uma história real?"

"Real."

Bilili prosseguiu:

"A única coisa que ela podia fazer era voltar para casa. Mas ela vencera, o casamento não pudera acontecer. No entanto, no caminho de volta, sua alegria murchou. O seu pai a encerraria até encontrar um novo esposo para ela, e tudo recomeçaria. Ele fazia questão de garantir a sua linhagem! Uma idéia atravessou-lhe a mente: se ela não pudesse ter filhos, ninguém iria querê-la como esposa... Antes de entrar na cidade, conseguiu achar certas ervas, essas que nós todas tomamos para não ficarmos grávidas. A governanta, que não se apartava mais dela, acabou por notar que o sangue do mênstruo não estava correndo. Um, dois, três meses.

"De início, julgou que a moça estivesse grávida. Em seguida convenceu-se do contrário, de que ela era estéril. Assustada, resolveu comunicar o fato ao pai. Temia a sua ira. Pois bem, ele ficou felicíssimo! 'Minha filha secou!', ele exclamou. 'Pode então tornar-se sacerdotisa de Inanna. Que glória para a nossa família!'

"A moça tornou-se então sacerdotisa de Inanna. No templo, julgou estar protegida. Mas não escapou das núpcias sagradas. No ano em que completou dezoito anos, o rei a escolheu para deitar-se com ele durante as festas de Ano Novo.

"Louco de alegria, o pai andava pela cidade clamando: 'Minha filha foi a escolhida!'. A festa se aproximava, estavam preparando a moça para a noite real. O que você acha que ela fez? Fugiu de novo! Foi ao encontro do jovem beduíno e eles se casaram. As moças da tribo é que não devem ter gostado", acrescentou Bilili, maliciosa. "Uma estrangeira vir roubar o seu lindo rapaz!"

Aemer caiu na gargalhada.

"Fico contente de ver você assim", ela disse, abraçando a amiga.

Bilili, animada, parecia ter recobrado todo o seu vigor.

"E você, Bilili, também poderia ter fugido e voltado para a sua tribo? Você não estaria arriscando mais do que essa moça arriscou."

"Muitas vezes me propuseram levar-me de volta para casa, homens da minha tribo, freqüentadores do cabaré. Eu morria de vontade, mas não há ninguém me esperando, minha família foi morta na guerra contra Ur. Lá também eu seria uma Estrangeira. Além disso, estou bem aqui. Já imaginou nós duas separadas?" E, perturbada: "Mas não estou aqui para ficar falando de mim! Onde é que eu estava?".

"O lindo beduíno e a linda suméria se casaram."

"Isso, se casaram... e não tiveram muitos filhos. Aliás, não tiveram nenhum. As ervas eram de uma eficácia assustadora. Quando a linda suméria compreendeu que nunca teria filhos, chamou sua criada. Disse-lhe que ela teria que se deitar com seu marido: 'Eu talvez consiga por você os filhos que não pude ter'. E então comunicou ao marido que lhe dava a criada como concubina. A criada deu à luz um menino. E a esposa envelheceu. Um dia, ela sentiu que o seu ventre crescia."

"Não diga! Eles continuavam dormindo juntos?"

"Ela estava esperando um filho. Sabe o que ela fez quando lhe disseram? Ela RIU! Estava com setenta anos!"

Aemer e Bilili também riam. Entre dois soluços, Aemer exclamou: "Muito simples, as ervas também tinham envelhecido, e seu efeito havia cessado. A velha teve o seu filho? Um menino, é claro?".

"Exatamente."

"Então", prosseguiu Aemer, no embalo, "livraram-se da criada, já que não precisavam mais dela. E do filho."

"Da mãe e do filho, exatamente."

Passado um instante, Aemer perguntou: "Por isso é que você está me contando essa história?".

"O que você acha?"

"E como se chamavam esses velhos egoístas?"

"Ela, Sarai, e ele, Abrão."

Aemer e Unzu resolveram partir para Nâr Marratu. Embarcaram numa piroga. Ao passar, Aemer reconheceu sua pequena angra que, vista do meio do rio, parecia minúscula. Ia mostrá-la a Unzu, mas mudou de idéia.

Unzu estava sentado no meio da embarcação. Aemer acompanhava os movimentos das suas costas, ritmados pelas oscilações das águas. Pôs-se a cantar de mansinho.

O que quer que lhe tivessem dito, sua surpresa era imensa. A visão daquela extensão sem fim de água desencadeou dentro dela um sentimento de alegria. Uma água tão diferente da água do Eufrates e dos canais, uma água de um verde transparente, através da qual dançavam os raios do sol. Mesmo estando o mar tão próximo de Ur, Aemer nunca tinha vindo até ali. Embora morresse de vontade. Mas sempre adiava a viagem, como se tivesse esperado para fazê-la com Unzu. "Vamos, Unzu, vamos para Dilmun!", ela exclamou de repente. "Rapte-me!"

Uma torrente de amor a carregava. Ela se levantou, o barco inclinou-se.

"Você vai fazer a gente virar!"

"E daí nos afogamos! Você me salva, a gente se deixa levar pela correnteza e desembarca numa nova terra. Uma nova vida, Unzu. A gente começa de novo..."

Encontraram uma praia. Correram para a água.

Pela primeira vez na vida, Aemer deixou-se levar totalmente, entregando-se apenas ao prazer de existir, cabelos soltos ao vento, corpo acariciado pelas ondas. Seu sonho de garota apaixonada estava se realizando. Unzu não conseguia tirar os olhos dela. Ela acomodou-se sobre a areia.

"Eu disse, naquele tempo, que amava você?", ele perguntou.

"Não", ela respondeu, sem rodeios. "Me passe esse pedaço de junco, aí do seu lado."

Unzu, intrigado, passou-lhe o pedaço de junco. Aemer aplicou-o conscienciosamente na areia. Unzu acompanhava o desenrolar dos signos e olhou para ela, atônito: "Aemer, você sabe escrever! Isso é maravilhoso!".

Ele a tomou nos seus braços.

"Pare", ela exclamou, "você vai me fazer errar! Olhe para a areia, é melhor."

Ele fitou a areia. Aemer inscrevera: "Unzu ama Aemer".

"Você não dizia, mas escrevia, não é? E eu perguntava:

'O que você escreveu?'. E você respondia: 'Adivinhe'. E eu não tinha coragem de adivinhar. Pedi para Adappa me ensinar a escrever."

"Quem é Adappa?"

Ela ignorou a pergunta.

"No meu quarto, à noite, depois do trabalho, exercitei minha escrita e sonhava que tornava a ver você. Eu só tinha um rosto seu, o de um adolescente de dezesseis anos. E eu ia envelhecendo, e a sua imagem continuava igual e isso me machucava. Você era uma eterna juventude."

Unzu fechou os olhos, deixando-se embalar pela voz de Aemer. Quando ela acabou, ele ficou um instante em silêncio, e então: "Quem é esse Adappa?".

Aemer contou o seu encontro com o rapaz, e as aulas que ele tinha lhe dado.

Acompanhando a margem, chegaram a uma aldeia de pescadores composta de algumas cabanas de junco. Os pescadores assaram peixes e legumes num fogo de caroços de tâmaras secos. A refeição foi suntuosa.

Ficaram horas dentro d'água, perseguindo um ao outro, jogando água feito crianças. Tinham mais necessidade de brincar juntos do que de fazer amor. Eles tinham tempo.

No final do dia, afastaram-se da aldeia e descobriram uma pequena enseada.

Dilbat, a estrela de Inanna, surgiu no céu com uma pureza insólita. A noite era total. Sin desertara, deixando lugar às estrelas, que aproveitavam para se mostrar em seu mais belo fulgor.

Não enxergavam um ao outro. Escutavam o mar, mas não o enxergavam. Aemer, ao tirar a roupa, só lamentou uma coisa: Unzu não podia admirar sua roupa de decência.

Também eles, como o mar tão próximo, foram mexidos pelas ondas que seu prazer alimentava, e cada uma delas apagava um ano de sua longa separação.

De manhã, acordaram famintos. Voltaram para a aldeia de pescadores, banquetearam-se com bolos, tâmaras, frutas. E, mais uma vez, banhos de mar.

Fazia calor, mas soprava o vento do largo. Abrigaram-se num bosquete de tamargueiras. Aemer pediu a Unzu que lhe falasse sobre o seu trabalho. Ele pôs-se a relatar com entusiasmo as obras que empreendera desde que havia sido nomeado. Estava satisfeito por dispor de uma nova ferramenta que lhe fazia ganhar muito tempo. Ele hesitou, mas, levado pela paixão: "De uns tempos para cá, temos um novo método. Sensacional. Os cálculos ficam muito mais simples, a largura dos canais, o volume das águas... Meu escriba está louco por esse método".

"O novo método de escrita dos números?", perguntou Aemer, num tom indiferente.

"Você conhece?"

"Quem você acha que eu sou? Ponho a cabeça para funcionar tanto quanto o corpo. E olhe", ela acrescentou, maliciosa, "que ponho o corpo para funcionar um bocado."

"Chega, Aemer! Como é que você está sabendo?"

"Adappa falou sobre isso."

"Adappa, Adappa... ele de novo?"

Ela olhou para ele, chocada.

"Você não está com ciúmes dele, não é, Unzu? É um adolescente!" Ela pensou: Eu me deito toda noite com desconhecidos e ele fica com ciúmes de um garoto que nunca encostou em mim.

"Um menino? Tem quase dezessete anos!"

"Alguém precisava retomar as aulas que você interrompeu", ela declarou, cáustica.

"Você está sendo injusta."

"Talvez porque ainda me doa."

Unzu adotou um tom galanteador: "Esse Adappa é tão bom professor como eu?".

"Não sei. Eu não escutava o que você dizia, eu escutava

o som da sua voz, ficava olhando para você, você podia estar falando qualquer coisa."

Deixaram passar um instante.

"Então, o que ele lhe explicou sobre esse novo método?"

"Nada. Porque ele não o conhece."

Unzu sorriu satisfeito.

"O professor dele só disse que existia o método, mas que não podia ensiná-lo."

"Que estúpido! Então ele está ensinando um método ultrapassado."

Ele se levantou, furioso, vituperando as incoerências do ensino.

"Ei, esqueceu de mim?", protestou Aemer. "Você está fazendo a mesma coisa que Adappa, fala no método, mas não explica."

O semblante de Unzu fez-se sério, como quando ele exercia as suas funções, decerto.

"Na verdade, é muito simples. Pelo método antigo, para escrever os números a gente precisa de uns vinte signos..."

"Veja só!", ela o interrompeu. "Quando eu iria imaginar que um dia você ia me explicar os números numa praia!"

"Ei, você quer que eu explique ou não?"

Ela olhou maliciosamente para ele: "Confesse que você está morrendo de vontade de me explicar... para ter a oportunidade de explicar para alguém".

Ele enrubesceu. Aemer estava certa. Ela se tornou assustadoramente perspicaz, ele pensou.

"Quero que você me explique", ela gritou, pendurando-se no pescoço dele. Ela caçoava, mas estava curiosa de saber o que Adappa não estivera em condições de lhe ensinar.

"Com esse novo método, a gente só precisa de dois signos", ele retomou.

"Dois? Para escrever todos os números!"

"Um prego e uma asna."

Ele se levantou, juntou um pedaço de junco. "O prego, vertical." Ele desenhou na areia. ⟨

"A asna, horizontal." Ele desenhou. <
O prego vale *um*, a asna, *dez*.
"Mais devagar, mais devagar! O prego, *um*, a asna, *dez*",
ela repetiu.

Batendo o pé de impaciência, ele tinha pressa em anunciar o resto: "Mas a novidade é que o *sessenta* também é representado por um prego vertical".

"O mesmo prego?"

"O mesmo."

"Mas ninguém mais vai se achar! Deixe eu entender! Prego, *um*, prego, *sessenta*! Seu olhar se iluminou: Então, como você escreveria *três mil e seiscentos*?"

"Por que este número?"

"Como você escreveria?", ela insistiu.

"Um prego."

"E...?"

"Um prego e nada. Um prego só."

"Você está caçoando de mim?"

Ele fez que não com a cabeça.

"Está me perguntando por que este número? Você esqueceu que nós, as *kezertu*, somos chamadas de mulheres-dos-três-mil-e-seiscentos-esposos?"

"Ah, foi por isso que você escolheu este", ele observou, tristemente. "Você não poderia esquecer esse assunto por um tempo? Não, não é a mesma coisa porque depende da posição do prego." Fanfarrão: "Aí é que está a esperteza, minha linda".

"Não me chame de 'minha linda'! Quer que eu te chame de 'meu lindo'?" Então, séria: "Se um e três mil e seiscentos se escrevem do mesmo jeito, o que irá distinguir uma prostituta de uma esposa?", ela perguntou, desnorteada.

"A PO-SI-ÇÃO, Aemer, é o que eu acabei de dizer."

"Que posição?", ela descontraiu-se, franzindo maliciosamente os olhos: "Você por acaso estaria ficando meio indecente?".

"Estou falando da posição dos algarismos na escrita dos

números", ele respondeu, sério, negando-se a compreender sua alusão.

"Repita!"

"A posição dos algarismos na escrita dos números. Olhe, um exemplo."

Com um pedaço de junco, ele traçou duas colunas. Na primeira partindo da direita, desenhou um prego. "*Um.*"

Ele apagou o prego, desenhou outro, mas na segunda coluna: "*Sessenta*".

Ele apagou o prego, desenhou mais outro na terceira coluna: "*Três mil e seiscentos*".

"Espere, espere, você está indo muito rápido."

"O que está indo muito rápido? É simples!"

"Ah, não me diga que é simples se eu estou dizendo que não entendo", ela desesperou-se. "Porque se é simples e eu não entendo, quer dizer que eu sou uma idiota."

Unzu olhava para ela, divertido e admirado. "Ainda bem que não continuamos com as aulas, naquela época! Você tem razão, não é simples. Mas fica simples depois que a gente entende. O valor de um signo depende do lugar onde ele se encontra na escrita do número."

Aemer escutava atentamente, repetindo a frase de Unzu para si mesma.

"Você quer um outro exemplo? Asna seguida de prego, dá uma vez *dez* mais uma vez *um*, dá *onze*. Está acompanhando?"

"Estou", disse Aemer.

"Prego seguido de uma asna: uma vez sessenta mais uma vez dez. Setenta. Está acompanhando?"

"Estou", disse Aemer, encantada. "A minha cabeça está girando, pior do que se eu tivesse tomado cerveja."

"A embriaguez do conhecimento! Está vendo", disse Unzu, enternecido, "estamos continuando as aulas, como antes. Agora, podemos escrever qualquer número, está me ouvindo? Imagine, Aemer, poderíamos até escrever o número de estrelas que há no céu, se tivéssemos coragem para contar!"

Unzu lembrou-se do seu exame de fim de curso. O examinador tinha gravado três pregos na tabuleta que lhe mostrara.

"Que número é esse?", perguntou o examinador.

Era uma armadilha.

"Depende", respondera Unzu, prudente.

"Depende do quê?", insistiu o examinador.

"É que", respondeu Unzu, pouco à vontade, "isso pode representar diversos números."

"Responda! Que número?"

"Se forem as chibatadas que você está pronto a me infligir por causa da minha resposta errada, eu diria que são *três*, porque se os três pregos não estão separados constituem três unidades."

Aemer sorriu.

"Se forem as pepitas de outro que você está feliz em me

dar porque sou o melhor aluno que já encontrou, eu diria que são *três mil seiscentos e sessenta e uma*, porque se os três pregos estão separados, isso dá sessenta vezes sessenta, mais sessenta, mais uma unidade."

"Se for a idade do meu pai, eu diria que são *sessenta e dois*, porque se o primeiro prego está separado dos dois seguintes, que estão juntos, isso dá sessenta, mais duas unidades."

"'Se for...', eu não achava nada, e aí, sim! 'Se for onze vezes onze', eu estava orgulhoso do meu achado, 'eu diria que são *cento e vinte e um*, porque se os dois primeiros pregos estão juntos, e separados do terceiro, isso dá duas vezes sessenta mais uma unidade.'"

Aemer pensava: ele é astucioso e malicioso.

"Como fazer, então, para ler esse número sem nenhuma hesitação?", perguntou o examinador.

"Deixa-se um espaço entre os pregos para indicar as separações."

"Um espaço de que tamanho?"

"Hmm!", Unzu deu de ombros. "Um certo espaço..."

"Que irá se perder à medida que os escribas forem copiando os textos!"

"Como fazer, então?"

"Não há nada a fazer. O único jeito é inscrever os pregos e asnas dentro de colunas para especificar de que modo estão agrupados."

O examinador começou a traçar as colunas na tabuleta. A cada representação de um número com auxílio das colunas, ele anunciava a suposição emitida por Unzu. No *três*, ele anunciou: "chibatadas!". No *três mil seiscentos e sessenta e um*, anunciou: "pepitas de ouro!". No *sessenta e dois*: "idade do pai de Unzu!". No *cento e vinte e um*: "onze vezes onze".

"E afinal passei no meu exame", concluiu Unzu, sorrindo.

"Com que nota?"

"Dois pregos."

"Juntos ou separados?"

Aemer refletia.

"Tem uma coisa... O prego não significa o mesmo número de acordo com sua posição. Mas por que sessenta?"

"Francamente, não sei", reconheceu Unzu, atrapalhado. "O que eu sei é que sessenta tem muitas vantagens. Pode-se fazer seis dezenas, cinco dúzias, quatro quinzenas, três vintenas, duas trintenas. É muito útil na hora de fazer cálculos."

"Mas há outro motivo. É preciso partir de Sin, que regula o nosso tempo. Sin é trinta, os trinta dias do mês. O pai dele, Anu, o deus da Criação, é o dobro: sessenta. E sua filha, Inanna, a metade: quinze."

Unzu viu Aemer levantar-se e olhar para ele, furiosa: "É isso aí, os pais valem o dobro dos filhos! Isso não o deixa chocado? Com os pais que nós tivemos! Os meus me venderam, os seus o traíram".

Quando Aemer e Unzu voltaram do mar, encontraram Bilili de cama, muito debilitada. Já não trabalhava mais. Esperava, impaciente, por Aemer para ir ao zigurate. Aemer tentou dissuadi-la, propondo que esperassem ela melhorar. Bilili não quis ouvi-la.

Aemer ajudou-a a se preparar. Puseram-se a caminho, refazendo o trajeto tão familiar. Bilili reuniu toda a sua coragem. Iria até o santuário de Sin, lá no alto. Era importante para ela. Em segredo, ela ia até lá seguidamente para fazer suas orações. Pedidos rituais de cura, que ela conhecia de cor de tanto tê-los declamado. Aquelas práticas não vinham da sua tribo. Sentia vergonha daquilo que considerava uma fraqueza, e nunca tocara no assunto com Aemer. Apesar das inúmeras paradas, não chegou ao primeiro terraço. Aemer propôs que ela montasse num dos burros que utilizavam a rampa de acesso até o topo. "Você está me achando com jeito de saco de cevada ou jarro de cerveja!", indignou-se Bilili. Deram meia-volta.

De volta em casa, Bilili caiu de cama e não tornou a levantar-se. Os incessantes acessos de tosse deixavam-na exaurida, transpirando. Seus compridos cabelos cacheados tinham perdido seu brilho. Aemer os lavava regularmente antes de desembaraçar os cachos com um pente de marfim de Meluhha que lhe presenteara. Passou ruge nas faces da amiga, tirou o *khol* que lhe acentuava o contorno dos olhos.

"Quem iria me querer agora?"

"Por favor, não diga isso", suplicava Aemer, acariciando-lhe o rosto. "Para mim, você é a garota mais linda do mundo."

Bilili olhou para ela com um sorriso tão triste que Aemer não conseguiu conter as lágrimas.

A carroça estava parada em frente à porta de casa. Bilili deitou-se numa liteira que Unzu, com a ajuda do cocheiro, acomodou na parte de trás. Aemer os seguia com uma cadeira, que ela calçou na parte da frente. Sentou-se ao lado de Bilili, segurando uma esteira acima da sua cabeça para protegê-la do sol. Unzu caminhava, com a mão sobre um dos animais.

Passando sob a porta monumental, penetraram no bairro sagrado. Nunca a distância entre a porta do bairro sagrado e a do espaço consagrado ao zigurate parecera tão grande.

A carroça parou ao pé da escada central, onde Adappa esperava por eles.

Erguendo Bilili, Unzu instalou-a na cadeira. Ele de um lado, Adappa de outro, ergueram Bilili. Ela os deteve.

"Se me sentarem de frente para a escada, vou ver os degraus que me restam a subir irem diminuindo, e reduzir-se o meu futuro. Prefiro dar-lhe as costas: quanto mais subirmos, mais verei o número de degraus que galguei ir aumentando, e crescer o meu passado." Trocaram a cadeira de posição e começaram a ascensão. Oh, Bilili não era pesada! Chegando ao topo, depositaram-na, radiante. Aemer agradeceu a Adappa: "Régio! Transportada até o alto do templo de Sin feito uma rainha em seu trono! É o mais belo presente que já me deram". O garoto deu um beijo em Bilili. "Você há de agradar às mulheres, sim", ela sussurrou-lhe ao ouvido. "Só lamento não poder esperar você chegar à idade certa..." Piscou um olho para ele, maroto.

Os pintassilgos cercavam o topo do santuário com suas rondas enlouquecidas.

A voz enfraquecida de Bilili rompeu o silêncio: "Em Dilmun, o corvo não grita, o leão não mata, o lobo não agarra o cordeiro, o desconhecido é o urso que devora o grão. O doente não diz: 'Estou doente', a velha não diz: 'Sou uma velha', o velho não diz: 'Sou um velho' ". Bilili calou-se, sem ar. Quando recobrou o fôlego, dirigiu-se a Aemer: "Foi você quem me ensinou este antigo poema sumério. Esta é a hora de declamá-lo, não é?".

Ficaram ali até o cair da noite.

A carroça esperava por eles ao pé da escada.

Aemer e Unzu velaram Bilili. Sentados à sua cabeceira, não trocaram uma palavra sequer. Nunca tinham estado tão próximos. Bilili se pôs a delirar. Sua tribo, lá onde ela tinha vivido, sua família, o rebanho de cabras. Em certo momento, ela recobrou a consciência: "Ele me chamava de 'minha pequena gazela', e era verdade, eu corria que nem uma gazela". Ela não disse quem a chamava de "minha pequena gazela". Tornou a perder a consciência. Súbito, pediu leite de ovelha. Onde encontrar leite de ovelha em plena noite, no coração da cidade? Unzu voltou muito tempo depois com um cântaro cheio. Aemer agradeceu-lhe com um olhar carinhoso. Bilili adormecera. O retorno de Unzu despertou-a. Aemer serviu leite numa tigela, soergueu a cabeça da amiga, encostou a borda do recipiente em seus lábios. Bilili bebeu avidamente, os olhos fechados.

Ela esvaziou a tigela, tornou a descansar a cabeça no leito e morreu. Aemer alisou-lhe os cabelos.

Unzu acercou-se de Aemer, pegou a sua mão.

Chorando mansamente, ela ergueu a cabeça para as estrelas invisíveis que as paredes do pobre quarto não conseguiam impedir de brilhar. Dirigiu-lhes a seguinte oração:

Estrelas indulgentes dos céus,
São inúmeros os oprimidos e opressos,
Gente humilde e sem-poder
Que todo dia as seguem sem cessar.
Eu me voltei para vocês,
Eu as chamei, porque vocês, vocês sabem ter um gesto de bondade.

Bilili foi sepultada extramuros. Todas as *kezertu* da cidade fizeram questão de acompanhar a pequena Mar'tu em seu último trajeto. A matrona transtornada caminhava cercada por suas "meninas".

Unzu e Adappa eram os únicos homens do cortejo.

Bilili foi enterrada de acordo com o costume beduíno, numa fossa coberta com algumas pedras. Aemer e Unzu foram os últimos a deixá-la.

Passado um momento, Unzu se deteve.

"Aemer, queria falar com você."

"Por favor, Unzu, esta noite não. Esta noite vamos festejar, convide-me para ir a uma taberna."

Ele a levou a uma taberna popular da periferia. Aemer recusou a cerveja que lhe propunham, pediu vinho de palma.

"O mais forte que temos", declarou o taberneiro ao depositar um cântaro e dois copos sobre a mesa.

"Bilili não suportaria nos ver tristes!", exclamou Aemer, esvaziando o seu copo.

Os seus olhos faiscavam com um brilho inquietante, a revolta e o sentimento de injustiça que ela sentia diante da morte de Bilili sufocavam-na. O vinho de palma era forte, muito forte, e doce, meio enjoativo. Unzu falava com Aemer, ela via os lábios dele se mexendo, ela ouvia as palavras. E as palavras, tão logo eram pronunciadas, fugiam sem imprimir significado em sua mente.

Ele a carregou até o quarto e a pôs toda vestida sobre a cama.

Ela acordou no meio da tarde. Uma tabuleta de argila ainda úmida achava-se à sua cabeceira. Reconheceu de imediato a última palavra do texto: "Unzu". Tantas vezes se exercitara escrevendo-a! Também identificou outra palavra, um número, uma asna seguida de dois pregos: *Doze*.

Ainda trazia na boca o gosto adocicado do vinho de palma.

Levantou-se rapidamente, trocou de roupa. Um letrado morava no final da sua rua, correu até lá para lhe mostrar a tabuleta. "Ande logo, você vai se atrasar", ele apressou-a, confirmando que ela entendera direito. Ele leu a carta em voz alta: *Vou esperar por você na décima segunda hora ao pé do zigurate. Unzu.*

Ela chegou esbaforida e, sem deixar a Unzu o tempo de abrir a boca, disse:

"Esta noite eu tive um sonho. Estávamos juntos e você me perguntou..."

"Não era um sonho, Aemer", Unzu interrompeu-a. "Pedi para você se casar comigo. Oh, não foi uma vez..."

"Sessenta, então?"

Ele não deu mostras de ter escutado.

"E você não parava de dizer: 'Amanhã, amanhã'. O dia está para acabar."

A escadaria do zigurate, tantas vezes galgada com Bilili, elevava-se em direção ao santuário.

"Ah, Unzu, Unzu, se eu não te amasse, seria tão mais fácil."

E, num lampejo, veio-lhe à mente a história que lhe contara Bilili, a história de Sarai e Abrão.

"Se você quer ser pai, escolha outra mulher."

"Eu não estou pedindo para termos um filho juntos, estou pedindo para você se casar comigo", insistiu Unzu.

Ela disse-lhe que era maravilhoso, que teria sido maravilhoso, mas que era tarde demais.

"Mas nós podemos, Aemer. Minha mulher é estéril, é uma sorte."

"Como você pode dizer que é uma sorte sua mulher ser estéril? Que é uma sorte uma mulher ser estéril? Nossa verdadeira sorte é podermos nos amar com um amor livre, podermos nos amar só por amar, não para fundar uma família nem para ter filhos. É podermos nos amar por nós mesmos. E quando não nos amarmos mais, nos afastaremos como duas pontas de um junco quebrado. Nada subsistirá de nós, além de termos estado juntos."

Pessoas subiam e desciam as escadas. Algumas reconheceram Unzu. "O responsável pela irrigação", elas murmuravam, voltando-se. Eles chegaram ao segundo terraço.

Súbito, Aemer pôs-se a galgar a escadaria. Saltando no terceiro degrau, ela ergueu-se, ereta, braços colados junto ao corpo.

Unzu olhava para ela, atônito.

Ela anunciou: "Prego! Terceira coluna, *kezertu*".

Saltando para o primeiro degrau, por pouco não caiu. Recobrando o equilíbrio, ergueu-se, ereta, anunciando com a mesma voz: "Prego! Primeira coluna, esposa". Então atirou-se nos braços de Unzu: "Está vendo como eu lembro das suas aulas". Unzu estava a ponto de chorar.

"Você tinha razão, depois que a gente entende, essa nova escrita dos números é muito simples. Mas eu pensei bem", ela prosseguiu, "e ela não me agrada nem um pouco: o valor depende da posição em que a gente se encontra. Não depende do que se é, mas do lugar que se ocupa!", ela insistiu.

"Sim, um anão no degrau mais alto é mais alto que um gigante no degrau mais baixo."

Unzu pegou na mão de Aemer e arrastou-a para longe do zigurate: "Venha, vamos voltar para o mar. Lá não existem degraus!".

Adappa tornou-se *dubsar*. *Dubsar* livre, não trabalhava nem num templo e nem a serviço do palácio. Em idade avançada, escreveu um longo poema lírico no qual contou os amores de Aemer e Unzu justo antes da destruição de Ur pelas tribos Mar'tu. Com o Muriq-Tidnim já não dando conta de afastá-las, desabaram sobre a região de Sumer e Agadé.

4

BABILÔNIA

MIL E QUINHENTOS ANOS DEPOIS.
BABILIM: "O PORTAL DOS DEUSES".

Azul por toda parte. Azul é o cume do zigurate, azul o Esagil, azul a porta de Ishtar que naquele instante Nûr transpunha com seu rebanho.

O corpo coberto de escamas, patas munidas de serras, pescoço interminável, cabeça de réptil, goela aberta e língua bifurcada, uma guampa na testa... Se o objetivo era assustar os visitantes, estava alcançado! Nûr sequer olhou para os dragões-serpentes, relevos azuis de tijolos esmaltados nas paredes da porta. Eles o apavoravam. Eram precisamente cento e setenta e cinco, é o que não cessara de afirmar o velho pastor que ele auxiliara durante anos. Pela primeira vez, naquele dia, Nûr estava com a inteira responsabilidade pelo rebanho; o velho pastor não estava mais em condições de trabalhar.

Nûr chegara ao amanhecer após uma noite agitada em razão de suas novas responsabilidades. Ele nadara por uns instantes no canal que irrigava os pastos em frente à fazenda, pegara um naco graúdo de pão e umas frutas. Juntara o rebanho e se pusera em marcha, preferindo partir cedo já que o pasto ficava a mais de uma hora da cidade.

Tal como a de Jerusalém, cidade dos hebreus recentemente construída por Nabucodonosor, a muralha da Babilônia era aberta por oito portas. Porta de Urash: *O inimigo lhe repugna*; de Zababa: *Ela detesta os seus atacantes*; de Marduk: *Seu Senhor*

142

é pastor; de Adad: *Ó Adad, protege a vida das tropas*; de Enlil: *Enlil a faz brilhar*; de Shamash: *Ó Shamash, apóia as tuas tropas!*; do próprio Nabucodonosor: *Que prospere o seu fundador!*; por fim, a de Ishtar: *Que vença Ishtar o seu invasor.*

Depois de ter se afunilado para passar pelo gargalo da última porta, o rebanho se abrira, ocupando boa parte da Via processional pavimentada de calcário branco que, atravessando a parte antiga da cidade, conduzia até a ponte do Eufrates. A mais bela avenida do mundo na mais bela cidade do mundo. Babilônia, o centro do universo.

Mil anos antes, um Mar'tu, Hamurabi, fizera dela a capital do mais poderoso império da região, reunindo duradouramente a terra de Sumer ao sul e a de Akkad ao norte. Todos os deuses tinham marcado encontro ali, até o mais modesto deles sabendo que haveria um templo em sua homenagem.

Uma muralha como nunca se vira outra igual! Vinte metros de altura! Três paredes erguidas uma sobre a outra, sendo a última de tijolos cozidos emboçados com betume, seguidas por um fosso de cinqüenta metros de largura inundado de água do Eufrates.

A Babilônia era intocável.

Os soldados dirigiram algumas palavras a Nûr. Ele respondeu apressadamente, com toda a sua atenção concentrada no rebanho.

Um condutor de carroça lançou-lhe alguns insultos. Ele não retrucou, concentrado na importância da sua função. Nûr, pastor do "rebanho dos deuses". Quantas vezes ele não efetuara aquela travessia da cidade, da porta de Ishtar ao templo de Esagil! Andar várias centenas de metros pela Via processional, margear o interminável aterro de Etemenanki, passar ante a Porta santa, seguindo à direita em direção ao rio e, antes de chegar à ponte, penetrar no pátio do grande templo. Nûr pensou no alívio que sentiria quando entregasse o rebanho ao responsável pelos carneiros de oferenda.

Voltaria no dia seguinte. Seria assim todos os dias até que, tal como o velho pastor que o iniciara, não fosse mais capaz de tropear o rebanho.

* * *

Gritos, um choque, balidos medonhos. Nûr emergiu dos seus pensamentos. "Isso tinha de acontecer, tinha de acontecer!", ele lamentava. Vários animais jaziam, derrubados em cheio por um carro lançado a toda velocidade. Poças de sangue maculavam o solo. Com as rodas girando no vazio, o carro estava tombado a poucos passos dali. O condutor contorcia-se de dor, apertando a chibata com a qual fustigara os cavalos desabalados. Bem feito para ele!, pensou Nûr, sem procurar ajudá-lo. Tinha mais o que fazer. Os cavalos, deitados sobre o flanco, ergueram-se num salto e saíram a galope, arrastando o carro. Semeando o terror, disparavam na direção da porta de Ishtar. Aemer os viu chegarem em sua direção. Só teve tempo de dar um pequeno salto para o lado: um deles esbarrou nela, jogando-a no chão. Alertados pelos gritos, os soldados postados na porta azul ergueram suas lanças, enquanto, acima deles, os arqueiros armavam seus arcos, hesitando em soltar suas flechas em meio à multidão. Os cavalos diminuíram a marcha, mudaram de direção, batendo ao passar numa das estátuas dos leões de Ishtar erigidas ao longo de toda a Via processional. O carro se estraçalhou, os animais finalmente se detiveram.

Nûr, arrasado, não sabia onde dava com a cabeça. O rebanho desmembrado se dispersara. Aemer, atordoada, custava a se levantar. Nûr precipitou-se.

"Está machucada?"

"Não. Mais tarde vou ficar cheia de hematomas e galos. Mas vá cuidar das suas ovelhas."

Os transeuntes trataram de ajudar Nûr a reunir seus animais.

Sentada no soco de uma estátua, Aemer praguejava contra o condutor do carro, que estava sendo levado, ferido.

Reconstituído o rebanho, Nûr se aproximou de Aemer: "Desculpe, não posso acompanhá-la até em casa. A senhora está bem, tem certeza?".

"Muito bem!" Ela sacudiu a poeira. "Acabo de chegar à

Babilônia, deixei minhas bagagens no porto, estava procurando uma hospedagem."

Extenuado, Nûr foi embora, preocupado; certamente teria problemas. Ao entregar o rebanho ao *rêi sattuki*, o responsável pelos carneiros, avisou que faltavam vários animais. Depois relatou o acidente às autoridades.

Da garganta mantida acima do vazio esguichou um jorro de sangue. Era incrível a rapidez com que Gipsu passara a lâmina.

De barriga para cima sobre um cepo enorme, o carneiro deu seu último sobressalto, acompanhado pela voz baixa de Gipsu, torso nu, peito peludo, recitando as palavras rituais do sacrifício para as oferendas dos deuses. Era o único que não transpirava.

No abatedouro sagrado do Esagil reinava uma atmosfera de estufa, o sangue que escorria na selha exalava um calor intenso. Gipsu limpou sua faca num tecido imaculado.

Quatro machadadas. As patas, secionadas bem acima das coxas, caíram no chão num baque surdo. Enquanto o animal se exauria de seu sangue, Gipsu apanhou uma faca menor e afiou-a com cuidado.

Com pequenos golpes rápidos, ele praticou finas incisões entre o couro e a carne do carneiro. Numa delas um auxiliar introduziu a ponta de um junco vazado; embocando a outra extremidade, pôs-se a soprar com todas as forças. O carneiro inchou, o pêlo destacando-se aos poucos da carne com um leve rangido metálico.

Gipsu deixou seu lugar para o segundo açougueiro que, com destreza, esfolou a cabeça, cuja pele foi se juntar a mais outras quinze num canto asseado da sala. Depois, partiu o corpo ao meio.

Teve início o decepamento.

Gipsu guardou cuidadosamente suas facas depois de tê-las limpado demoradamente. Fixara para si mesmo uma regra, nunca sair do abatedouro com suas lâminas. Quando era um jovem açougueiro, um dos seus colegas puxara da faca de trabalho durante uma altercação em plena rua e matara o adversário com um golpe no coração. Gipsu nunca esquecera daquilo.

Açougueiro-sacrificador do templo maior da Babilônia, Gipsu detinha um cargo invejado e muito bem remunerado. Responsável pelo abate, preparava ele mesmo os pedaços que seriam servidos nas refeições dos deuses. A esse título, tinha direito a uma importante parcela dos animais sacrificados, que revendia bastante caro. Gipsu era rico.

Os deuses tinham bom apetite. Quatro refeições por dia eram-lhes servidas no santuário de Esagil.

Desde o amanhecer, carroças cheias de mantimentos afluíam das fazendas dos arredores. Nas imensas cozinhas, os cozinheiros, o cervejeiro, o padeiro, o responsável pelo leite, queijo e manteiga se atarefavam. No meio da manhã, um cheiro de carne assada começava a espalhar-se pelo templo. Os carneiros no espeto não eram as únicas oferendas, havia também gazelas, cervos, pombos.

O responsável pelas oferendas avançava solenemente, seguido de servidores carregando uma pesada bandeja que dispunham sobre cavaletes, "ao alcance da mão" de Marduk.

O responsável pelas oferendas depositou sobre a mesa diversos tipos de pão e cerveja. Depois apresentou ao deus, um por um, os pratos fumegantes servidos em baixelas de prata, enquanto os servos traziam suntuosas corbelhas de frutas e bandejas de doces.

Depois de ter se assegurado de que estava tudo no lugar certo, instalou um biombo em frente à mesa de Marduk. O deus tinha de fazer sua refeição fora da vista dos oficiantes, que se retiraram para o fundo da sala.

Transcorrido o tempo da refeição, o responsável pelas oferendas retirou o biombo. Marduk comera muito bem! Alimentara-se e, em sua grande benevolência, não tocara em nenhum dos pratos, deixando os alimentos para os humanos, seus servos fiéis, a fim de que se saciassem.

Em primeiro lugar, o rei. O responsável pelas oferendas escolheu os melhores pedaços, o quarto dianteiro e as primeiras costelas, que foram imediatamente levadas para a mesa real. Os demais pedaços foram distribuídos aos membros do clero ligados ao templo e repartidos entre os diversos prebendeiros de acordo com uma contabilidade muito específica. Gipsu teve sua parte.

A torre da Babilônia! Eixo do mundo ligando o universo dos deuses ao dos homens, era chamada de Etemenanki: o Templo do Fundamento do Céu e da Terra. O zigurate mais famoso da Babilônia. Setenta e cinco metros de altura, sete andares. No topo tronava um santuário coberto de tijolos esmaltados de lápis-lazúli, cuja cor azulada acentuava a impressão de continuidade entre Etemenanki e o céu.

Para os burros arreados e as carroças rebocadas, uma rampa externa que subia em espiral até o topo. Para os homens, uma escadaria imensa que tinha início bem em frente à porta da muralha que protegia o zigurate por todos os lados. Subia diretamente até o segundo patamar, já a mais de cinqüenta metros acima do solo. A ascensão era exaustiva. Felizmente, Hattâru só subia no final do dia; em plena tarde, principalmente durante os meses de verão, seria pura loucura. Chegando ao segundo patamar, pensava-se que o mais difícil já passara, e com razão: os andares superiores eram mais próximos um do outro, e o ar, mais fresco. Para que as pessoas se refizessem daquela primeira etapa, fora ajeitado um espaço à sombra, com assentos — sempre ocupados — e uma reserva de água diariamente reabastecida.

A torre possuía, na verdade, oito andares. A pequena construção erigida acima do santuário era em geral esquecida. Se

147

fora erguida ali, é porque ali se estava mais perto do céu. Observatório central da Babilônia, era o domínio de Hattâru. Ele passava ali a maior parte do seu tempo. Transformara um pequeno cômodo num quarto em que descansava, lia, sonhava. Era feliz ali. Longe do chão, perto do céu. No santuário, bem abaixo do observatório, estendia-se um amplo cômodo inteiramente vazio. Quase inteiramente vazio, pois, no meio, havia uma cama imensa, a cama de Marduk. Aquela cama assombrava o pensamento de Hattâru. Abaixo de Hattâru, um espaço quase vazio; acima, o céu superpovoado. O céu era a sua única família. Uma família numerosa. Adolescente, certa noite, resolvera contar as estrelas. Procedendo de maneira sistemática, quadriculara mentalmente o céu e empreendera o impossível inventário. Depois de um tempo, sua visão se embaralhara, sua cabeça começara a rodar. Os números e as estrelas puseram-se a dançar na sua mente. Cinco mil estrelas, talvez mais. E ele só conhecia um punhado delas!

Lendo a abóbada celeste, tal como os melhores letrados lêem as mais complexas tabuletas, ele conhecia melhor o firmamento que a cidade, melhor as três estradas que atravessavam o céu do que as artérias mais freqüentadas da capital.

Naquela noite, a Lua estava vermelha, de uma pureza atípica. E a escuridão começara a recobri-la. Hattâru redobrou sua atenção; não era o seu primeiro eclipse, mas este prometia ser um dos mais bonitos que já tinha observado. No momento em que a Lua começara a sumir, ele destampara o orifício do relógio d'água e anotara numa tabuleta a posição do astro.

A Lua parecia apagar-se de modo inexorável.

Hattâru sabia que, lá embaixo, a população tomara conta das ruas, acompanhando com apreensão o sumiço do astro.

O desaparecimento seguiu até o fim. Foi um eclipse total.

Hattâru não escutou o pesado silêncio que se abateu sobre a cidade.

Tampou imediatamente o orifício do relógio d'água; o líquido parou de escorrer no recipiente colocado embaixo. Depositou o recipiente em cima de uma balança; o peso da água escorrida durante o eclipse forneceu-lhe o tempo de sua duração: uma hora e meia. Ele anotou na tabuleta.

As condições eram ideais. A Lua não tendo se posto durante o eclipse, Hattâru pôde observar todas as suas etapas. A entrada na penumbra, a entrada na escuridão, o máximo do recobrimento, a saída da escuridão, a saída da penumbra.

Enquanto a multidão se dispersava, Aemer voltou ao seu abrigo. Aquele regresso à Babilônia depois de tantos anos deixava-a eufórica e triste ao mesmo tempo. Aquele céu que ela perscrutara durante todo o tempo que durara o eclipse lembrava-lhe sua infância, e aqueles a quem perdera. Quantos acontecimentos para um primeiro dia! De manhã, os cavalos enlouquecidos a derrubam no chão. À noite, um eclipse total escurece o céu.

Há várias centenas de anos, um eclipse da Lua ocorrera no céu de Ur. Enquanto os sacerdotes o observavam, o grande rei Naram Sin se extinguira. Fora o que bastara para os eclipses serem considerados presságios funestos.

Tendo os astrólogos, aos poucos, percebido que eles retornavam de maneira regular, foram ficando menos temidos, embora conservassem um eminente valor para a adivinhação. Que mensagens os deuses queriam comunicar aos homens quando "lançavam" um eclipse? Os astrólogos fizeram do fenômeno um dos seus campos privilegiados de interpretação.

De tanto examinar as circunstâncias precisas em que se dera cada eclipse, os escribas acabaram observando que alguns deles pareciam repetir-se regularmente, um pouco como os planetas.

Hattâru guardou a tabuleta. Ele a entregaria no dia seguinte ao escritório central da Babilônia, nas salas especiais do Esagil, onde logo chegariam dezenas de outras, enviadas de todos os cantos do país onde os astrólogos tinham observado o eclipse. Seriam estudadas e permitiriam aos astrólogos predizer com uma precisão sempre maior os eclipses por vir. Hattâru mitigou sua sede antes de começar as observações correntes, que tinham sido retardadas.

No meio da noite, fez uma pausa. Deitando-se no piso ainda morno, cerrou os olhos. Enquanto, bem lá embaixo, o calor estava terrível, sem nenhum sopro de vento para livrar as pessoas da umidade, aqui estava muito agradável. Luxo supremo que nem o rei podia se dar, uma pequena brisa ergueu sua roupa com uma delicadeza que nenhuma mão feminina igualaria.

Um sentimento de plenitude o invadiu. O murmúrio longínquo, os ruídos da vida noturna que recomeçara, a cidade, o porto, os cabarés superaquecidos... eram a prova de que não estava só no mundo.

Retomou suas observações.

De todos os habitantes da Babilônia, ele era o primeiro a ver despontar a aurora. Quantas noites já não vira cair, e quantos dias surgir!

Hattâru saiu do observatório, desceu lentamente os degraus. Ao passar em frente ao santuário, pensou no quarto vazio e no grande leito inocupado.

Caminhou pelas ruas desertas. Nada o apressava, ninguém o esperava em casa.

Encostada numa parede, uma prostituta também encerrava a sua noite, esperando um derradeiro cliente... que não haveria de ser Hattâru. Ela o conhecia. Às vezes trocavam algumas palavras.

"Você teria que subir até o meu quarto", ela disse, rindo.

"Eu poderia levar você para bem mais alto do que a sua torre."

Desejaram-se um bom dia.

Por mais que Nûr insistisse na velocidade do carro que atropelara os animais, o responsável da fazenda, acusando-o de não saber conduzir o rebanho, despediu-o. Como ele não lhe propusesse nenhuma outra tarefa, Nûr resolveu ir embora para a cidade e procurar trabalho no porto.

Uma nova vida teve início. Dormindo pelos cais, ganhando pouco, ele descarregava os barcos. Trabalho exaustivo, mas dinâmico. Nada a ver com o suave e monótono acompanhar dos rebanhos.

Seus ombros se fortaleciam, sentia o seu corpo existir, experimentando um sentimento inédito de liberdade. Nos primeiros dias, tinham caçoado da sua candura e da sua castidade. Ele se livrou da segunda, mas nunca totalmente da primeira.

Além disso, havia a água. Uma água bem diferente daquela dos canais que corriam em torno da fazenda, mais viva, mais enérgica. Mais perigosa, também.

Foram necessários alguns dias para Aemer encontrar aquilo que procurava: uma casinha com um jardim. Encontrou-a na parte ocidental, do outro lado da ponte, longe do palácio e dos templos agrupados na margem oriental.

Depois de recuperar sua bagagem guardada no porto, ela se instalou.

Aemer adorava cozinhar. Primeira urgência, restaurar o forno e instalar uma cozinha. Ela ajeitou um quartinho de dormir que dava para o jardim e uma sala de trabalho onde guardou a sua biblioteca, que muitos escribas teriam invejado. Trataria mais tarde do jardim, quase abandonado.

Um mês antes, ela deixara definitivamente Uruk, onde passara a sua juventude. Aos trinta anos, queria começar aqui uma vida nova.

Arrumou a peça onde receberia as pessoas que viriam consultá-la. Sua fama permitiu-lhe não ter de esperar muito tempo.

Um homem de uns quarenta anos, ricamente vestido, apareceu. Tinha um jeito tímido. Aemer lhe fez as perguntas de praxe. Ele respondeu concisamente: viúvo, três filhos, a mulher falecera recentemente. Ao dar-se conta de que ela não sabia o seu nome, ele declarou com voz suave: "Gipsu, filho de Illin, açougueiro-sacrificador de Esagil".

Era o primeiro açougueiro que a consultava. Em Uruk, todo tipo de pessoa vinha vê-la, menos os pobres, é claro. Aemer, atenta, escutava-o e olhava para ele. Quando ele terminou, ela deixou passar alguns instantes. Não precisava consultar as tabuletas do *Ziqîqu! Ziqîqu!*, sua memória já armazenara os quatro mil sonhos analisados no tratado.

Ela imediatamente o advertiu: "Bom augúrio, mau augúrio. Até o curso dos grandes rios se modifica. Se o seu sonho for de mau augúrio, não acredite que está condenado. O seu destino não está esculpido na pedra, está inscrito numa tabuleta de argila que você pode reescrever, desde que o ajudem a decifrar seu sentido. Mensageiro, você carrega uma mensagem cujo conteúdo não sabe ler. Sou o escriba de suas cismas. Pelo estudo que vou fazer dos seus sonhos, vou pô-lo em guarda contra os perigos que o espreitam".

Era possível, então, mudar o próprio destino. Que revelação para Gipsu.

Quando, alguns anos atrás, Aemer pressentiu o que acabava de contar para Gipsu, sua vida balançara. Jurando a si mesma que viria possuir o conhecimento dos sonhos, tornara-se a primeira oniromante da Babilônia.

Gipsu voltou outras vezes para consultar Aemer. Depois de cada visita, sentia-se mais seguro de si. Pela primeira vez na sua vida, sentia que alguém estava ali para escutá-lo. Pela primeira vez, estava se abrindo.

Depois de umas dez sessões, propôs a Aemer que o visitasse na cidade. Ela aceitou.

Eles foram pela porta de Zababa, margeando o canal que atravessava toda a Babilônia, até a porta de Ishtar. Muitas pessoas tomavam banho nos canais adjacentes, aspergindo os passantes sem se desculpar.

Gipsu inquiriu Aemer sobre o seu passado, mas ela respondeu com outras perguntas. Ela sabia fazer os sonhos falarem, e também os homens. Pela maneira como Gipsu falava sobre o próprio trabalho, ela compreendeu que ele não gostava muito daquilo.

"Por que o faz, então?", ela perguntou.

"É um cargo muito cobiçado. Foi um legado de meu pai, e eu vou legá-lo a meu filho."

"Você sabe se seu filho vai gostar de ser açougueiro-sacrificador?"

"Nunca perguntei."

"Assim como o seu pai nunca lhe perguntou?"

"Isso", ele admitiu.

Estavam a meio caminho quando um canto se elevou. Um homem andando apressado ao lado de um burro cantava a plenos pulmões. Gipsu o interpelou. O homem perguntou para Aemer que canção ela queria ouvir. Pega de surpresa, ela não soube o que responder. Gipsu sussurrou umas palavras ao ouvido do vendedor de canções, que se inclinou diante dela: "Para Aemer, da parte de Gipsu, Ó jardineiro do jardim dos desejos!". Criou-se um ajuntamento à volta deles, as pessoas dirigiam a Aemer e Gipsu sorrisos de cumplicidade: um belo casal. O burro ergueu as orelhas, era o sinal. Com sua voz quente, o homem entoou a canção. Quando terminou, o burro mexeu alegremente a cabeça. Aemer caiu na risada.

A casa de Aemer acolheu os seus encontros. Gipsu era comovente, atento e carinhoso. E extremamente belo. Aemer relaxava. Nunca ninguém cuidara dela com tanta gentileza. Era a sua primeira relação serena.

Sentada num jardim próximo ao palácio, bem em frente à porta de Ishtar, Aemer esperava havia um bom quarto de hora quando chegou Esther, com jeito apressado. Aemer a conhecera no barco que a trouxera à Babilônia, a jovem voltava para a casa da família depois de visitar uns parentes em Susa.

"Eu me chamo Aemer", ela dissera.

"Eu, Esther."

"Ishtar?"

"Não, Es-ther", repetira a moça. "Mas você tem razão, Esther é Ishtar em hebraico. E", ela acrescentara com ironia, "o meu pai se chama Mardoqueu, que é Marduk em hebraico."

"Vocês não têm nomes só seus?"

Elas caíram na gargalhada e não se separaram mais pelo resto da viagem.

"No barco, pelo menos, você não podia chegar atrasada", Aemer a interpelou. "Enquanto eu esperava, um bonitão veio me importunar."

"Imagino como foi bem recebido", disse sua amiga, beijando-a. "Então, reencontrou a sua Babilônia?"

"Eu era bem pequena quando fui embora. Não me lembro de nada."

"Mesmo assim, deve dar alguma coisa", observou Esther, olhando o vazio. "Voltar para onde se nasceu. Eu também nasci na Babilônia. Mas a minha família veio de outro lugar."

"Todo mundo veio de outro lugar, e depois vai para outro lugar."

"Você vai ver, a Babilônia é a cidade mais bonita do mundo", garantiu Esther. Um silêncio: "Depois de Jerusalém".

"Você conhece Jerusalém?"

"Não! Mas eu sei!"

Calaram-se, olhando para o palácio. O sol declinava.

"Quer dizer que você é dessa gente que tem um só deus?", prosseguiu Aemer. "Que idéia!"

"Uma idéia bem natural: a mulher tem um só esposo, e os homens, um só deus."

"A criança tem vários pais, pai, mãe, tios, tias, avós, que velam por ela", prosseguiu Aemer, no mesmo tom. "E os homens, vários deuses."

"Foi assim com você: pai, mãe, tio, tia?"

"Ah, não", murmurou Aemer, tristemente. E então, com ar de superioridade: "Eu acho que parece coisa de pobre!".

"O que parece coisa de pobre?"

"Ter um só deus."

"E ter um monte de deuses, não parece bagunça? Eu me pergunto, aliás, como vocês conseguem se achar!"

"Como a mãe com os seus filhos", respondeu Aemer.

"Mas o que eu queria que você me explicasse, porque eu realmente não entendo, é no que um é melhor que vários. É como se destruíssem todos os cereais para plantar apenas um. Não haveria mais trigo, nem tubérculos, só cevada em todos os campos da Babilônia."

"Já eu não consigo entender", retorquiu Esther, "como vocês passam a vida dando de comer para uma ESTÁTUA! Vestindo, despindo a estátua, pondo-lhe jóias, fazendo suas abluções. Crianças brincando de boneca! Além disso, vocês também estão com um único deus, só não têm coragem de reconhecer. É Marduk, o rei dos deuses. Na Babilônia, é tudo só para ele."

Nesse ponto Aemer concordava com a sua amiga. A onipotência de Marduk a indignava. Revoltava-a o modo como, por uma espécie de golpe de Estado, ele se impusera enquanto divindade suprema. Aemer sabia que o tempo de Inanna e Ishtar tinha passado, que o tempo das deusas tinha passado.

Mas não quis admiti-lo para Esther, que a interpelou: "Você acha que, quando ama realmente uma pessoa, tem necessidade de amar outras?".

"Não sei, isso nunca me aconteceu. E você?"

"É o meu sonho."

Gipsu propusera inúmeras vezes a Aemer que fosse à sua casa. Até hoje ela sempre recusara.

Dirigia-se, um pouco ansiosa, para a casa dele, no centro do bairro oriental da cidade. Para uma simples visita, ela esclarecera. Temia o encontro com os filhos de Gipsu. Como iriam acolhê-la?

Estava tudo andando tão depressa desde a sua chegada, a casa, a instalação, o seu trabalho, o encontro com Gipsu, sua relação com Esther. Ela nunca sentira-se tão bem. Aemer tinha uma vontade doida de estar com Gipsu. Apressava-se sobre a ponte, como sempre atulhada. Nesse momento, os guardas pararam o trânsito: a parte central da plataforma abria-se para dar passagem a um imenso navio de guerra, com sua terrível espora apontada para a frente. Aemer se aproximou para admirar as duas fileiras de remadores que, sentindo-se observados, redobraram seu ardor. Mas foi maltratada por uma megera que a impedia de alcançar o parapeito. Por pouco não chegaram às vias de fato.

Um frêmito percorreu a multidão, a ponte tornava a se fechar. A circulação recomeçou, ainda mais tumultuosa que antes da abertura da ponte. Em meio às carroças e animais atrelados, excitados pelos condutores, as pessoas se cruzavam, esbarrando-se. Aemer soltou um grito: "Sirg!".

Um homem que vinha na direção inversa endireitou-se, procurando quem gritara. Aemer correu até ele, agarrou-o, berrando: "Você é Sirg, não é?".

O homem soltou-se, bruscamente. "O que deu em você?"

"Você é Sirg, não é?", repetiu Aemer.

"Não", disse o homem, exasperado. "O grito que você deu foi tão horrível! Tive certeza de que tinha havido um acidente."

Aemer meneava a cabeça, veemente. Não acreditava nele.

"Qual é o seu nome?", ela perguntou num tom provocante.

"Eu me chamo Hattâru."

"Não acredito!"

"Estou dizendo que me chamo Hattâru."

Ela lançou-lhe um olhar furioso. Ele não piscou. Desamparada, dirigiu-lhe uma última interrogação silenciosa, à qual ele tampouco respondeu. Uma tristeza pungente tomou conta do seu rosto, seus olhos se encheram de lágrimas. Baixando a cabeça, ela murmurou: "Eu me enganei. Desculpe". Seguiu o seu caminho.

Hattâru não se mexia. Virando-se devagar, olhou para ela, que se afastava em meio aos transeuntes.

"Ei!", ele berrou.

Aemer se virou. Parado na multidão, ele olhava para ela.

Aemer não tinha mais forças para se mover. Ele correu até ela, atirou-se em seus braços. Ela fechou-os sobre os seus ombros sacudidos pelos soluços. Embalou-o. Sob os seus pés, corria o Eufrates. O navio de guerra se afastava rumo ao sul. Um canto se ergueu do outro lado da ponte. Aemer reconheceu a voz. O vendedor de canções. Caminhava ao lado do seu burro. Ela o abordou, sussurrou-lhe umas palavras. O burro ergueu as orelhas. O vendedor de canções pediu a Hattâru que se aproximasse e, no alarido da multidão, cantarolou uma cantiga de ninar. Hattâru escutava, perdido em suas recordações. "Por que você me disse que se chamava Hattâru?", perguntou Aemer.

Sentado no jardim da casa de Aemer, ele contou-lhe: "Algum tempo depois que você foi embora, deixamos a casa do campo e nos instalamos bem longe dali, numa pequena aldeia próxima a Nínive. A tia me disse: 'A partir de hoje, você se chama Hattâru. Está me ouvindo? Ha-ttâ-ru. Prometa'. Eu não entendia por que precisava mudar de nome, mas prometi. Ela chegava sem avisar e gritava: 'Sirg!'. Caso eu respondesse, era castigado. 'Você se chama Hattâru. Repita!' Eu repetia. 'Mais tarde você vai entender', ela acrescentava".

Hattâru falava em voz baixa, como que para não despertar bruscamente demais as suas lembranças. Contemplava o jardim.

"É tão bonito como aquele que nós tínhamos."

Aemer respondeu que ela não contribuíra em nada para isso. Um amigo seu é que o projetara inteiramente e o vinha mantendo desde então. Ainda não era tempo de falar sobre o presente.

"Eu devia ter uns dez anos quando a tia me explicou", retomou Hattâru. "O nosso pai estivera envolvido num complô que tinha fracassado. Ele, mamãe e todos os servos haviam sido mortos. Uma vizinha teve tempo de nos esconder, e depois a tia nos acolheu no seu domínio. Ficamos lá até o dia em que a avisaram que tinham encontrado a nossa pista. Eu nunca soube quem eram esses 'eles' que ela parecia temer acima de tudo."

Aemer, transtornada, escutava o seu irmão. Aquele retorno ao passado reavivava uma dor que nunca a abandonara totalmente. "Não sei se existia de fato algum perigo", acrescentou Hattâru. "Acho que a tia tinha ficado louca. Ela gostava muito do pai, nunca se refez da sua morte. Ela repetia: 'É preciso que fique alguma coisa dele'. Estava obcecada pela idéia de que os assassinos dos nossos pais iam voltar para nos matar. Por isso é que ela nos separou, para que um de nós, ao menos, sobrevivesse. Por esse motivo é que tive que mudar de nome."

Olhos fechados, Aemer escutava a voz do seu irmão lhe contando a metade desconhecida da sua história comum. Num só instante, tantas interrogações que nunca tinham deixado de corroê-la acabavam de ganhar uma resposta.

Era a vez dela de contar.

"A tia me entregou a uma das suas amigas, que estava de partida para Uruk. Embarcaram-me à força.

"Logo na chegada, fugi. Eles me encontraram. Eu perguntava o tempo todo por você. Diziam que você estava bem, que logo iríamos nos rever. E, um dia, disseram que vocês não estavam mais na fazenda. Não sabiam se vocês tinham fugido ou se tinham sido levados. Nunca mais soube nada... até hoje." Olhou para Hattâru com ternura. "Não consigo acreditar. Sirg, o pequeno Sirg. Você tinha cinco anos quando eu fui embora.

"Eles me puseram num templo para que eu me tornasse sacerdotisa. Ali eu estaria protegida, as sacerdotisas são intocáveis. Eu me dediquei a aprender, com fúria, tudo o que era possível.

"Depois, quis ir embora. Não me seguraram. Tinham entendido que eu não daria uma sacerdotisa adequada.

"Eu conhecia os escribas da biblioteca, eles me deixavam entrar. Continuei a aprender. Era insaciável. Tenho uma memória que me assusta, às vezes. Leio uma tabuleta uma vez e posso declamar o que li, as palavras saem da minha boca. Mas, no que diz respeito ao meu passado, é diferente, ao mesmo tempo quero lembrar de tudo e esquecer tudo." Ela parou para explicar: "Eu queria dar certo, você entende? Era a minha vingança. Eu sabia do que queria me vingar, mas não sabia de quem".

"Você não me disse o que faz", perguntou Hattâru. "Você não é casada?"

"Por que você diz isso? É tão visível assim?", ela retrucou, dengosa.

"Não! Você é muito bonita. Não a imagino casada, só isso."

"Nunca me casei." Deixou passar um silêncio. "Conheci um homem, aqui. Ele me agrada, nos damos bem. É dele que falei há pouco, ele que cuida tão bem do jardim."

"Ele também cuida bem de você?"

"Também. Você talvez o conheça. Chama-se Gipsu."

"O açougueiro-sacrificador de Esagil? Nunca cruzei com ele. É um homem importante. Dizem que é sério."

"Ah, é sim. Um pouco demais. E você, é casado?"

"Não."

"Dois solteiros!", ela constatou, meneando a cabeça.

"Por que você voltou para a Babilônia? Tão tarde?"

Aemer hesitou.

"Para exercer meu ofício na capital. Em todo caso, foi o motivo que dei para mim mesma... Certo dia, fui ver um adivinhador. 'Você acha que o futuro está escrito na fumaça do incenso?', ele perguntou. 'Torne-se uma libanomante. Você acha que o futuro está escrito nas gotas de óleo espalhadas na superfície da água? Torne-se uma lecanomante. Nas pitadas de farinha? Aleuromante.'"

Hattâru caiu na risada.

"'A não ser que você pense encontrar o que procura interrogando o corpo dos recém-nascidos, e então há de ser tocomante. Ou no estudo dos ruídos fortuitos. Cledomante. Ou dos sinais cutâneos.'"

Hattâru ria às gargalhadas: "Sinais cutâneos! Tenho vários...".

"O que me interessava eram os sonhos."

" 'Uma mulher oniromante? Nunca se viu isso!', respondeu o adivinho. 'Pois bem, serei a primeira', respondi."

"Bravo!", exclamou Hattâru.

Em meio às risadas, ele tentou juntar aquele rosto de mulher voluntariosa ao da menina que se debruçava sobre ele para fazê-lo dormir. Será que conseguiria preencher o vazio que separava aquelas duas imagens?

Aemer foi a primeira a recobrar a seriedade. "Interessame, antes de tudo, conhecer o futuro para poder orientá-lo, de maneira que os tempos vindouros sejam mais clementes que os do passado."

"Eu sou astrólogo", anunciou Hattâru.

"Astrólogo! Não me surpreende. Somente as estrelas conseguiam fazê-lo dormir."

"É melhor eu não pegar no sono, lá em cima", ele disse, apontando para o alto da torre.

"Você se lembra, na casa da tia?", perguntou Aemer. "À noite, você acordava aos gritos. Eu dormia do seu lado, pegava você no colo, você me contava coisas que eu não entendia, você estava assustado, eu tentava acalmá-lo. Uma vez, tive a idéia de subir até o terraço. Que susto levei ao subir na escada! Você era pesado. Chegando lá em cima, você se acalmou. Aquele acabou se tornando o único jeito de você pegar no sono. Era fresquinho lá em cima. E eu pensava: Ah! Se eu pudesse entender o que ele me conta e que tanto o assusta em seus sonhos!"

"Não era um sonho", disse Hattâru. "Eu de fato vi. Pessoas se atiraram em cima do meu pai e o amordaçaram. E alguém o degolou. Eu estava escondido debaixo de uma cama, mamãe tinha me jogado ali. Eu queria gritar, mas não podia."

Aemer tomou-o nos braços. Hattâru tremia. Era a primeira vez que ele contava o que vira.

O sol já tinha se posto. Estavam sentados, quietos, no jardim da casa de Aemer. Passado um longo tempo, Aemer observou: "Exercemos o mesmo ofício. Você, com os olhos, eu, com os ouvidos. Trabalhamos com o que a noite produz. Eu interpreto os sonhos, você as estrelas". "Não", interrompeu Hattâru. "Eu não interpreto, não sou adivinho. Quando saímos da casa de campo com a tia, nós nos instalamos bem longe lá no norte. Um ancião que nos visitava de vez em quando propôs-se a me 'ensinar as estrelas', como ele dizia. Quase toda noite, durante anos, subíamos no terraço e ele me explicava o céu. A tia não entendia por que eu cochilava o dia inteiro. Certa noite, o ancião me disse: 'Hattâru, você tem que me prometer uma coisa. Não se meta com presságios, nunca. Deixe a adivinhação e interpretação do céu para os outros astrólogos, contente-se em observar as estrelas, estude-as, compreenda os astros. Senão você vai ter problemas. Quando eu era astrólogo na Babilônia, fiz presságios que desagradaram ao rei. Foi minha desgraça'."

Aemer lembrou-se de repente que tinha que ir à casa de Gipsu. Era tarde demais.

Naquela noite, Hattâru desertou o observatório.

A casa da família de Esther era abastada, mas sem luxos. "Seja bem-vinda", exclamou Mardoqueu, um idoso de barba embranquecida. "Então você é a amiga da Esther! Ela me contou como você a salvou das garras de um malcriado no navio. Um par de tabefes! Ah, eu teria gostado de ver! Tem razão, há que se saber como impor respeito."

Quase em toda casa brilhavam umas luzinhas, mechas enfiadas em pedaços de madeira flutuando em óleo dentro de taças. "Elas têm de queimar até amanhã à noite", explicou Esther. "É nosso costume durante o sabá."

A família reuniu-se em volta da mesa. Mardoqueu e os outros homens, crianças inclusive, cobriram a cabeça. Mardoqueu se levantou. Com uma bela voz, recitou orações a que os presentes respondiam em coro. Dois anciãos alquebrados pela idade não paravam de menear a cabeça, resmungando palavras ininteligíveis. Aemer achava que o tempo custava a passar, sentia fome. De quando em quando, Esther lhe dirigia um sinal de cumplicidade. Elas se seguravam para não rir. Mardoqueu lançou-lhes um olhar furibundo. Esther abaixou os olhos. Mardoqueu sorriu, era um jogo entre eles. As crianças se acotovelavam. Mardoqueu verteu água numa taça cheia de vinho para que ela transbordasse. Depois de tomar um gole, passou a taça adiante. Todos repetiram o gesto. Era bom. Mardoqueu ergueu um pano finamente tecido, descobrindo um pão dourado cujas pontas mergulhou no sal, depois partiu-o ao meio, cortou um pedacinho e o comeu antes de jogar um pedaço a cada comensal, os homens primeiro, num gesto propositadamente espetacular, como querendo fingir que o jogava ao longe. Depois, todos se abraçaram. Aemer estava comovida com aquele calor. Um calor que ela nunca experimentara.

Esther serviu os pratos. A refeição era deliciosa. "Esther me contou que vocês tiveram uma longa discussão sobre Deus", disse Mardoqueu.

"Sobre os deuses", emendou Aemer. "Ela lhe conta tudo!"

"Não tudo, espero. Eu bem que queria que ela me contasse que conheceu um rapaz. Você também não é casada. Mas o que há com vocês? Vocês não gostam dos homens?"

"Adoramos!", elas exclamaram, num só grito.

Terminada a refeição, Aemer ajudou Esther a tirar a mesa. Mardoqueu se retirara no jardim.

Foram ter com ele. Designando o zigurate, cuja escura silhueta se destacava na noite, Mardoqueu interpelou Aemer: "É impossível não vê-lo. O seu grande rei Nabucodonosor foi até Jerusalém, que ele destruiu, e veio embora nos trazendo com ele como cativos. E sabe o que ele fez, quando acabava de destruir o nosso templo?". Ele olhava para Aemer com um ar furioso. "Nos obrigou a construir o templo de Marduk, essa torre da qual não se pode escapar", ele rugiu.

"Por favor, papai", interveio Esther, "Aemer não é responsável pelo que fez Nabucodonosor... Ela nem tinha nascido."

As jovens puseram-se a rir.

"Sabe quantas vezes a Babilônia foi destruída?", perguntou Aemer com voz doce.

Mardoqueu não retrucou.

"Três vezes. Da última vez, foi totalmente arrasada e, para que nada sobrasse, foi coberta de água. E depois foi reconstruída, e o zigurate também."

Esther olhava para a sua amiga com orgulho.

"Vocês vão reconstruir seu templo. E ele será novamente destruído, e vocês novamente irão reconstruí-lo, e o zigurate..."

Um silêncio pesado instalou-se, as crianças abriam olhos imensos.

"Vamos, hora de deitar!", declarou Esther.

Elas foram, de má vontade.

Mardoqueu gritou para Esther que lhe trouxesse o estojo de caligrafia. Ela voltou com uma folha de papiro, um cálamo e um copo cheio de tinta.

"Quantos signos você precisa conhecer para poder ler ou escrever? Trezentos, quatrocentos?", perguntou Mardoqueu.

"Mais ou menos isso."

"Sabe quantos nós precisamos?"

Ela fez sinal de que não sabia.

"Vinte e dois! Com vinte e dois signos podemos escrever todas as palavras."

Aemer ficou pasma.

"Até as palavras novas?"

"Até as palavras novas", respondeu Mardoqueu com um sorriso.

Mergulhando o cálamo no copo, pôs-se a escrever os signos um após o outro. Amplos, de um formato bem diferente dos nossos pregos e asnas, constatou Aemer.

Mardoqueu lhe estendeu a folha.

"Como é leve!", ela exclamou.

"Louvemos a Deus que nos proporcionou escrever nosso Grande Livro em folhas leves como o ar", inflamou-se Mardoqueu. "Será que teríamos transportado nossos textos sagrados se tivessem sido escritos nas suas tabuletas?"

"Como é que vocês fazem para precisar de tão poucos signos?"

"Vocês escrevem sílabas, nós utilizamos unidades menores, as 'letras'. Vocês decompõem cada palavra em sílabas, nós decompomos cada sílaba em letras. Por isso é que temos tão poucos signos. Você deveria aproveitar sua estada... forçada na Babilônia para tomar nossas letras emprestadas. Além disso, elas são ordenadas numa ordem imutável: Aleph, Bet... Por isso, o conjunto que elas formam é um 'alfabeto'."

"E os números?", perguntou Aemer.

"É simples, utilizamos as letras."

Aemer fez uma careta.

"*Aleph, Bet, Guimel... Tet,* valem um, dois, três... nove. As nove seguintes, *Yod, Kaf... Tsadé,* valem dez, vinte... noventa. As quatro últimas, *Hof, Resh, Shin* e *Tav,* valem cem, duzentos, trezentos, quatrocentos."

"E depois?", perguntou Aemer, irônica.

"É simples! Para quinhentos, seiscentos, setecentos, oitocentos, à *Tav* acrescentam-se *Hof, Resh, Shin* e *Tav.*"

"Que complicado! E depois?"

"Simples! Acrescentam-se *Hof* e *Tav* à *Tav*! Quatrocentos mais cem mais quatrocentos."

"E depois?"

"Depois, acrescenta-se dois pontos sobre a letra, multiplicando o nome por mil: dois pontos sobre o *Aleph* fazem mil, sobre *Bès,* dois mil."

"E depois?"

"Depois? Depois?", balbuciou Mardoqueu.

Esther olhou para o pai, estupefata. Nunca o tinha visto assim, pego de surpresa. Sua amiga era realmente incrível.

"Você deveria aproveitar sua estada... forçada na Babilônia para tomar emprestado o nosso jeito de escrever os números", exclamou Aemer, levianamente. "Nós conseguimos escrever qualquer número. Sabe quantos tijolos foram usados para construir o zigurate de que falávamos há pouco?"

"Sabemos até demais, pois quando nos obrigaram a construir esta torre, nós contávamos os tijolos enquanto os carregávamos. E vocês, como escreveriam o número de pedras que compunham o templo de Jerusalém?"

"Pai, você não vai começar com isso de novo!", zangou-se Esther.

"Está bem, está bem. Desculpe-me, Aemer. Voltemos aos números. Agradeço o seu conselho, é bem justificado. Sei que vocês só precisam de dois signos para escrever os números, é muito melhor", ele concedeu. "E se fizéssemos uma troca", interrompeu Esther. "Eu lhes ofereço os números, vocês me oferecem o alfabeto." Eles beberam à troca.

Aemer pegou o hábito de acompanhar Hattâru ao zigurate. Eles se separavam. Ao pé da torre. Hattâru subia, alerta. Chegando ao primeiro nível, virava-se para fazer um sinal à irmã. Ela o acompanhava com os olhos. Ele ia ficando cada vez menor. Até que desaparecia no seu observatório.

A irrupção de Aemer, ou melhor, sua ressurreição — pois havia muito tempo, Hattâru tinha que reconhecer, ele a julgara morta — reavivava suas lembranças. Não parava de pensar no seu velho professor. Sem ele, que infância miserável não teria tido? O ancião lhe propiciara os seus únicos instantes de felicidade. Morrera alguns anos antes, e suas palavras estavam impregnadas em sua memória.

"O sol muda o tempo todo de lugar? Mas sua trajetória é sempre a mesma. É um ponto de referência extraordinário.

"Os planetas são astros errantes? Mas todos eles se deslocam numa mesma zona do céu, o zodíaco. Ele servirá como ponto de referência.

"O ano é dividido em doze meses de trinta dias, o zodíaco em doze parcelas de trinta graus. Cada parcela tem o nome da constelação mais visível que ela abriga."

Ele recitava com sua voz arranhada que tanto fazia falta a Hattâru: "O Operário Sazonal, o Touro Celeste, os Grandes Gêmeos, o Caranguejo, o Leão, a Espiga de Cevada, a Balança, o Escorpião, o Pabilsag, o Capricórnio, o Gigante, as Caudas".

No sétimo andar, Hattâru cruzou com o guarda do templo que, andar por andar, conferia se não tinham ocorrido roubos ou degradações durante o dia. Deram-se boa noite. Hattâru galgou a pequena escada que levava ao observatório, e acomodou-se para constatar que "estava tudo no lugar" no firmamento, como ele gostava de dizer.

Nunca faltava nada.

O céu não é um rio que corre sem volta. Em sua grande sabedoria, os astros não se movem na desordem e na confusão, como os transeuntes que Hattâru avistava lá do alto da torre. Eles se agitam, já o céu, persiste.

Deu início a suas observações cotidianas. Achar os cinco planetas, determinar sua posição numa das doze zonas do zodíaco. Toda a arte da observação astrológica estava nisso. Um planeta não tem o mesmo "valor", dependendo se está situado numa zona ou na outra. Assim como na escrita dos números, a posição é importante. É fundamental no estabelecimento dos horóscopos: com o dia e a hora do nascimento de um indivíduo, ela é que permite conhecer o destino que os deuses decretaram para ele.

Hattâru, porém, atinha-se à arte da observação, na qual era excelente. Garantia uma boa interpretação, mas não se envolvia.

Gipsu saiu de uma das dezenas de barracas encostadas nas muralhas do Esagil. Ele ia uma vez por semana ao barbeiro. Barba aparada, cabelos penteados, afastava-se ao longo do Eufrates quando:

"Gipsu, filho de Illin!"

A brutalidade da interpelação estarreceu-o. Virou-se. Hattâru, lívido, atirava-se em cima dele. Rolaram pelo chão, arrastando ao caírem a bancada de um vendedor, que insultou os dois até que recuperasse todas as frutas.

Gipsu, sem compreender o que se passava, procurava aparar os golpes sem tentar machucar Hattâru, mas este, enlouquecido, não o soltava.

Do convés de um barco sendo carregado, marinheiros e portadores acompanhavam a luta, enquanto no cais os curiosos, satisfeitíssimos em assistir a uma briga entre pessoas da sociedade, incentivam os dois. A batalha se dava com extrema violência.

Gipsu era mais forte, mas Hattâru estava enlouquecido. Várias vezes, os dois corpos, rolando pelo chão, estiveram por um triz da borda do cais. Gipsu, todas as vezes, logrou afastá-los. Conseguindo soltar-se, começou a se distanciar sob as vaias da multidão que o chamava de covarde, quando Hattâru o alcançou e bateu em cheio no seu rosto. Furioso, Gipsu agarrou Hattâru, ergueu-o. Eles viravoltaram. Ao ver que se aproximavam do cais, os curiosos redobraram seus gritos. Os dois combatentes caíram no rio. Sufocando, Hattâru desapareceu quase imediatamente dentro d'água. Gipsu conseguiu puxá-lo. A correnteza afastava-os da margem. Gipsu acabou soltando-o. A luta estava virando drama.

Do convés do barco, de onde assistira à luta, Nûr mergulhou. Nadando em direção a Hattâru, agarrou-o pelo ombro. Hattâru perdera os sentidos. Puxando-o atrás de si, Nûr nadou em direção a Gipsu, que estava perdendo pé. Enquanto o encorajava com a voz, esforçava-se por manter sua cabeça fora d'água. Exausto, porém, largou-o, e Gipsu afundou.

Um barco chegou na hora em que Gipsu soçobrava. Os dois corpos foram içados para a margem. Tentaram reanimá-los.

Cumprimentado pela multidão, Nûr não sabia onde se enfiar. Seus colegas de trabalho o arrastaram para a taberna a fim de beber à sua proeza.

"Onde você aprendeu a nadar desse jeito?"

"Nos canais em torno da fazenda em que eu trabalhava", Nûr respondeu, com modéstia. Estava fazendo uma quantidade de amigos. Um capitão veio cumprimentá-lo por sua coragem e por seus talentos de nadador.

Aemer passou uma noite terrível. Hattâru marcara encontro com ela durante a tarde, e não comparecera. Gipsu iria passar a noite em sua casa, e não aparecera. Aemer não conseguia entender por que, no mesmo dia, nenhum dos dois homens lhe dera sinal de vida.

Ao alvorecer, um guarda veio informá-la sobre a briga. Aemer precipitou-se à cabeceira do irmão. Ao constatar que ele não estava gravemente ferido, explodiu: "O que você tem contra ele? Está com ciúmes? O meu irmãozinho não suporta que a irmã tenha um amante. Não esperei a sua autorização para ter um amante, sabia? Você queria que eu virasse uma solteirona, que nem você, o velho solteirão. No seu observatório, em plena cidade, você é mais solitário que um pastor no meio da estepe. Esqueça as suas estrelas e vá viver um pouco!".

Hattâru tentava se explicar, mas ela não lhe deixava uma chance. Ele estava exausto, sua perna lhe doía. Fechou os olhos e dormiu.

Quando acordou, ela estava ali. Mais calma, mas com o rosto tenso. Ela quis falar, ele levantou a mão para que ela se calasse. "Você está enganada, Aemer. Provoquei, sim, uma briga com Gipsu. Queria matá-lo. Mas não por ele ser seu amante, o motivo é muito mais sério. Ele ergueu os olhos para a irmã: o pai de Gipsu é o assassino dos nossos pais! Está me ouvindo, Aemer? O pai dele, Illin, o açougueiro-sacrificador, o chefe dos guardas do palácio."

Aemer olhou para ele, aterrorizada.

"Eu soube disso ontem, pela manhã", murmurou Hattâru. "O homem que eu vi quando estava escondido debaixo da cama... você se lembra o que lhe contei? O homem com a faca, o que degolou..."

Sua voz ficou molhada de prantos. Não conseguiu terminar. Parecia que tinha esperado por Aemer para assimilar a terrível notícia.

"Como é possível, como é possível?", ela repetia.

Aemer foi diretamente até a casa do médico para onde tinham levado Gipsu.

* * *

"Gipsu, filho de Illin!", ela interpelou-o, entrando desabalada no quarto em que ele repousava.

Gipsu ergueu a cabeça, estava coberto de contusões.

"Aemer!" Seu rosto brilhava. "Fiz o possível para não machucá-lo, mas ele estava tão agressivo. Parecia querer me matar."

"Sabe quem é ele?", ela rugiu.

"Não faço a menor idéia."

"Meu irmão."

"Seu irmão! Mas eu pensei...", balbuciou ele, "você me disse... que não tinha mais família."

"Você mentiu para mim, Gipsu, me traiu, zombou de mim. Não bastava o seu pai assassinar os meus pais, você ainda queria a filha!"

"O que é que você está dizendo?" Gipsu tentou se erguer.

"O meu pai assassinou os seus pais? Você está louca!"

"Não, não estou. O Sangû contou para Hattâru. Por isso é que Hattâru quis matá-lo."

"O Sangû? Como ele sabe?"

"Não importa. O responsável pelos templos não mente."

Gipsu abaixou a cabeça, arrasado. "Eu não sabia! Eu nunca soube nada do que meu pai fazia. Nada do que ele era me interessava."

Aemer, pelas sessões que tivera com ele, estava em condições de saber disso. Olhou tristemente para ele: "O seu pai só lhe legou sangue, o sangue dos meus pais, o sangue dos carneiros que você degola toda manhã".

Gipsu não disse nada. Compreendia o que Aemer estava sentindo.

"Por que você arriscou sua vida para salvar Hattâru?", ela perguntou com doçura.

"Porque ele estava se afogando."

Aemer foi tomada por uma torrente de afeto. Tudo, porém, se tornara impossível. Ela sabia que era injusto, que Gipsu não era responsável pelos crimes de seu pai. Sabia também

169

que nunca mais poderia aceitar que suas mãos a acariciassem, que seus lábios pousassem sobre os seus.

E isso não é o destino!, ela insurgiu-se. Onde estava escrito que isso iria acontecer? Que adivinho lera na fumaça dos incensos, nas gotas de óleo, nas pitadas de farinha, no fígado dos carneiros, nos sinais da pele? Eu mesma, acaso li algo assim nos sonhos de Gipsu? Como acreditar nisso tudo?

Três rapazes entraram e acorreram para Gipsu, abraçando-o.

"Aemer, eu lhe apresento os meus fi..."

Aemer se retirara em silêncio.

Precedido por vários servos, o Sangû parou diante da casa de Hattâru, pedindo que o esperassem lá fora.

A porta se abriu. Viu-se frente a frente com uma bela mulher de cerca de uns trinta anos.

"Então, você é Aemer. A última vez que a vi, você tinha quatro, cinco anos."

"Suponho que você seja o Sangû. Você me reconhece? Então não mudei?"

"Mudou, mas o seu olhar não está tão atrevido como era. Como vai nosso astrólogo?"

"Está com a perna quebrada. Vai precisar de várias semanas até poder andar."

"Até lá, que voe! Ficará mais próximo das estrelas", exclamou o homem, satisfeito consigo mesmo, empurrando a porta do quarto de Hattâru.

"Pssiu! Ele está dormindo", ralhou Aemer, e tornou a fechar a porta.

Afastaram-se.

"Conheci muito bem seu pai, era um amigo", confidenciou-lhe o Sangû. "E sua mãe também. Ele cometeu um erro grave ao participar daquele complô... que não tinha a menor chance de dar certo. Eu o tinha desaconselhado. Mas ele só fazia o que bem queria. Foi Illin, o chefe dos guardas do palácio, quem o assassinou."

"Ele não era açougueiro-sacrificador?"

"Na época, as duas funções eram preenchidas pelo mesmo homem."

"Hattâru afirma que o próprio Illin é quem o assassinou."

"Ora, ele tinha só três anos! Não pode se lembrar."

"Ele viu, e ele se lembra", bradou Aemer.

"Paz! Estou vendo que você é tão temperamental quanto seu pai."

Aemer gostou de ouvir aquilo.

"Por que decidiu falar agora, depois de ficar tanto tempo calado? Você nos fez perder vinte anos das nossas vidas."

O Sangû ignorou a última frase. "Decidi intervir porque fiquei sabendo do seu caso com Gipsu. Era importante você saber quem ele era."

"Então por que não contou para mim?"

"Achei melhor avisar o seu irmão primeiro."

"Porque ele é..."

"Sim", interrompeu ele, "porque ele é o único homem da família."

"Pois veja só! Está num belo estado, o único homem da família!"

"O que você vai fazer com Gipsu?"

"Isso não é da sua conta."

"Hum", fez ele. "Como queira. Eu vim para saber como estava Hattâru, mas também para informar você e seu irmão sobre sua data de nascimento."

"Não quero saber!", exclamou Aemer. "Em compensação, gostaria que você me dissesse onde estão enterrados os nossos pais."

"Não sei, Aemer. Nunca soube."

"É a única coisa que eu queria saber, a única coisa que eu sempre quis saber."

O Sangû foi embora, incomodado.

Aemer relaxou. Estava aliviada por ter posto para fora tudo o que lhe pesava no peito. Aqueles homens do poder lhe repugnavam.

Quantas coisas teriam sido diferentes se ele tivesse falado antes...

* * *

Nûr acabava de ser contratado num navio de longas viagens. Antes de deixar a Babilônia, foi até a fazenda se despedir de seus pais. No caminho, margeou os canais onde aprendera a nadar. Depois de abraçar a mãe, o pai, os irmãos e irmãs, foi falar com o responsável pela fazenda. "Eu queria lhe agradecer por ter me despedido", disse ele. "Graças a você, vou conhecer o mundo enquanto você vai ficar confinado feito um carneiro neste seu pedacinho de terreno. Estou embarcando para uma grande viagem rumo ao sul. Quando voltar, se você ainda estiver vivo, vou lhe trazer uma enorme pepita de ouro de Dilmun, ou até talvez de Meluhha."

Passando debaixo da porta de Ishtar, Nûr mirou os dragões com suas garras, suas escamas, suas línguas bifurcadas, seus chifres afiados. Achou-os ridículos.

O navio afastou-se do cais. A ponte sobre o Tigre se abriu. Nûr levantou a cabeça. A vela estendeu-se acima dele. Ele sorriu. Se não fosse o carro, não fosse o combate, eu estaria acompanhando o rebanho pela Via processional, ele pensou.

A Babilônia se distanciava, o zigurate diminuía.

Hattâru fervia. Nunca tinha ficado de cama, e vivenciava a imobilidade como uma punição. Reclamava o dia inteiro. Um doente insuportável. Aemer tinha ajeitado para ele um quarto em sua casa, ele tentava descansar enquanto ela trabalhava.

As estrelas lhe faziam falta. Percebeu a que ponto elas lhe eram essenciais. Assaltado por pensamentos, por imagens que ficava remoendo, Hattâru não estava bem. A inação era nefasta para ele.

Passados alguns dias, deixaram que ele se locomovesse com a ajuda de muletas. Ele se virava tão mal que por pouco não se estatelou em diversas ocasiões.

Ele exigiu retomar suas observações e foi se tornando tão insuportável que consentiram o seu desejo. Transportado até o observatório numa liteira, reviveu. Mas, passada a noite, foi preciso descer. Era bobagem. Ele convenceu Aemer a falar com o Sangû. Ela obteve uma autorização para que Hattâru passasse dia e noite no quartinho que ele tinha arranjado. Hattâru era o melhor observador da Babilônia. Sendo o seu trabalho muito apreciado, e como não almejasse nenhum cargo de poder, seus colegas astrólogos não levantaram nenhuma objeção. Relegado ao alto do zigurate, ele não lhes faria sombra.

Viver no observatório, sem nunca sair dali, seu sonho. Uma única dificuldade: ele não podia passar sem ajuda. Tendo sempre trabalhado solitariamente, como suportar a presença permanente de outra pessoa?

Certa noite, enquanto remoía a própria impotência, Aemer apareceu. Sem que ele tivesse tempo de dizer uma só palavra, ela lhe propôs ser sua auxiliar no observatório. Louco de alegria, ele se levantou. Ela não teve tempo de avisá-lo, ele tornou a cair sobre a cama. Tinha esquecido as muletas. Ela precisou se aproximar, ele a abraçou com paixão.

Ele viveria no observatório, ela o ajudaria em seu trabalho.

O que ela não lhe disse foi o quanto aquela decisão tinha sido difícil. Interromper suas sessões de oniromancia custava-lhe muitíssimo. Cada vez mais pessoas vinham consultá-la. Ajudada pelas tabuletas do *Ziqîqu! Ziqîqu!*, as interpretações que fazia dos seus sonhos eram, tinha consciência disso, cada vez mais sutis e judiciosas. E isso lhe dava um prazer que não esmorecia.

O que restava da família se reconstituiu no oitavo andar da torre de Babilim.

Aemer mandou levar utensílios de cozinha para a salinha contígua ao observatório.

Manejando o cálamo para escrever palavras e números, utilizando à perfeição as tabelas com colunas para efetuar as operações, Aemer se tornou uma ajudante inigualável.

O trabalho em comum os absorvia. Instalado numa cadeira de espaldar inclinado, Hattâru fazia as observações. Aemer as anotava e efetuava os cálculos na tabela de colunas, e juntos eles discutiam a respeito. Depois, ela preparava a comida. No mais das vezes, comiam em silêncio. Não precisavam falar.

Quando, no meio da noite, Aemer deixava o observatório e descia sozinha os sete andares da torre, uma profunda tristeza a oprimia. Essa separação doía-lhe mais do que antes. Precisou admitir que não se sentia bem lá em cima, com o irmão. Ela não via mais Esther. Não tinha mais tempo, nem vontade, de cuidar da sua casa. O jardim estava queimado pelo sol. Soube que Gipsu tinha vendido — bastante caro — seu cargo de açougueiro-sacrificador. Suficientemente rico para não precisar mais trabalhar, estava cuidando dos filhos.

Do encontro de ambos, Aemer percebia o que ele tinha levado: perdera a ela, mas ganhara a liberdade de um trabalho que detestava, a liberdade de um pai que, além da morte, continuava tiranizando-o. Ganhara a liberdade de seu passado. Para ele, uma nova vida podia começar.

E eu?, perguntava-se Aemer. O que ganhei, o que perdi? Estou voltando para a cidade da minha infância, estou me apaixonando por um homem. Numa ponte, encontro com meu irmão, que eu julgava morto havia vinte anos. O homem por quem estou apaixonada é o filho do assassino dos nossos pais. Meu irmão e o meu amante por pouco não se matam. Passo meus dias e parte das minhas noites no alto da torre de Babilim. Eu tinha de perder meu amante para reencontrar meu irmão? Será que tudo isto estava escrito nos astros?

A astronomia babilônica era a mais avançada, superava a dos gregos e a dos egípcios. Devia o seu avanço às dezenas de milhares de observações acumuladas durante séculos. Conhecer o percurso das estrelas através do céu, de sua posição nos diversos signos do zodíaco dava aos sábios babilônios um saber que o mundo lhes invejava. Mesmo porque possuíam uma maneira de escrever os números que era de uma eficácia inigualável.

Hotep, um astrônomo egípcio em viagem pela Babilônia, pedira para se encontrar com Hattâru, cuja reputação ultrapassara as fronteiras. Aemer tinha preparado uma saborosa refeição.

Hotep chegou, esgotado. Nunca tinha subido a um lugar tão alto. "Vocês têm uma cidade imensa, não há nada igual em meu país. Comparada com a Babilônia, a nossa Mênfis é uma cidade pequena. Em compensação, confesso que fiquei decepcionado com o zigurate. Falam tanto na altura dele, que eu imaginava uma verdadeira montanha."

E ele se pôs a elogiar as "pirâmides" que, segundo ele, se enfileiravam às dezenas ao longo do Nilo. "São construídas de pedras, todas de pedras", ele insistiu. "Qual é a vantagem?", perguntou Aemer. "São muito mais pesadas que os nossos tijolos."

"A vantagem é que elas duram", respondeu Hotep, lacônico. "Quantos zigurates ainda estão de pé?" Sem esperar pela resposta, prosseguiu: "Nossas pirâmides não podem ser destruídas nem pelos homens e nem pelas intempéries, nem mesmo pelo tempo. Pedras não se destroem. A mais alta mede uma vez e meio o tamanho do seu zigurate", ele afirmou, orgulhoso.

Hattâru soltou uma exclamação, erguendo os olhos para tentar imaginar até onde aquele edifício poderia se erguer.

E quando Hotep disse que nunca subira nela, e que não pudera e nem nunca poderia subir, porque não havia escadas nem rampas, o espanto de Hattâru e Aemer foi total.

"Para que servem?", perguntou Aemer.

"São túmulos", respondeu Hotep.

"Pode-se dizer que vocês paparicam os seus mortos", ela exclamou.

"Cada civilização possui os seus ritos. Nós adoramos o Sol, vocês preferem a Lua", declarou Hotep, com uma solenidade que os surpreendeu. "Vocês têm dois rios, nós temos um só; o Tigre e o Eufrates descem do norte, o Nilo desce do sul. Vocês têm argila, nós temos pedras, vocês têm junco, nós temos papiro. Nossos deuses são diferentes. Nossos faraós se casam entre irmãos, aqui esses amores são proibidos."

Aemer e Hattâru escutavam com atenção extrema. Os olhos de Aemer brilhavam. Em diversos momentos, Hattâru lançou-lhe um olhar intenso. Assim, o que é proibido aqui, é permitido lá.

Depois da refeição, falaram sobre trabalho. Hattâru comunicou a Hotep as informações referentes ao último eclipse. Hotep tomava nota. Mas o modo como Hattâru utilizava os números o atrapalhava.

"Tenho dificuldade em me acostumar com o jeito de vocês escreverem os números. Esse prego, essa asna, são de uma inteligência prodigiosa. Fico surpreso que nós, egípcios, não tenhamos pensado nisto."

"Infelizmente, não podemos passar sem essas colunas", admitiu Hattâru. "Ou melhor, quando passamos sem elas, podem acontecer erros de leitura e confusão com números diferentes. Na astronomia, em que os números são tão importantes, qualquer confusão pode ser fatal. Isso acontece, o senhor deve ter notado, quando ficam colunas inocupadas."

Hattâru pegou uma tabuleta ainda mole, procurou um exemplo enquanto traçava as colunas: "Vou escrever *três mil seiscentos e dez*.

"Se eu apagar as colunas: a coluna vazia desaparece.

$$Ƴ \qquad <$$

"O algarismo representado pelo prego e o representado pela asna, já que nada os separa, colam um no outro. E sobra: Ƴ <, *setenta*."

"É realmente uma pena, pois a sua maneira de escrever os números é sensacional."

"Principalmente porque", acrescentou Aemer, maliciosa,

"permite aos nossos deuses que modifiquem seus decretos sem dar a impressão de que mudaram de idéia."

Ela contou que Marduk tinha condenado a Babilônia a ser esvaziada da sua população por setenta anos, por ter desobedecido às leis divinas. Ante as súplicas do rei, e também porque ele amava muito a cidade, decidiu reduzir a sanção. A solução: uma simples permuta de signos.

"Como *setenta* se escreve: 'prego, asna', ele inverteu os dois signos. E os babilônios puderam voltar para a sua cidade após onze anos apenas: 'asna, prego'."

$$\text{Y}< \longrightarrow <\text{Y}$$

Hotep caiu na gargalhada.

"Com números, dá para se fazer de tudo", declarou Hattâru.

"Inclusive dar risada!", acrescentou Hotep, alegre.

Ele sabia que guardaria uma lembrança emocionada daquela refeição feita no céu da cidade mais linda do mundo, em companhia daqueles dois anfitriões acolhedores e cultos, e daquela bonita mulher que não lhe dirigira um só olhar a noite inteira.

Hotep deixou o observatório tarde da noite.

Aemer não parava de pensar na discussão entre Hattâru e Hotep a respeito da necessidade das colunas na escrita dos números. O que poderia evitar que os números colassem um no outro?, perguntava-se. Como seria possível manter a lembrança da coluna vazia?

Ora, se ela não ficasse vazia! Contudo, ela tinha que ficar vazia...

Em certos momentos, ela duvidava. Se ninguém tinha achado uma solução, é porque não existia nenhuma.

Mas ela não desistia. Não desistia nunca. Permaneceu dias atormentada com essa pergunta. Como passar sem as colunas?

Uma idéia pequena foi se insinuando em seu espírito. Inscrever alguma coisa na coluna vazia. Qualquer coisa que não fosse uma quantidade. Nem prego, nem asna, portanto. Qualquer outra coisa. Pensou num prego ou numa asna inclinados. Melhor, dois pregos inclinados: 𝖄

Assim, não poderiam mais ser confundidos com nenhum outro signo. Durante vários dias, ela experimentou pôr em jogo seus pregos duplos inclinados.

Resolveu chamar Hattâru. Ele chegou, sempre pouco à vontade com as muletas.

"Acomode-se", disse ela. Ele sentou-se na borda do terraço. O sol sumia no horizonte. Os pássaros começavam o seu vôo do entardecer. "Você me emprestaria o seu *três mil seiscentos e dez?*"

Ele olhou para ela, atônito. Então, entrando no jogo: "É todo seu".

"Escrevo igual você escreveu naquela noite, com o astrônomo egípcio." E ela escreveu. "Afinal, essas três colunas, levei um tempão para admitir, não passam de um andaime que faz com que o número não desmorone. Acho...", ela hesitou. "Acho que encontrei um jeito de passar sem elas."

Hattâru se endireitou sobre as muletas.

Aemer desenhou os pregos inclinados num canto da tabuleta.

"Este signo, parecido com nenhum outro, não representa nenhuma quantidade. Escrevo-o na coluna vazia. Está vendo? Agora eu posso me livrar de todas as colunas que o sustentavam em pé, mas que, ao mesmo tempo, entravavam sua marcha. O número agora ficou livre. Prego, dois pregos inclinados, asna. Olhe, Hattâru, para o seu *três mil seiscentos e dez*, está andando sozinho, chega a correr!"

Hattâru, extasiado, jogou para o lado as muletas, adiantou-se para Aemer... e se esborrachou!

Aemer acorreu, abraçou-o e acariciou-lhe o rosto: "Você se machucou?".

Hattâru ria: "Dois pregos inclinados! Dois pregos inclinados! Não se precisa mais de muletas! Aemer, você é maravilhosa. Os números correm... e eu, rastejo".

Ela o ajudou a sentar-se na sua cadeira de observação. Ele massageou a perna. "É uma invenção...", ele começou, tendo um acesso de riso. "Uma invenção que vai doer!"

Finalmente, Hattâru voltara a ser alegre. Como antes, como muito tempo antes.

Aemer não deixou o observatório. No meio da noite, ela ajudou Hattâru a descer a escada que levava ao santuário. O guarda do templo estava dormindo. Penetraram silenciosamente no amplo quarto vazio, acima do observatório. A temperatura ali era tão amena.

O imenso leito de Marduk tronava no meio do cômodo. Era exatamente tal como Hattâru o imaginara.

Aemer e seu irmão se deitaram.

O que é permitido aos faraós egípcios, por que seria proibido para nós?, pensaram Aemer e Hattâru, cada um para si.

Entre o irmão e a irmã órfãos, a lei da Babilônia, e antes dela a de Sumer, inserira uma coluna vazia que os proibia preencher o espaço que deveria separá-los e mantê-los fora do alcance um do outro.

Naquela noite, à medida que escorregavam as roupas de Aemer e Hattâru, as colunas erguidas para impedir que se juntassem os signos e para expulsar os equívocos se desagregaram.

E a bela invenção de Aemer, a asna dupla inclinada que manteria o espaço vazio, não pesou muito ante a incrível força que levava o irmão e a irmã a se reunirem.

5

BAGDÁ

*TREZE SÉCULOS DEPOIS. INÍCIO
DO SÉCULO IX DA NOSSA ERA.*

Uma bandeira ao longe. Último poço antes do deserto. Os homens, esgotados, deram um suspiro de alívio: a angústia de não alcançar o poço antes do pôr-do-sol viera crescendo durante todo o dia.

Dias e dias antes, a caravana, de várias centenas de animais, deixara o Sind, no nordeste da Índia. Avançava lentamente rumo ao oeste, ao ritmo dos camelos e das carroças carregadas de alimento e mercadorias. Gemas e matérias preciosas, rubis e safiras do Ceilão, diamantes da Índia, lápis-lazúli de Badakhchan, marfim, jade de Khotan...

O *thâvahâ*, chefe da caravana, cuidou pessoalmente que os homens saciassem a sede e que a água não se perdesse. Conhecia bem aquele poço, que nunca o traíra. Tinha de fazer com que o respeitassem. Os litros bestamente desperdiçados hoje por uns fariam falta para outros amanhã.

As carroças, desprendidas dos animais de tração, foram dispostas em círculo em volta do acampamento, para assegurar uma proteção para a noite. Montaram-se tendas para as mulheres, enquanto os homens desenrolavam cobertores e tapetes na areia. Enquanto isso, o cozinheiro acendeu um fogo, no qual preparou uma refeição frugal que todos partilharam, à luz da lua.

Os animais, presos no cercado formado pelas carroças, estavam protegidos. Alguns homens se revezaram para montar a guarda. O rugido das feras, mantidas à distância pelas fogueiras acesas ao redor do acampamento, pontuou o sono dos que dormiam.

Não havia necessidade de acordar ao alvorecer, a caravana só partiria na noite seguinte. O dia seguinte transcorreu à sombra de uns bosques, os últimos. A travessia do deserto seria longa e penosa. Quando o sol declinou, os viajantes iniciaram seus preparativos. Começaram a carregar os animais e as carroças. Conferiram as reservas de lenha e mantimentos — arroz, legumes secos, óleo, farinha, forragem para os animais. Encheram os jarros. Aqui também era preciso calcular direito. Encontrar o equilíbrio entre o peso e a velocidade. Água demais, e a marcha se tornaria mais lenta, a duração do trajeto seria maior e, por conseguinte, a quantidade de água necessária aumentaria.

Imediatamente antes de partir, todos beberam em pequenos goles. Por muitos dias, a água nunca mais seria tão fresca. Ao pôr-do-sol, o *thâvahâ* deu ordem para a partida. O camelo da frente se pôs em marcha, os outros foram atrás, em seguida as carroças se abalaram. Os viajantes andavam ao lado dos animais, com exceção dos mais ricos e dos mais velhos, acomodados em carroças.

Os dois assistentes do *thâvahâ* fechavam a marcha, atentos a que nenhuma parelha se deixasse distanciar e se perdesse na noite. Durante toda a travessia do deserto, o deslocamento só se daria à noite. Sem precipitação e sem impaciência.

O *thâvahâ* era mais escutado que um chefe militar em campanha: nenhuma ordem sua era questionada. Era o mestre absoluto da caravana. Avarento em palavras, sua austeridade, sua segurança e sua gravidade proporcionavam confiança. Os viajantes contavam inteiramente com ele.

A pressa era a maior armadilha, o importante não era andar depressa, e sim ir até o final da viagem. Com a ajuda das estrelas, do vento, da textura da areia e de seu senso de direção, o "piloto das areias do deserto" guiava os animais e os homens. Para esses últimos, tudo era parecido, a areia era parecida com a areia, as dunas, com as dunas. Uma ínfima mudança de direção, um erro de nada naquela extensão sem ponto de referência, e a viagem podia terminar em catástrofe. A ciência do *thâvahâ* lhes parecia sobrenatural, eles a respeitavam e temiam.

Muitos viajantes eram mercadores, alguns muito ricos, cujas bagagens vinham repletas de objetos caros e luxuosos. Apenas um, porém, transportava um tesouro. Um pândita indiano, reputado astrônomo enviado pelo sultão do Sind. Levava com ele um objeto sem preço, o *Sidhind*, obra do grande matemático indiano Brahmagupta, de que nenhum exemplar ainda deixara a Índia.

Afora o fato de que os deslocamentos eram impossíveis durante o dia, a viagem dentro da noite oferecia um companheiro sem igual, um aliado infalível, o céu, pela diversidade de informações que nele podiam ler os que sabiam decifrá-las. Debaixo das estrelas, a caravana desfilava silenciosamente através das dunas. Após oito horas de marcha, o alvorecer anunciava uma dupla novidade, o descanso tão esperado e o nascimento de um dia tórrido.

Descansavam o dia inteiro no âmago do braseiro, prostrados pelo calor.

A travessia do deserto pareceu interminável. Quinze noites de marcha prestando atenção nas irregularidades da areia que fugia sob os pés, desabando nos buracos ocultos pela escuridão, tropeçando em invisíveis declives.

Na manhã do décimo sexto dia, as primeiras árvores, ó tão magricelas, pareciam árvores do paraíso. Tranqüilizados, os viajantes sabiam que chegariam ao termo de sua viagem; agora só restava distância a percorrer, uma distância livre dos perigos mais graves.

A caravana penetrou na terra de *Irak al-Arabi*.

No décimo sétimo dia, um imenso domo verde despontou ao longe.

Em breve, a caravana penetraria na cidade redonda, *Medinat al-Salam*, a cidade da paz, como era chamada pelos árabes.

* * *

O pândita subira numa caleça com sua bagagem numerosa. Ao atravessar a cidade, grande fora a sua surpresa ao cruzar com inúmeras pessoas de pele escura. O cocheiro explicara-lhe que se tratava de escravos. "Chegam às centenas, todo dia! Dizem que os comerciantes os raptam nas costas da África e os trazem para vendê-los. Eles se vendem bem."

O pândita prometeu a si mesmo ficar o tempo que fosse preciso para visitar aquela cidade, da qual já começava a se dizer que era a mais bela e a mais povoada do mundo. Mas quando chegou, sua única vontade foi aproveitar o conforto do seu quarto na magnífica residência do embaixador da Índia, à margem do Tigre. Depois de tomar um banho, friccionar-se com óleo perfumado para acalmar a pele ressecada e eliminar a areia, alimentou-se gulosamente, e então adormeceu numa cama macia, saboreando o frescor do cômodo.

No dia seguinte, foi recebido pelo califa e entregou-lhe o *Sidhind*.

O mercado de livros de Khark, ao sul da cidade redonda, era incontestavelmente o mais extenso do mundo: mais de uma parasanga* de comprimento! Nas passagens estreitas fervilhando de gente, sucediam-se centenas de livrarias, agrupadas segundo a natureza dos livros que ofereciam: os generalistas juntos, os especializados reunidos por assunto. Obras religiosas, obras científicas, obras de astronomia, obras filosóficas... As bancadas, protegidas do sol por alguns toldos, eram impressionantes. Encontravam-se ali tanto textos em grego, siríaco, sânscrito, como em hebreu, latim, sogdiano ou em pelúsio, trazidos por navio ou por caravanas de Bizâncio, Alexandria, Jerusalém, Antioquia, Índia... Os saberes do mundo reunidos em montanhas de papel.

* Antiga unidade persa de medida de percurso, que corresponde a aproximadamente 6 mil metros. (N. T.)

O papel!

Havia poucos anos apenas os árabes possuíam o segredo da sua fabricação. Sua chegada tinha revolucionado a edição: as oficinas se multiplicaram na periferia de Bagdá, e o número de obras aumentara vertiginosamente. Os compradores também não paravam de se multiplicar. A sede de saber era inesgotável.

Uns, que sabiam grego, disputavam a edição original; outros, felizes em poder conhecer o texto através de sua mais recente tradução árabe, precipitavam-se para o mercado de livros tão logo era lançada, a fim de comprá-la. Os mais refinados adquiriam o original e a tradução para poder compará-las palavra por palavra e experimentar as finezas ocultas do texto.

A chegada no mercado de alguma nova obra mítica representava um acontecimento. O *Almagesto* de Ptolomeu, o *Organon* de Aristóteles acabavam de ser publicados. Era a maior corrida, os preços subiam a uma velocidade vertiginosa. Eram disputados a preço de ouro em leilões épicos que teriam degenerado em pugilato sem a autoridade do *dalal* pregoeiro ambulante.

De repente, deu-se um imenso empurra-empurra. Pessoas no chão, gritos, cavaletes derrubados, obras espezinhadas.

Eles tinham literalmente caído um sobre o outro, Mohand embaixo, Aemer em cima.

Os policiais a cavalo tinham investido contra a multidão para conter uma pequena revolta de pobres, dessas que ocorrem com alguma freqüência em Bagdá. O chefe da polícia dos *suks* era um homem enérgico.

Aquele contato fugidio deixou em Mohand uma impressão mágica. A jovem aterrissara em cima dele feito um presente dos céus. Seu perfume, seus seios rijos, seu corpo firme e elástico, ele os percebera em um segundo. Só sonhava em tornar a vê-la.

O mercado dos livros era o lugar preferido de Aemer e de Mohand. Por motivos bem diversos.

Se Aemer sabia ler perfeitamente, o que era extremamente raro, sobretudo para uma mulher, é que ela tivera um professor dos mais exigentes, o poeta al-Sanuba. Mas não era a paixão pela leitura que justificava suas visitas diárias ao mercado de livros.

Em meio à multidão de homens que o freqüentava, Aemer deslizava entre as barracas. Sua vestimenta, uma calça ampla, um capuzinho amarelo e uma *qamis* azul de mangas largas, indicava que ela não era muçulmana. Deslocando-se com agilidade, parou em frente a uma barraca, apanhou um manuscrito, percorreu-o, devolveu-o, pegou outro, largou-o, foi para outra barraca. Estudou com o olhar o conteúdo de uma obra. Seus olhos brilharam. O livreiro estava ocupado com um comprador que discutia asperamente um preço. Num gesto de inesperada rapidez, Aemer apanhou o manuscrito, que sumiu numa das mangas da sua *qamis*.

Afastou-se sem pressa, retomando sua aparente perambulação.

Mohand tinha visto. O seu coração batia. Seria por causa do que tinha visto? Ou pelo simples fato de cruzar de novo com ela? Há tanto tempo a procurava.

Aemer percebeu que ele a olhava. Foi até ele, perguntou-lhe por que a fitava assim. Ele balbuciou, recordou as circunstâncias do seu primeiro encontro. Ela se lembrou dele. Estava tão à vontade, que ele convenceu a si mesmo de que não tinha visto nada.

Então, de súbito, quando ele já estava convencido de que se enganara, ela lhe perguntou por que ele não a denunciara aos guardas.

Denunciar alguém? Jamais.

Ela lhe dirigiu um sorriso que o derreteu. Conheceram-se melhor.

Mohand explicou à jovem que estava percorrendo o mercado de livros à procura de obras científicas tratando de matemática e astronomia. Era estudante na medersa e essas duas disciplinas o cativavam. O seu maior desejo era tornar-se membro da célebre Bait al-Hikma, a Casa da Sabedoria, onde estavam reunidos os maiores sábios de cada disciplina, traduzindo, estudando, comparando as diferentes versões das grandes obras da Antiguidade. Estudante pobre, ele trabalhava no porto como carregador e gastava tudo o que recebia comprando livros.

Aemer escutava. Aquele rapaz tão calmo, quase apagado, inflamava-se diante dela. Era um homem de paixões!

Com mais paixão ainda ele confessou-lhe que procurava havia dias a tradução de um tratado indiano que expunha uma nova maneira de escrever os números e efetuar os cálculos, inventada pelos matemáticos indianos. Ele parecia depositar tamanha esperança nesta obra que Aemer lhe prometeu procurá-la e avisá-lo quando a encontrasse. Mohan observou que ela não dissera: "Se eu a encontrar", e sim: "Quando eu a encontrar".

Separaram-se no final de uma ruela.

Estava começando um leilão. Mohan se aproximou.

Um *dalal*, em pé no meio da ruela, procedia à oferta de uma obra muito procurada, a nova tradução do *Organon* de Aristóteles.

O ajudante do *dalal* ergueu uma folha de papel em que estava inscrito, em letras árabes, o preço inicial da obra.

"Setenta e sete dirhams", anunciou o *dalal*. "Um preço muito bom... que vai levantar vôo."

Anotou o número no seu ábaco.

O preço inicial era, de fato, muito baixo. Um comprador imediatamente aumentou o lance: "Dou o dobro".

O *dalal* efetuou o cálculo no ábaco e anunciou: "Cento e cinqüenta e quatro dirhams". Seu ajudante escreveu o número na folha de papel.

"Dou mais cinqüenta", berrou um segundo comprador.

O *dalal* apagou com o dedo o conteúdo da segunda coluna, acrescentou um traço na terceira: "Duzentos e quatro dirhams!". Seu ajudante escreveu o novo número numa folha de papel que ele mostrou ao público. Mohand acompanhava atentamente as etapas do leilão.

Mais que o montante ou a identidade do comprador, interessava-lhe o vaivém entre o ábaco e a folha de papel, entre as letras árabes escritas no papel e os traços desenhados com o dedo na poeira.

Os árabes tinham emprestado aos gregos e hebreus seu modo de escrever os números com a ajuda do alfabeto. Como eles, utilizavam diferentes dispositivos para efetuar os seus cálculos.

Tabuleta de madeira coberta de uma fina camada de areia, o ábaco contava com sua preferência. Com a tabuleta disposta horizontalmente sobre um móvel ou no chão, o calculador começava formando colunas, depois inscrevia os números traçando pauzinhos dentro dessas colunas e começava o seu cálculo. Cada vez que dez pauzinhos se juntavam numa coluna, ele os apagava com o dedo e os substituía por um pauzinho somente na próxima coluna à esquerda. Esse gesto era a materialização do princípio de numeração utilizado: dez unidades de certa ordem valem uma unidade da ordem superior.

A escrita dos números e o cálculo serem de natureza tão diferente era algo que deixava Mohand desconfortável. O ajudante utilizava as letras do alfabeto, que ele inscrevia em papel por meio de um cálamo molhado em tinta. O *dalal* traçava, com o dedo, pauzinhos na poeira e os apagava à vontade. Para chegar ao resultado do cálculo que seria divulgado... em letras alfabéticas!

Aquela separação radical não convinha nem um pouco a Mohand. Sentindo profundamente a unidade do domínio dos números, estava convencido de que haveria uma maneira de unificar a escrita e o cálculo. Essa idéia animava todas as suas pesquisas desde muitos anos.

Aemer vinha regularmente passar algumas horas no mercado de livros para "trabalhar", como ela dizia. Durante suas leituras "interessadas", tinha em mente a obra de que Mohand lhe falara. Não se esquecia de que tinha uma dívida para com ele.

Parada em frente a uma das bancadas mais bem providas do mercado, não compreendeu o que estava acontecendo. Dois homens jogaram-se em cima dela. Ela não teve tempo para sequer esboçar um movimento. Grudando a mão na sua boca, um dos policiais rosnou: "Sem escândalo, senão!", enquanto o outro, um magricelinha de olhar rancoroso, avisava: "Ele vai andar na sua frente, e eu atrás. Ao menor gesto...". Os dois policiais não estavam à vontade.

Não responder, planejou Aemer. Não fazer nada que dê a eles oportunidade de tocar em mim. Mas por favor, por favor, que não me venham com lições de moral!

Ninguém se dera conta de nada.

Você está perdendo a mão, garota, pensou Aemer. Como é que eles conseguiram identificá-la? Estavam vigiando-a e você não percebeu!

Cercada pelos dois policiais à espreita, que olhavam para todo lado — uma interpelação nos *suks* sempre podia degenerar em escaramuça —, Aemer avançava sorridente, ar despreocupado, sentindo o livro contra a pele.

Saíram do *suk*.

"Estávamos vigiando você há dias", declarou um dos homens, aliviado por ter saído sem problemas daquelas ruelas lotadas.

A porta da prisão se fechou.

O magricelinha dirigiu-se para Aemer a fim de revistá-la. "Não encoste em mim!", ela rugiu. Enfiando a mão pela manga da sua *qamis*, tirou o livro e estendeu-o para ele. Viu os dedos do policial tocando a bela capa.

Aquilo lhe doeu.

Encerraram-na numa cela lotada. Mulheres de todas as idades, sujas, miseráveis na sua maioria — camponesas, prostitutas, ladras. Algumas estavam apodrecendo ali havia semanas. Uma mulher jovem, no chão, arranhava o rosto aos berros. Suas colegas em vão tentavam acalmá-la. "Cale a boca!", implorou Aemer. O aprisionamento, o cheiro, a falta de espaço... mas os gritos, não. Um guarda ameaçou bater na prisioneira se ela não parasse. As colegas xingaram. Os gritos cessaram. Não os gemidos. Al-Sanuba vai se preocupar, alarmou-se Aemer. Ela chamou o guarda. "Você mal chegou e já está me chamando!", ele resmungou. E se afastou, debochado.

Nada de impaciência, pensou Aemer. Você decerto vai ficar aqui um bocado de tempo. Quanto mais ansiar em sair logo, mais o tempo vai parecer longo. Instale-se por um bom tempo.

Adormeceu.

Sacudiam-na. Um guarda a fez sair da cela. Um homem esperava por ela. Era o *muhtasib* em pessoa. Ela o conhecia por tê-lo avistado nas ruelas, era o chefe da polícia dos *suks*. Ele não lhe disse uma palavra sequer. Ela o seguiu.

Um cavalo esperava por eles diante da porta da prisão. O *muhtasib* montou. Estendendo a mão para Aemer, içou-a na garupa, atrás de si.

Partiram a galope. Ela fez questão de não perguntar aonde iam. Pelo caminho, por pouco não derrubaram vários transeuntes. Só faltava ela sofrer um acidente enquanto estivesse a cavalo com o chefe da polícia! Todos, no *suk*, iriam pensar: Aemer é uma espiã, e só lhe restaria sair de Bagdá.

Dirigiam-se para a cidade redonda. Aemer nunca entrara lá, preferindo as ruas animadas da cidade mais recente que se formara ao seu redor. O bairro antigo era realmente um bocado triste, quase deserto. Diachos, para onde é que o *muhtasib* a estava levando?

Para o palácio! Ela estava indo ao palácio!

O cavalo parou em frente ao portão. Tiveram que descer do cavalo e penetrar a pé no domínio do califa.

O cavaleiro de bronze! Ela poderia admirá-lo... mais de

perto. Na cidade, podia ser visto de qualquer lugar, mas por um outro ângulo; ali, estava quase a prumo. Tronava a mais de cinqüenta metros de altura, no topo do domo verde que encimava o palácio. Cintilando ao sol, saltava no ar, prestes a atravessar o céu em três ou quatro saltos. O *muhtasib* arrancou Aemer de sua fascinação e arrastou-a em direção aos jardins.

Caminharam muito tempo. Aemer começava a sentir certo cansaço, mas deixava-se levar pelos cheiros que emanavam dos luxuriantes jardins. Jardins maravilhosos, com viveiros de pássaros, tanques. Um antegosto do paraíso.

Chegaram enfim à entrada do palácio em si. Já não era sem tempo!, suspirou Aemer.

Um luxo incrível, o palácio rutilava de riquezas. As paredes, o teto, o piso, os toldos fartamente decorados com um gosto extremado; os melhores artistas do mundo árabe estavam ali reunidos.

Pintura, incrustação, marchetaria, mosaico, o conjunto das técnicas de decoração fora mobilizado nos mais diversos suportes, madeira, nácar, marfim, mármore. As portas, marchetadas com uma delicadeza até então desconhecida, abriam-se para salões suntuosos. Diziam que eram várias centenas. Não é impossível, pensou Aemer, depois de atravessar umas duas dezenas deles.

Por toda parte, militares de sabre na cintura, cortesãos vestidos de branco e usando turbante. Uma cidade dentro da cidade, com sua coorte de servos.

"Hoje o califa não está usando turbante", resmungou o *muhtasib*, detendo-se ante uma porta impressionante vigiada por dois gigantes negros. Afastou-se para o lado e fez sinal a Aemer que entrasse. Ela deu alguns passos num salão ainda mais amplo que todos os outros que atravessara. Avançava maquinalmente.

Um servo precipitou-se sobre ela, impedindo que fosse mais adiante. Ela se deteve. A alguns metros dali, um véu ligeiramente translúcido estendia-se pelo salão.

"A cor do seu vestido me diz que você não é muçulmana", declarou uma voz.

Aemer compreendeu imediatamente que era o califa quem falava, dissimulado por detrás do véu. A disposição das janelas e a orientação da luz eram de sorte a que Mamum a visse perfeitamente, mas que ela não pudesse vê-lo. Isso a contrariou.

"Sou uma escrava", ela declarou.

"Nem loira, como as do norte, nem negra, como as da África, nem pálida, como as eslavas. De onde você veio?"

"Não sei. Que importância tem?"

"Minha mãe e minha avó eram escravas. O importante não é de onde viemos, e sim para onde vamos. Quem é o seu dono?"

Aemer não respondeu.

"Eu lhe fiz uma pergunta. Vou obrigá-la a responder."

"Não tenho mais dono, senhor. Ele me libertou antes de morrer."

Aemer decidira não mencionar al-Sanuba, Mamum o exilara durante vários anos.

"Você se pergunta por que está aqui? Ordenei ao prefeito de polícia que me trouxesse o primeiro ladrão que pegasse nesta grande operação que ele iniciou de manhã para parar com os roubos nos *suks*. Uma operação dessa monta tem de ser festejada! Por isso, decidi agraciar o primeiro ladrão. Você é a segunda. O primeiro tentou fugir enquanto o traziam para cá. Foi abatido. De modo que você se tornou a primeira. Tem sorte, pois seria executada como todos os próximos."

Enquanto o califa falava com ela, Aemer julgou vislumbrar suas famosas botinas vermelhas.

"Então você é uma ladra. Ela roubou um livro, não foi?", perguntou Mamum a uma pessoa que Aemer não enxergava. "E se deixou apanhar. O que mais você rouba? Roupas, perfumes, jóias? Objetos femininos?"

"Não. Apenas livros."

"Case-se com um livreiro, assim não terá mais problemas!" O comendador dos crentes caiu numa imensa risada,

191

seguido por todos os que, invisíveis, achavam-se em sua companhia atrás do véu. Homens de riso ostentatório e adulador, mulheres dando gritinhos coquetes. O mundo dos cortesãos e das concubinas. Aemer tentou imaginá-los, prisioneiros daquele palácio suntuoso e dos caprichos do califa, enquanto este continuava interrogando-a. Na verdade, ele dava as perguntas e as respostas. Era inesgotável e a presença de Aemer parecia lhe dar muita satisfação.

"Além de roubar, o que mais você faz?"

"Sou dançarina."

"Você dança melhor do que rouba? Porque, como ladra..."

Aemer enrubesceu com aquele ataque. Prometeu a si mesma que nunca mais se deixaria apanhar.

"Sou a melhor dançarina de Bagdá", disse ela, corajosa.

"Quer dizer que você dança e também se interessa pelos números e pela astronomia?"

"Hã, sim. Adoro os números, todos os números. Posso lhe fazer uma pergunta?"

O vizir adiantou-se para mostrar que a entrevista estava terminada.

"Deixe!", ordenou Mamum. "Faça a sua pergunta", ele disse para Aemer.

"Você teria me mandado executar se eu fosse a segunda?"

"Sem dúvida nenhuma."

"Por ter roubado um livro!"

"Até por menos!", afirmou friamente Mamum. "Quando tomo uma decisão, eu a aplico."

Aemer sentiu um frio nas costas.

Quando estava saindo da sala, Mamum a interpelou: "Observo que você não me agradeceu".

Aemer hesitou, e então: "Foi você quem decidiu libertar o primeiro ladrão. Você tomou sua decisão, você a aplica. Eu não pedi nada".

Viu-se diante da porta do palácio, meio atordoada.

Um homem acorreu.

192

"Aemer, o que está havendo?"

Mohand estava diante dela, louco de preocupação.

"Estou livre, Mohand", ela anunciou com uma voz calma.

Quando Mohan deu-se conta de que, de fato, nenhum policial a acompanhava, permitiu-se demonstrar o que sentia: "Eu a tinha avisado. Você ia acabar sendo presa mais dia menos dia".

Abaixando os olhos, submissa, Aemer sussurrou: "Prometo, Mohand, não faço mais isso".

Desconcertado, o rapaz deu de ombros: "Foi um erro grave. É claro que você não matou ninguém, mas mesmo assim".

Consigo mesmo, pensava: ela está abalada com tudo o que está acontecendo.

Aemer mantinha a cabeça baixa.

Meio envergonhado, Mohand rezinzou: "Que livro era?".

"Não sei, peguei ao acaso, parecia bem caro."

"Ah, é?"

Erguendo os olhos para ele, ela deixou escapar em voz queixosa: "Posso mostrar, se você quiser".

"Me mostra!", ele exclamou, entusiasmado.

Aemer tirou o volume de dentro da roupa e o estendeu para Mohand, que se apressou em pegá-lo. O livro, de fato, parecia luxuoso. Mohand leu o título. Ficou aturdido.

"Aemer, como você conseguiu?", ele perguntou, transtornado.

"Já disse. Roubei. Mas você tem razão, foi um erro grave. Talvez seja melhor devolvê-lo?"

"Hãã..."

"Não se deve ficar com um objeto roubado, não é?"

"Hãã, não, seria melh... seria melhor devolver. Talvez depois de eu lê-lo", sugeriu Mohand, com voz hesitante.

Aemer se jogou no seu pescoço: "Você pode ficar com ele, Mohand, pelo tempo que quiser".

Ela lhe contou sua entrevista com o califa.

"Veio o camareiro, pediu que eu o seguisse, e quando dei por mim estava atrás da cortina, está me ouvindo, Mohand,

ATRÁS! Só porque eu tinha cometido um roubo!" Mamum estava deitado no sofá, com o livro na mão.

" 'Então, esse é que é o seu roubo!', ele exclamou. 'O *Sidhind*. O famoso livro indiano de que meus astrônomos e meus matemáticos tanto falaram, e do qual meus tradutores fizeram, dizem, uma magnífica tradução. A minha preferência vai para os gregos, sabe, eles são excelentes em geometria.' Nisso, o vizir interveio: 'Senhor, em relação ao cálculo, os gregos não são... excelentes. Os indianos, em compensação... Esse livro, aliás, foi presente de uma embaixada indiana ao seu avô, o califa al-Mansur'."

Aemer representava a cena para Mohand, imitando as vozes dos protagonistas.

"'Posso confessar que não o li?' ", ela rugiu, imitando o califa. " 'Prefiro Aristóteles.' "

Mohand sorria encantado.

"Então Mamum se levantou, e pude admirar suas botinas", prosseguiu Aemer. "Verdadeiras maravilhas. 'Então você se interessa por números e astronomia?', ele me perguntou novamente.

"'Hã, sim. Na verdade, não. É para um amigo.'

"'Ele sabia que você ia cometer um furto para ele?'

"'Ah, não, claro que não. Ele me... ele teria ficado muito zangado.' Não é, Mohand, muito zangado?", ela perguntou, irônica.

Mohand abaixou a cabeça.

"Mamum virou-se para o vizir: 'Acho que podemos lhe dar de presente, ela quase morreu por ele'. Então ele me olhou: 'Dê para o seu amigo. E diga-lhe que faça bom uso dele'.

"Escute o resto, Mohand!

" 'Como se chama o seu amigo?', perguntou-me Mamum. E eu proclamei seu nome para que todo o mundo ouvisse. E sabe o que ele fez? Mandou que o vizir o anotasse! Comecei a agradecer-lhe, mas ele me interrompeu.

" 'Você é que está me dando uma imensa alegria', imitou Aemer, fazendo o vozeirão do califa. 'Fico tão feliz quando perdôo que até desconfio que este prazer seja a minha única recompensa. Se os homens soubessem do prazer que sinto ao perdoar, só se apresentariam diante de mim carregados de crimes.' "

"O nosso califa é um homem bom!", exclamou Mohand.

"Cuidado, Mohand, não se deixe iludir! A bondade dos poderosos sempre esconde alguma coisa. Na minha cela, na prisão, havia uma mulher arranhando a pele do próprio rosto. O marido acabava de ser condenado a ser jogado no rio, amarrado num saco cheio de navalhas."

Mohand despediu-se de Aemer, louco de alegria. Que presente suntuoso! Ele ousou pensar que ela não teria feito tudo aquilo se não o amasse... pelo menos um pouquinho. Ele se afastou, feliz como nunca, com o livro debaixo do braço.

Em Bagdá, até os *hammam* vinham da Grécia. Quinze mil "banhos gregos" na cidade redonda! Não havia rua que não tivesse o seu.

Ao voltar para casa a fim de estudar o *Sidhind*, Mohand sentiu vontade de tomar um banho de vapor. Como se precisasse purificar-se antes de mergulhar no tratado.

Parou ante uma grande construção desprovida de estética. Por sorte, era um dia reservado aos homens. Na entrada, entregaram-lhe um lençol, uma toalha, um pano de banho, sabão preto e uma luva de crina.

A primeira sala era imensa. No centro jorrava uma fonte, enquanto uma doce luminosidade espalhava-se de aberturas praticadas no alto das paredes. As paredes e o piso cobertos de um mosaico com predominância de azul acentuavam a sensação de frescor.

Em meio à centena de colchões estendidos no chão, Mohand escolheu um, meio à parte, numa alcova, ao lado de uma mesinha-de-cabeceira. Estendeu o lençol sobre ele. Tomando cuidado para não se mostrar nu, despiu-se mantendo o pano de banho em volta da cintura, dobrou suas roupas numa pilha no meio da qual dissimulou o livro e enfiou tudo debaixo do colchão. Mais tranqüilo, dirigiu-se para a fonte. No momento de servir-se um copo d'água, o pano de banho deslizou pelos quadris e ele por pouco não se viu nu no meio da sala. Só de pensar, sentiu vergonha. Agarrou o pano, encheu o copo com água bem fresca, voltou para o seu leito e se deitou. Não conseguia relaxar, estava com o espírito totalmente ocupado pelo volume cujo conteúdo não via a hora de desvendar. Aquele banho talvez não fosse uma boa idéia. Teria sido melhor voltar diretamente para casa. Ele se levantou, reparou à sua volta. A maioria dos clientes passara para as salas de vapor. Depois de dar uma olhada para o inchaço que abaulava o colchão, penetrou na segunda sala. Na entrada, estava tudo bem. Mas muito rapidamente o calor aumentava.

A sala, pouco iluminada, com seu teto invisível acima das nuvens de vapor, seu piso lajeado escorregadio ao extremo, era desprovida de qualquer objeto. O ar era saturado de umidade. Na névoa, seres fantasmagóricos moviam-se lentamente. O garoto dos banhos ofereceu a Mohand um pequeno balde. Mohand foi enchê-lo no tanque, e jogou a água no lugar onde queria se sentar, fazendo-a esguichar. O piso ficaria assim muito mais fresco, e purificado dos litros de suor que vinham se despejando ali desde de manhã.

Com a ação do calor, Mohand foi relaxando. Sentia os mil poros de sua pele se abrirem. As tensões se soltavam, seu espírito se esvaziava. Uma sensação de bem-estar o invadiu. Impossível pensar no que quer que fosse. Esqueceu do *Sidhind*.

Mohand voltou à primeira sala com o sentimento de alguém regressando de uma longa viagem. Que frescor! A pureza da atmosfera o surpreendeu. Os halos, o indefinido, as silhuetas vaporosas tinham sumido, os objetos reassumiam seus nítidos contornos.

Mohand dirigiu-se para o seu colchão, pediu uma limonada e um doce para o garoto de sala, e deitou-se. Um sentimento de paz o invadiu. Seu corpo, apaziguado e cansado, respirava com toda a superfície da pele, qual vela tomando vento.

Adormeceu, sonhando com a linda ladra do mercado de livros.

Passado um longo momento, ao abrir os olhos ele avistou, dispostos sobre o criado-mudo, a limonada e o doce. Bebeu um longo gole, engoliu o doce, levantou-se. Dormira mais de uma hora. Estava começando a escurecer, a sala tinha se enchido. De repente, lembrou-se de tudo. Sorriu, ajoelhou-se, vasculhou debaixo da pilha de roupa.

O livro não estava mais lá!

Mohand deixou o *hammam* quando já caíra a noite, maldizendo-se por ter tido aquela estúpida idéia. Todo mundo sabia que os *hammam* não eram lugares seguros. Todos os dias aconteciam roubos por ali. Purificado, isso você está!, ele pensou, amargo. Puro e leve, aliviado do peso do objeto que tanto desejara.

Era tarde demais para avisar Aemer. Qual seria a sua reação?, perguntou-se. No seu lugar, eu ficaria furioso. Como explicar-lhe o "desaparecimento" do livro que ela tivera tanto trabalho para conseguir?

Mohand passou uma noite terrível.

A limonada lhe causava azia, o gosto do doce subia-lhe à boca. Tinha vontade de vomitar.

Acordou ao amanhecer, como costumava fazer. Hoje não iria trabalhar no porto. Bateram à porta. A esta hora? A polícia! Foi abrir.

Aemer! Sorridente.

"E aí, o livro?"

A fisionomia de Mohand assustou-a. Estava desfeita. Ela fechou a porta atrás de si. Em uma frase, Mohand lhe contou o que acontecera.

Aemer não fez um gesto, não pronunciou uma palavra.

197

Nem lhe ocorreu censurar Mohand. Seu único pensamento: recuperar o livro o quanto antes.

"Vou até a polícia", declarou Mohand.

"Não, por favor", ela exclamou. "Você espera que eles procurem o livro? Vão é caçar de você. Mamum vai ficar sabendo e vai ser ridículo para nós. Eu cuido disso."

Ela abriu a porta. Antes de sair, virou-se para Mohand: "Não vá ficar doente! Perder um livro não é como perder quem se ama, não é?".

Ela acariciou-lhe o rosto. Ele parecia tão infeliz.

Aemer foi imediatamente até o *suk*, à procura dos seus "colegas". A cada um que encontrava, comunicava o seu desejo de encontrar o mais rapidamente possível o chefe dos ladrões. Na hora do chamado para a oração ela se postaria em frente à entrada do mercado de livros.

O chamado para a oração ressoou na noite de Bagdá. Um homem surgiu diante de Aemer. Ela o seguiu. Ele se embrenhou num labirinto de ruelas, entrou numa casa, virou-se, vendou-lhe os olhos. Então, segurando-a pela mão, arrastou-a numa seqüência de pátios, ruas e salas, por passagens que faziam a comunicação entre as casas. Ao fim de um longo trajeto, pararam. Alguém tirou sua venda. Estava diante de uma cortina! Como no palácio do califa. O segundo em dois dias.

As paredes eram nuas. Lá de fora, não se percebia som algum; nada que permitisse situar o local.

Uma voz jovem, firme e melodiosa a interpelou: "Conheço você, você atua no mercado de livros. O seu nome é Aemer, você é escrava. Sabe que nome o califa usa? 'O endireitador de erros'. Mas isso é só no mundo dele. Nos outros lugares, eu é que endireito os erros."

"Por causa desta função que, dizem, você ocupa com justiça, é que eu quis encontrá-lo."

Aemer contou ao chefe dos ladrões o que acontecera e concluiu com um magistral: "Não se rouba uma ladra!".

"Bem falado! Então você quer recuperar o livro. Muito

bem. O que me oferece em troca?" O chefe dos ladrões permitiu um pequeno silêncio. "Você?"

"Nunca! Eu não sou objeto de troca."

"Eu poderia exigir isso. Mas, sem querer ofendê-la, quero uma coisa que tem, aos meus olhos, mais valor. O seu dono é mesmo o velho poeta al-Sanuba?"

Aemer não conseguiu disfarçar sua surpresa. O homem parecia saber de tudo a seu respeito.

"O chefe dos ladrões tem ouvidos, olhos e mãos em todo lugar. Peça humildemente a al-Sanuba que me dedique um dos seus poemas, qual ele quiser, ficarei realizado. Você irá recuperar o livro amanhã à noite, no mesmo local, na mesma hora."

Aemer foi à casa de al-Sanuba para lhe pedir o poema. Contou-lhe toda a história. Ele bateu palmas.

"É um verdadeiro conto! Era uma vez um livro, um rapaz pobre e estudioso, uma ladra... desajeitada. Surgem uns policiais e um califa que bancava o generoso. Num *hammam*, o rapaz, um tanto tolo, deixa-se espoliar do que tem de mais caro, uma violação, em suma! O chefe dos ladrões, esteta, recupera o livro, e a história acaba com um poema.... É magnífico!"

"Você resumiu perfeitamente", admitiu Aemer, "e obrigada pela ladra desajeitada e o rapaz um tanto tolo."

"Vou ter de procurar o poema que vou dedicar a ele. Ou quem sabe tenho tempo para escrever um novo poema? Traga-me uma jarra do nosso melhor vinho, por favor."

Mohand voltara às pressas para casa, olhando para os lados, pronto a defender a qualquer preço o volume que trazia amarrado no torso. Ninguém, desta vez, o furtaria.

Morava num cômodo sem conforto, de estudante pobre vindo de uma província distante. Seu único luxo era uma janela pela qual avistava, ao longe, um pedacinho de rio.

O *Sidhind* estava aberto sobre a única mesa, aquela em que Mohand tomava as suas refeições.

Por necessidade da astronomia, que não pode passar sem números e cálculos para explicar o céu, a obra expunha o "cálculo indiano". *Hisab al-Hindi*. O primeiro parágrafo passava em revista os signos, o texto explicava as "figuras", por meio das quais os números seriam representados. O segundo expunha o procedimento de representação.

Nove figuras.

Sua grafia, totalmente distinta da que Mohand conhecera até então, ocupou-o demoradamente.

Cada uma tinha sua identidade própria. A novidade extraordinária residia no fato de que o *dois* não era representado por um par de *um* dispostos lado a lado, mas por um signo específico. E assim, de modo semelhante, com as outras figuras, até a nona. Esse simples fato, inédito, tinha uma conseqüência capital: mandava para os ares grande parte da ambigüidade da escrita dos números: um par de *um* não podia, de modo algum, significar *dois*. Um avanço que facilitaria muitíssimo a leitura dos números.

Essa escrita baseava-se num procedimento que Mohand nunca lera em nenhum outro livro: o princípio da posição. *Fazer contar o lugar*. O primeiro valia *um*, o segundo *dez*, o terceiro *cem* e assim, *ad libitum*, sendo a enumeração baseada no dez.

Todos os lugares estavam ali, potencialmente presentes, esperando pela figura que viria ocupá-los. Um *cinco* instalado no terceiro lugar valia *quinhentos*, um dois no quarto lugar valia *dois mil*, um *oito* no milésimo lugar representava... Uau!

Uma engenhosidade de cortar o fôlego. Como era possível não se haver pensado nisso antes? Mohand não podia conceber que nenhum povo tivesse descoberto isso antes. *Trezentos e oitenta e nove...*

Bateram na porta. Mohand não respondeu. Continuaram batendo. Ele foi abrir, furioso, e viu-se diante de um servo deferente, portador de um convite de al-Sanuba para jantar. Naquela mesma noite! Mohan teria preferido ficar em casa e aproveitar todo o seu tempo para ir descobrindo o conteúdo da obra que, à medida que ele avançava em sua leitura, ia ultrapassando suas mais loucas expectativas. Mas não podia recusar o convite.

Quando ia deixar o cômodo, o servo acrescentou: "Al-Sanuba pediu para lhe informar que existe lá um *hammam*". Mohand bateu a porta. *Trezentos e oitenta e nove*. *Três* no terceiro lugar, *oito* no segundo, *nove* no primeiro. Seria possível ser mais simples e rápido que isso? Mergulhou na escrita de uma quantidade de números, com a alegria de crianças jogando bolhas de sabão ao vento. Foi então que veio o desapontamento. Tentou escrever *cento e um*, e não deu certo.

Embora para noventa e nove a escrita funcionasse com perfeição, 99, para os dois números seguintes não dava certo. Como escrever cem? Cem é uma centena, sem dezena, sem unidade. "1", portanto. Mas 1 sozinho tanto pode se ler *um*, como *dez*, como *cem*, como *mil*!

E *cento e um*? Uma centena, nenhuma dezena, uma unidade. "11", portanto. Que tem todas as chances de ser lido como *onze*! Era indiscutível, aquela nova escrita tinha suas falhas.

Ele traçou colunas, escreveu *cem* e *cento e um*. Dava perfeitamente certo. Deixando vazias as colunas que correspondiam às unidades, dezenas, centenas... ausentes, as ambigüidades sumiam.

Mas a louca ambição de *Hisab al-Hindi* era justamente passar sem as colunas e escrever os números sem a ajuda de nenhum dispositivo.

Ora, assim que se tiravam as colunas começavam as confusões.

Assim, a obra respondia de modo magistral a um grande número de questões, mas deixava sem resposta o problema apresentado pelas colunas desocupadas. Como tratar a ausência de unidades, de dezenas, de centenas, como no caso de *cem* e de *cento e um*? Ali estava a grande interrogação de Mohand.

Mohand se esquecera completamente do jantar. Vestiu-se às pressas. A imagem de Aemer substituiu a das figuras indianas. Iria revê-la! Esta noite, poderia lhe contar sobre suas descobertas. Deixou o cômodo imerso nesta nova felicidade. Tudo vinha ao mesmo tempo. Ao procurar o livro é que a encontrara, e porque a encontrara é que ganhara o livro. A mulher mais linda de Bagdá, os números mais hábeis, a escrita mais inteligente. Mas ele não podia desfrutar daquilo tudo simultaneamente, e isso o deixava numa tensão insustentável. Não podia calcular e pensar em Aemer. Não podia acariciar Aemer e pensar nos números. Ainda bem, considerou, num clarão de lucidez.

Desde sua volta do exílio, havia vários anos, al-Sanuba morava numa das casas mais bonitas de Bagdá. Como todas as ricas residências da cidade, dava para o Tigre. Levemente sobrelevada por causa das cheias, estava separada da margem por um comprido jardim que vinha morrer na água.

Nenhuma embarcação estava atracada no pontão. "Todos os moradores ricos de Bagdá têm obrigação de possuir um burro e um barco", al-Sanuba gostava de dizer. "A minha riqueza, além de ser rico, é não possuir nem um nem outro: os barcos correm em qualquer lugar, e os burros cagam por toda parte."

Al-Sanuba recebeu Mohand vestindo um extravagante traje de interior, sobre o qual enfiara um colete de couro cinturado, e calçado com babuchas enfeitadas com asinhas. Mohand, muito impressionado, saudou-o com um jeito acanhado. Ali estava, então, "o homem dos longos cabelos cacheados", o poeta mais famoso de todo o mundo árabe! O desembaraço e a elegância do ancião, com sua bela barba branca, seus gestos de um extremo requinte, intimidavam Mohand. Com os olhos brilhando de malícia, al-Sanuba dirigiu-se a Aemer.

"Enquanto esperamos nosso amigo Jahiz e sua filha, mostre a casa ao nosso convidado", ele sugeriu. "A menos que você a desdenhe demasiado para isso..." Voltando-se para Mohand, acrescentou: "Essa senhorita prefere morar num quarto puído nos bairros pobres. Para ficar mais perto do povo, decerto".

Aemer deu de ombros.

"Verdade é", ele prosseguiu, contente por ter caçoado de Aemer, "que nossos vizinhos não são freqüentáveis. Ricos burros, uma tautologia."

Aemer resmungou: "E principalmente assim não fico com ele o tempo todo no meu pé. Dois, três dias sem ele, é perfeito. Depois, fico de novo com vontade de vê-lo".

Ela se dirigiu diretamente para uma ala da casa. Mohand empurrou a porta. Um *hammam*. Um *hammam* privado! Estava tudo ali, mais o luxo. Torneiras de metal brilhante. Arabescos ornando as paredes esmaltadas. Mas aquilo lhe trazia uma recordação muito ruim. Passaria muito tempo antes que Mohand voltasse para o *hammam*!

Ele seguiu Aemer pelas escadas que o levavam a uma peça no subsolo. Uma adega equipada, perfeitamente arejada. Com o que ela continha, daria para sustentar um cerco. A temperatura ali era amena, quase fria.

"Para as tardes tórridas", explicou Aemer.

Mostrou-lhe o seu quarto, que ela nunca tinha ocupado. Ao voltar do exílio com al-Sanuba, escolhera morar sozinha.

No meio do jardim, a mesa estava posta. Mesa redonda magnificamente decorada, pratos com motivos fabulosos, taças arqueadas de grande elegância.

Uma embarcação atracou no pontão. Um homem e uma moça desceram. Jahiz, fisionomia maliciosa, olhar alerta, baixo e particularmente feio, adiantou-se. Um dos eruditos mais famosos de Bagdá.

"Estou aqui como vizinho", ele declarou a Mohand. "E esta é minha filha, Djamila."

Uns quinze anos, roliça, bem roliça, sorridente, um sorriso um pouco tolo. Podia-se dizer, no mínimo, que não tinha uma beleza estonteante. Divertida como ninguém, deu em Mohand dois beijos sonoros, como quem beija um velho amigo.

* * *

Jahiz morava na outra margem, bem defronte à casa de al-Sanuba.

"Nós nos correspondemos por sinais", ele explicou. "Isso", ele levou a mão à boca, "quer dizer: 'Venha beber uma taça'. Isso", fez mímica de escrever, "quer dizer: 'Acabo de escrever uma página, venha aqui para eu ler para você'. Aí, ou eu venho, ou mando meu barco buscá-lo."

Acomodaram-se. Um servo trouxe um jarro d'água, uma bacia e toalhas. Todos lavaram as mãos e passaram uma toalha refrescante pelo rosto.

Um homem aguardava para servi-los.

"Apresento-lhe Brahma, meu cozinheiro", declarou al-Sanuba. "Somos inseparáveis. Ele vem da Índia, que, como sabem, tem os melhores cozinheiros do mundo. Escutem só o que ele preparou para nós!"

Com uma voz cantada, Brahma declamou a lista dos pratos, que a platéia escutou gulosamente.

"Um poema em si!", extasiou-se al-Sanuba. "Não me canso de ouvi-lo. Mesmo porque a cada vez ele troca o nome dos pratos."

Uma sopa de legumes fria abriu o caminho. Imediatamente seguida por uns bolinhos de carne mornos sutilmente temperados, que eles espetavam com palitos de madeira. A pedido de al-Sanuba, Aemer contou sua visita ao palácio.

"Por que descemos do cavalo no portão da muralha, em vez de ir até o palácio? Teria me evitado caminhar debaixo do sol."

"Você chegou a Bab al-Nizala, minha linda", explicou al-Sanuba. "Quando você não sabe, me pergunte. A partir desse lugar, todo mundo deve pôr os pés no chão. Somente Mamum tem o direito de se deslocar a cavalo no recinto do palácio. Ele trota na sua montaria, enquanto os outros andam ou correm. E, quando um cortesão cruza com ele, tem de levantar a cabeça para cumprimentá-lo. Impossível negar, ser comendador dos crentes tem lá suas vantagens."

"E por que o *muhtasib* disse: 'Hoje o califa não está usando turbante'?"

"Quando o califa está de turbante, os cortesãos devem tirar o seu para não usar o mesmo adorno que ele", explicou Jahiz, muito a par do cerimonial dos califas abássidas.

Aemer contou sua visita nos mínimos detalhes, fazendo tantas perguntas quanto haviam sido suas descobertas inexplicáveis. Enquanto os *suks*, com seus meandros e as suas espertezas de ladra, eram-lhe familiares, na geografia fabulosa do palácio sentira-se perdida.

"Você foi recebida no *diwan i-Am*, a sala das audiências públicas", explicou Jahiz.

"E por que o servo impediu que eu fosse mais adiante?"

"Porque você tinha que se deter, literalmente, 'na beirada do tapete'. Mas essa garota não sabe nada!", magoou-se al-Sanuba. "Quem foi que a educou?"

"Você, San!"

Mohand, fascinado, descobria os arcanos de um universo cuja complexidade ele nem suspeitava.

Aemer, vibrante, prosseguia o seu relato, inesgotável. Ele a devorava com os olhos. Ela fez isso tudo por mim, não cessava de repetir para si mesmo. Se isso não for uma prova de amor...

"Quando passei para o outro lado da cortina..."

"Ela passou para o outro lado da cortina!", exultou al-Sanuba, chamando a atenção dos servos.

"Posso continuar? Quando passei para o outro lado da cortina, o califa estava deitado no seu sofá."

"Ele é bonito?", perguntou Djamila, com os olhos brilhantes.

"É moreno como dizem, você iria gostar, Djamila."

"Mamãe!", suspirou a moça.

"Ele se levantou, aproximou-se de mim e começou a me contar que, na noite anterior, avistara em sonho um homem de tez clara, testa ampla e olhos azul-escuros, sentado junto

à sua cama. 'Quem é você?', perguntou-lhe. E o homem respondeu: 'Sou Aristóteles'. Mamum estava no sétimo céu: 'Ó sábio! Posso questioná-lo?'. 'Questione', respondeu Aristóteles. 'O que é o bem?', perguntou Mamum."
Al-Sanuba explodiu: "Como se alguém soubesse o que é o bem!".

"Posso continuar, San?"

" 'O bem é o que é o bem de acordo com a razão', respondeu Aristóteles. 'E depois?', perguntou Mamum. 'O que é o bem de acordo com a revelação', respondeu Aristóteles. 'E depois?', perguntou Mamum. 'O que é o bem aos olhos de todos', respondeu Aristóteles. 'E depois?', perguntou Mamum. 'Não existe depois', respondeu Aristóteles."

"Então nosso califa sonha! Folgo em sabê-lo", declarou, sarcástico, al-Sanuba, que não perdoava ao califa tê-lo exilado por ele ter um caso com seu irmão Amin, esquecendo de passagem que seu próprio pai, o grande Haroun al-Rachid, tivera igualmente um caso com o filho do seu cádi.

"San, temos muita sorte, confesse. Mamum é um legítimo racionalista", afirmou Jahiz. " 'A razão deve ser posta acima da lei religiosa', é inclusive um bom princípio, vindo do comendador dos crentes de todo o Islã. Um descendente do Profeta que manda enforcar os religiosos que querem nos impor sua lei, que manda proibir suas prédicas rancorosas nas mesquitas, que..."

"Está bem, está bem!", admitiu al-Sanuba. "Se esses fanáticos estivessem no poder, iriam nos infernizar a vida. As pessoas que não sabem ter prazer são infelizes."

"Pois então, vamos beber a Aristóteles e à razão", sugeriu Jahiz, erguendo a taça.

"E ao amor", acrescentou al-Sanuba, evitando ostensivamente olhar para Aemer e Mohand.

Djamila estendeu sua taça.

"Você não tem idade para beber vinho, minha filha", sussurrou-lhe Jahiz. Ao servo: "Sirva-lhe, por favor, água muito forte. E para Aemer também, esta noite ela tem de estar em forma".

Dois servos trouxeram um prato imenso. Brahma ergueu a tampa. Uma ave magnífica, monumento de carnes apetitosas, tronava em meio a uma camada de cítricos. Franga com laranja! Um dos pratos preferidos de al-Sanuba, que tinha uma predileção por alimentos doces-salgados, sempre acompanhados do mesmo comentário: "O doce, o salgado, por que os opor, em vez de misturá-los?", insinuava, com voz suavemente licenciosa.

Com a destreza dos cirurgiões de Alexandria, Brahma recortou a franga em partes igualmente saborosas.

Depois de sorver um longo gole d'água, Aemer retomou sua narrativa.

"Quando Mamum terminou de me contar o seu sonho, perguntou-me se eu saberia interpretá-lo. Então respondi: 'Senhor, já me dá trabalho suficiente compreender o que acontece quando estou acordada'."

"Muito boa! Muito boa!", entusiasmou-se al-Sanuba.

Um grande barco iluminado passou silencioso, como num sonho. Dava a impressão de flutuar sobre a relva.

"Então, Mohand, e esse livro que por pouco não custa a vida à minha pequena preciosidade! Você poderia nos falar um pouco sobre ele. Se não for muito tedioso", apressou-se em acrescentar.

Mohand falou-lhes sucintamente sobre o que descobrira durante a tarde. Jahiz, que só escutava parcialmente, reagiu à palavra "cálculo".

"Cálculo! Admiro você, Mohand. Nunca compreendi nada da matemática."

Mohand olhou para ele com ar desolado.

"Ah, não! Isso não! É tão banal."

Jahiz, ofendido, atrapalhou-se ao tentar justificar-se. "Não, não foi o que eu quis dizer... Eu só queria dizer que não há nada mais difícil que um cálculo." E, tentando recobrar a primazia: "Vou contar-lhe uma história que aconteceu comigo, você vai me entender melhor. Eh! Djamila, você não quer ir lá ver se enxerga uns peixes no rio?".

"Estou indo, papai!"

E correu para a margem.

Jahiz esperou que ela estivesse a uma distância suficiente para continuar:

"Veja bem, não sou bonito. Você reparou, não é, quando cheguei?"

"Imagine", Mohand tentou protestar.

"Dizem até que sou muito feio... inteligente, porém, dizem até que muito inteligente. Quando quis me casar, ponderei: Jahiz, você precisa encontrar uma mulher muito bonita e... muito burra. Assim, seu filho terá a inteligência do pai e a beleza da mãe. Bem. Conheci minha mulher, e deixo você imaginar o resto... Ela ficou grávida. Esperei com impaciência, já podia até ver a minha filha. Bonita e inteligente. Aconteceu exatamente o contrário: era feia como eu e burra como a mãe."

Ele caiu na risada. Djamila se virou, e riu por sua vez. Ele mandou-lhe um beijo com a mão.

"Está vendo, a gente calcula, calcula... E, com um sorriso maravilhoso: É a minha preferida. Djamila!", ele gritou.

Djamila voltou para a mesa, decepcionada: "Não vi nem um peixe, papai".

"É porque não tinha nenhum, minha filha."

O amor nos olhos de Jahiz devolveu-lhes o silêncio. Al-Sanuba serviu-se de mais vinho, pensativo. Depois que o último prato havia sido servido, Jahiz e ele vinham bebendo bastante. Mohand não bebera uma gota sequer. Estava mais uma vez alheio, meditando sobre o *Sidhind*. Somente a voz de Aemer o trazia de volta para junto dos demais. Ela estava ali, à sua frente, sentindo-se tão à vontade àquela mesa luxuosa como nos *suks*.

Os servos trouxeram a bacia. Depois de enxaguarem as mãos, todos passaram uma toalha fresca pelo rosto.

Enquanto al-Sanuba pedia que servissem um vinho mais leve, Brahma trazia os doces.

"Al-Sanuba tinha razão, o seu jantar é um verdadeiro poema", felicitou-o Jahiz. "Degustemos essas doçuras, meus amigos", sugeriu al-Sanuba. "Não como fazem esses beduínos sumários, com sua água pura e seu leite de cabra!" Al-Sanuba enveredou numa de suas quadras favoritas contra os homens do deserto: "Os reis das areias! Sóbrios, secos, briosos, homens de verdade, em suma! Tudo o que abomino. Homens sombrios... Bem que eles podem, com todo aquele sol batendo na cabeça!".

Jahiz interveio.

"Você está esquecendo que não faz tanto tempo assim morávamos no deserto, San. Somos um povo jovem."

"Fale por você!"

"O que tínhamos, na origem? Quase nada", prosseguiu Jahiz. "Tivemos de 'fazer nossa feira' pelo mundo. Com os gregos, pegamos Aristóteles, Hipócrates, Arquimedes, Euclides, Ptolomeu, a filosofia, a matemática, a geografia, a astronomia. Com os romanos, Galiano. Com os judeus, pegamos seu deus e seus patriarcas. Com os chineses, o papel e a seda."

"E com os indianos, os números!", acrescentou Mohand.

"E as laranjas, se me permitem lembrar-lhes", exclamou Brahma, em pé, apartado. "Sempre se esquecem das laranjas", ele resmungou, afastando-se.

"E o vinho, Jahiz?", emendou-o al-Sanuba. "Não havia muito vinho no deserto, que eu saiba."

"O vinho também nós pegamos. Imagine essas novidades todas que nos chegaram em pouquíssimo tempo! Tínhamos de assimilá-las e lhes dar um nome. Criamos palavras novas, confeccionamos uma língua nova, estabelecemos uma nova escrita. Em algumas dezenas de anos! E fundamos uma nova civilização numa extensão mais vasta que o império de Alexandre, o Grande, mais vasta que o império de César."

"Escute, você está me dando uma aula, ou o quê?"

"Não devemos esquecer a História."

"Com ou sem História, saímos do deserto! E só posso me congratular por isso."

Súbito, os olhos de al-Sanuba brilharam de malícia. "Ora, Jahiz, conte aquela história de beduínos. Você sabe, aquela que eu adoro."

Jahiz não se fez de rogado. "Mohand, você sabe por que os beduínos puseram areia no deserto?"

"Ehh..."

Com ares de conspiradora, Aemer piscou para Mohand e, com a mão, desenhou um calombo.

"Por causa do camelo!", exclamou Mohand.

"Sim! E por quê?"

Aemer fez de conta que caía da cadeira. Mohand olhava para ela sem entender.

"Bem, vou lhe dar a resposta antes que Aemer acabe levando um tombo", interveio Jahiz. "Puseram areia no deserto para que o camelo, que é o animal mais desajeitado que existe e não consegue dar três passos sem cair, não ganhasse novos calombos."

Djamila não reagiu. Mohand pôs-se a rir, al-Sanuba quase se engasgou. Mas isso principalmente porque Aemer, que acabara caindo mesmo da cadeira, estava estatelada no chão de pernas para cima. Mohand acorreu para levantá-la.

"E a do Esopo, vai!", suplicou al-Sanuba uma vez mais.

"O velho Esopo contava que um camelo ia atravessando devagar um rio de curso rápido. Tendo defecado, o animal viu sua bosta sendo arrastada à sua frente pela correnteza. 'O que é isso?', ele exclamou. 'O que estava atrás de mim, agora vejo passar na frente.'"

Djamila se torcia de rir: "Papai! Papai!", ela engasgava, batendo palmas.

Jahiz esperou que sua filha preferida se acalmasse. Com voz séria, concluiu: "Essa fábula tem sua aplicação num Estado em que os últimos e os imbecis dominam no lugar dos primeiros e das pessoas sensatas".

Al-Sanuba sorriu. "Isso me faz lembrar o que você disse antes, Mohand, sobre os seus novos números. Você percebe o que está nos dizendo? O *quatro* nem sempre valeria quatro! Mas, meu rapaz, você vai nos criar uma confusão danada!"

"Pelo contrário, a harmonia será perfeita. O *um* vai valer mais que o *nove* se estiver à esquerda na escrita do número."

"Gosto disso, afinal!", admitiu al-Sanuba. "Sua descoberta me agrada, Mohand, é um bocado imoral. O que conta, de fato, não é QUEM se é, e sim ONDE se está." Entusiasmando-se, ele declamou: "Um anão sentado no degrau mais alto é mais alto que um gigante em pé no primeiro degrau!".

"O pior é que é verdade!", concordou Jahiz. "Mesmo com um anão baixinho e um gigante alto... Se houver suficientes degraus entre eles."

"Com os números, basta um só degrau de diferença", lançou Mohand, imperturbável.

Contudo, sentia-se sobrando. Cada um dos presentes tinha uma história para contar e brilhava com verve. E ele não tinha sequer uma anedota para oferecer. Teve uma idéia. Com essa, ficariam boquiabertos. Mas precisava inseri-la na conversa.

"Então era a primeira vez que você penetrava na cidade redonda?", ele perguntou para Aemer à queima-roupa.

"O que tem isso a ver com os camelos?", ela inquiriu, surpresa.

"Nada", respondeu Mohand com franqueza, "era só para poder propor uma adivinha."

"Adoramos isso!", exclamaram Jahiz e al-Sanuba em uníssono.

"Vocês sabem por que a cidade é redonda?"

"Isso é uma adivinha?"

"Quero dizer, redonda e não quadrada?"

"Porque ela é mais bonita assim", afirmou al-Sanuba, em tom de evidência.

"Porque é mais difícil de construir redonda do que quadrada", assegurou Jahiz.

"Existe um terceiro motivo", declarou Mohand. "O real motivo. Redonda, ela fica mais ampla do que quadrada."

Eles se inclinaram, intrigados.

"Mostre como é isso."

Aemer parecia estar se divertindo.

"Todo mundo sabe que ela mede duas parasangas de ponta a ponta. A matemática nos afirma que, neste caso, o seu contorno mede duas vezes 3,14 parasangas, ou seja, 6,28 parasangas. Afirma igualmente que a superfície é de 3,14 parasangas quadradas."

"Acreditamos em você", exclamaram.

"Se a cidade fosse quadrada, com um contorno de mesmo comprimento, a matemática afirma que sua extensão seria de 2,46 parasangas quadradas. É isso. Redonda, com o mesmo contorno, ela fica 1,3 vez maior do que quadrada."

"Eu sabia!", exclamou al-Sanuba, com uma má-fé provocante. "Por que vocês acham que escolhi uma mesa redonda para a nossa refeição? Para que Brahma pudesse dispor... hã...", Mohand assoprou-lhe o resto. "Um terço de alimentos a mais."

Aemer estava orgulhosa do seu matemático.

"Mohand, a sua demonstração me impressionou", disse Jahiz, admirado. "Nunca mais olharei para o círculo como antes. Eu ficaria muito honrado se você desse aulas para Djamila. Não é, Djamila?"

"Sim, papai. Assim eu fico mais... inteligente."

A refeição terminara. Uma vez tirado o último prato, o servo depositou uma magnífica garrafa de gargalo fino feito o pescoço de uma gazela, cheia de vinho espesso. Al-Sanuba estendeu sua taça a Aemer e se pôs a recitar.

Sirva-me de vinho
E diga-me que é vinho
Sirva-me de beber
Que seja público e notório.
Só em jejum é que sinto estar errado
Eu só ganhei quando caindo de bêbado.

Jahiz recitou depois dele. Os dois homens sorriam um para o outro, cúmplices. Enquanto traziam o chá, Aemer se levantou.

"Preciso partir", ela anunciou tranqüilamente, sem maiores explicações.

"Vá, minha filha, vá!", disse-lhe al-Sanuba. Ela fez um sinalzinho para Mohand e sumiu. Mohand ficou terrivelmente decepcionado. Indiferente, al-Sanuba o convidou a terminar a noite em outro lugar. Desamparado, Mohand aceitou acompanhá-lo. Não tinha ânimo para voltar, sozinho, para o seu quarto. Jahiz deu-lhes carona de barco. Djamila ria, abraçando o pai a todo instante. Foram seguindo o rio, até que se inseriram num labirinto de canais. O barco os depositou em frente a uma porta.

Mohand se viu no interior de um cabaré.

"Por que me trouxe a este lugar?", queixou-se a al-Sanuba.

"Para que você veja todas as facetas da vida. Está mais que na hora de começar a aproveitar, meu rapaz."

Foram calorosamente acolhidos. Todo mundo ali apreciava o velho poeta.

Al-Sanuba não precisou pedir a bebida. Tão logo sentou-se, trouxeram-lhe uma maravilhosa taça de vinho. " 'O laguinho', é assim que eu o chamo", ele disse para Mohand.

Mohand recusou que o servissem.

"Vamos, Mohand, em homenagem aos números e à sua embriagante quantidade, molhe seus lábios neste lago."

Mohand bebeu. Um frêmito o percorreu. Não era exatamente desagradável.

"Não pense que me recebem em todo lugar de modo tão amistoso", confiou-lhe al-Sanuba. "Aqui, me celebram, lá me odeiam; odeiam-me pelo menos o mesmo tanto que me celebram. Fazer o quê? A liberdade é uma provocação insuportável. Dormi nos mais suntuosos palácios, nas mais abjetas prisões, nos mais miseráveis pardieiros: em todo lugar, senti-me em casa." Inclinou-se para Mohand: "Os poetas da corte que nunca se perdem nas latrinas acabam cheirando mal. Dizem que sou depravado, dissoluto, gozador, insolente, e sou. E be-

bedor, e descrente, e provocador. Sim, também. Mas apaixonado pela beleza, sempre! Fazer o quê? Sou um enfeitiçado, precisei me acostumar. E não é coisa que passe com a idade." Surpreendendo Mohand, que já não o escutava, ele segurou-lhe o braço: "Você viu como é feia essa pobre Djamila? Mas tão tocante. Aí está uma moça que, posso sentir, será mais feliz que muitas beldades".

Trouxeram-lhe outro laguinho, e também um para Mohand que terminara o seu sem se dar conta. "Escute, Mohand, gosto de você." Tomando consciência do equívoco, al-Sanuba emendou-se: "Não, não entenda mal, não é isso. Eu o vi olhando para Aemer a noite toda. Você estava pouco ligando para nossa conversa. Quando ela saiu, foi pior ainda. Tenho certeza de que você se perguntava: onde é que ela pode estar indo a esta hora? E este velho louco, deixando-a sair sozinha! Você ficou chateado comigo".

Mohand olhou para al-Sanuba, desconcertado. O velho poeta o desnudara. Não parava de falar, aparentemente preocupado apenas com os próprios discursos, mas percebia perfeitamente o que acontecia à sua volta. Mohand estava seduzido.

Fez-se um silêncio. Um músico se instalou com um instrumento desconhecido de Mohand, uma espécie de alaúde provido de cabo curto e caixa de ressonância oval em forma de amêndoa.

"É um *ud*", sussurrou-lhe al-Sanuba. "Vem da Pérsia. Escute, é uma maravilha."

O músico pôs-se a tocar. Ajudado pela bebida, Mohand foi rapidamente transportado pelas notas de grande pureza. E, naturalmente, pensou em Aemer, naquele dia incrível. O *Sidhind*, de manhã; a estranha e suntuosa refeição, ao entardecer; o cabaré, à noite. Sua vida estava mudando a uma velocidade vertiginosa. Aemer abrira o seu universo.

Al-Sanuba o arrancou ao seu sonho: "É Zyriab, o nosso maior virtuose, você conhece, não é?" Mohand não ousou dizer que não. "Ele adorava o *ud*, mas queixava-se o tempo todo de que o instrumento não era 'completo'. As zombarias dos colegas não adiantaram, ele acrescentou uma quinta corda. Desde então, jura que pode expressar todas as notas. Basta escutá-lo para ficar convencido."

Expressar todas as notas... Expressar todos os números... Por que al-Sanuba tinha dito aquilo? Por que Aemer e os números tinham de estar o tempo todo misturados?, perguntou-se Mohand, irritado. Ele não escutou o final do concerto. O aclamado músico deixou o palco.

Al-Sanuba pediu um laguinho para si, e outro para Mohand, que não recusou.

Um grande véu caiu sobre o palco. Um flautista, um tocador de cítara e um tocador de tamborim se acomodaram. A batida do tamborim redobrou. E cessou brutalmente. Fez-se um amplo silêncio, que a música começou a ocupar, e no qual mergulhou uma sombra de mulher, dando início a uma langorosa dança.

Caiu o véu. A dançarina se virou.

Aemer!

Pés descalços, uma calça bufante, uma camisa que lhe deixava o ventre à mostra. Entre a música e a dança, uma união inquietante se instalou, cada som fazendo nascer um movimento, cada movimento dando nascimento a um som. Ao sopro fluido da flauta respondiam as ondulações doces do busto e dos braços, aos acordes da cítara, os frêmitos do ventre, às batidas do tamborim, os sobressaltos da bacia.

Mohand, que a embriaguez e o prazer ameaçavam derrubar, procurou no que se segurar. Naquele corpo transportado pela música, em que tudo se mexia, um só lugar continuava imóvel, o umbigo. Ali ele ancorou o olhar.

Mas, sem que pudesse fazer nada, deixou-se atrair por aquele ventre liso movido por um sismo vindo das profundezas. Comovido por aquela loucura controlada que o fazia perder suas referências, cruzou o olhar de Aemer: "Então, Mohand, o que você acha?".

Al-Sanuba inclinou-se para Mohand.

"E pensar que eu a conheci bem pequeninha!", murmurou al-Sanuba. "Ela era deste tamanho. Não tem muito mais seios que naquela época."

"São muito bonitos, os seios dela", retorquiu Mohand, furioso.

Mohand voltou para casa completamente bêbado, sem compreender o que tinha lhe acontecido. Ao *Sidhind* ainda aberto sobre a mesa, dirigiu um olhar de desculpas. Estava tudo indo tão depressa. Aemer dançarina de *raqs sharqi* num famoso cabaré!

Adormeceu todo vestido.

Pela manhã, sentiu dificuldade para se levantar, uma dor de cabeça terrível grudava-o na cama. Jurou nunca mais beber. À lembrança do laguinho, teve vontade de vomitar.

Chegou muito atrasado ao porto. O chefe do descarregamento ameaçou despedi-lo se fizesse isso de novo. Assumindo o seu posto, Mohand sorriu: "Pelo menos tenho as aulas que vou dar para Djamila. E mais outras, quem sabe".

A manhã ao ar livre e o esforço físico lhe fizeram bem. A dor de cabeça passou.

Terminado o seu trabalho, Mohand correu à casa de al-Sanuba. Aemer agiu como se não o esperasse. Espreitava a reação dele, depois da sua apresentação da véspera.

Se isso for problema para ele, é só ele falar, ela pensou.

Ele não falou. Seu silêncio era cômico.

Por provocação, ela quase o convidou para ir ao cabaré naquela noite.

Mohand voltou para o seu quarto, furioso e decepcionado. Recriminava-se por ter se calado. Mergulhou na leitura do *Sidhind* e não largou mais o volume. Levava-o consigo onde quer que fosse. No porto, assim que tinha um instante livre, estudava-o, sentado à parte no cais, indiferente às zombarias dos seus colegas de trabalho.

Aemer e Mohand se viam com mais e mais freqüência.

Certa tarde, enquanto passeavam às margens do Tigre, um de seus passeios favoritos, Mohand deteve-se bruscamente. Aemer voltou sobre seus passos. Ele a puxou para si e a beijou. Puxa...! Ela pensava que ele não ia ousar nunca. Ele tinha começado. Ela o seguiu e devolveu-lhe seus beijos. Detiveram-se várias vezes. Os seus passeios se fizeram regulares.

De vez em quando, com cuidado para não ser muito insistente, Mohand falava com Aemer sobre as nove figuras indianas, falava como se fala de novos amigos. Começou ensinando-lhe os seus nomes: *eka, dvi, tri, catur, panca, sat, sapta, asta, nava*. Juntos, desenharam seus traçados, que acabaram por conhecer de cor.

Mohand nunca fora tão feliz: o livro desejado, a mulher inesperada.

No entanto, alguma coisa, que ele não queria deixar transparecer, mas que aos poucos foi pesando em seus encontros, o atormentava. Aemer explodiu: "Pensei que esse livro iria alegrá-lo: não é o que acontece quando se consegue o que se quer? Mas você está cada vez mais apreensivo. Explique-me o que tanto o preocupa. Talvez eu possa entender. A menos que você me ache idiota demais".

"Mas é claro que não, Aemer! Por favor, não pense assim. É que..." Ele se interrompeu, como se precisasse reunir toda a sua coragem para formular o seu pensamento: "ESTÁ FALTANDO ALGUMA COISA PARA PODERMOS ESCREVER OS NÚMEROS SEM AMBIGÜIDADE".

Aemer olhou para ele, esperando pelo resto.

"O que está faltando, acho que consegui compreender." Pesando as palavras: "Essa escrita não sabe tratar da ausência", ele disse, devagar.

Conseguir enunciar isto foi um alívio imenso para ele. Era grato a Aemer, que, com sua escuta atenta, o ajudara a formular o que flutuava em seu espírito desde vários dias.

Uma cumplicidade nascia entre eles.

Aquela falta que não tinha nome, que sequer se identificava, aproximou-os.

Assim que acordou, al-Sanuba pôs-se a berrar: "Não quero morrer...".

Aemer acorreu: "San!".

Erguido sobre a cama, olhar animado, ele emergia de uma longa sesta. Fingindo que não a vira entrar, continuou: "Não quero morrer sem antes ter visto o mar".

Era só isso!

"Estou dizendo", ele insistiu, "que me recuso a morrer sem antes ter visto o mar!"

"Você me assustou, e não gosto nada disso." Ela deu uns passos na direção da porta, parou: "Por acaso não foi você que escreveu... deixe-me lembrar: 'O homem é um continente, a mulher é o mar. Quanto a mim, prefiro a terra firme?'".

"Eu escrevi isso? Não está mal, hein", ele constatou, satisfeito consigo mesmo. "Quer dizer, então, que você lê os meus poemas?"

"Só quando não tenho nada mais interessante para fazer, e tenho uma vida extremamente apaixonante."

"Obrigado, você é uma boa moça. Gosto quando você é graciosa comigo." Seu rosto tornou-se sério: "Saiba, Aemer, que não resolvi ir até o mar por vontade, e sim por necessidade".

Ela olhou para ele, surpresa.

"Você sabe que não gosto nem um pouco de água. Pensei que água salgada a perder de vista só viria aumentar o meu nojo. Esse espetáculo, assim espero, vai tornar a aguçar minha sede de vinho, que, confesso, está perigosamente começando a se atenuar."

"Sempre caio nas suas brincadeiras! Depois desse tempo todo, já deveria saber quando você está falando sério e quando está de zombaria."

"Estou sempre sério, Aemer, principalmente quando zombo."

"Não seria antes o contrário, San? Você está sempre zombando, principalmente quando sério." Deixar al-Sanuba empreender sozinho uma viagem tão longa e tão perigosa estava fora de questão. Ele agora estava velho e, apesar do seu vigor verbal, Aemer o sabia enfraquecido. E também sentia que não se tratava de mais um capricho. Comunicou a Mohand a sua partida. Muito digno, este tentou não demonstrar sua tristeza: "Se você resolveu assim, faça!", ele exclamou, num tom fingidamente jovial. Como para se desculpar por deixá-lo, ela lhe disse que, caso se gostassem, esperariam um pelo outro. E, com ela longe, ele teria todo o tempo para se dedicar aos seus números. Talvez até para resolver esse problema que tanto lhe custara formular.

Ao Tigre impetuoso que atravessava Bagdá, cujo curso irregular, próximo às montanhas do leste, era menos propício à navegação, al-Sanuba preferiu o Eufrates.

Um gracioso veleirozinho de vela cor-de-rosa, que Jahiz mandara fabricar para alegrar a viagem, esperava por eles na extremidade do pontão. Embarcaram, carregados de uma quantidade impressionante de bagagem, uma verdadeira mudança. Al-Sanuba nunca se separava do seu guarda-roupa, da sua biblioteca, e nem dos inúmeros objetos a que era apegado.

Tomando o canal que ligava os dois rios, chegaram ao Eufrates e vogaram rumo ao mar distante. Após um dia de navegação, acostaram em Hilla, sórdida aldeia praticamente deserta. Uns poucos casebres miseráveis, duas ou três dezenas de carneiros. Bem ao lado, um campo de ruínas.

"Isso, a antiga Babilônia!", exclamou al-Sanuba. "Babilônia, Babilônia, então de você não resta nada? Nenhum vestígio da sua grandeza? E se era aqui...", ele disse, batendo raivosamente o pé num pequeno montículo. "Se era aqui que se erguia a torre de Babel? Pensar que não sabemos nada sobre você, afora ter sido uma cidade de luxúria. O quanto lamento não ter vivido entre as tuas paredes e experimentado os infames prazeres que você, generosa, oferecia à sua população. É o que afirma a Bíblia, esperando desviar-nos deles", ele rosnou. "O que eles sabem sobre o prazer, esses doutores da Lei? "Vocês que viviam aqui no tempo de Nabucodonosor, e antes dele em Ur, e antes ainda, em Uruk, o que sabemos sobre vocês? Vocês acaso não têm seu lugar nesta Antiguidade que os nossos sábios peneiram a fim de recuperar suas pepitas? Por que será que esses sábios todos da Bait al-Hikma desprezam vocês?

"Eles que traduzem do grego, sogdiano, sânscrito, coopta, hebreu, siríaco, que textos de vocês traduziram?

"Nascemos às portas de Uruk, de Ur, da Babilônia, e não sabemos nada sobre ela, enquanto sabemos tudo sobre Atenas, Roma, Jerusalém, Constantinopla, Alexandria, Antioquia!"

Ele excitava-se sozinho, com evidente prazer.

"E esse seu Mohand", ele lançou para Aemer, "obcecado pelos indianos, querendo aprender como eles calculam! Por que não se interessa pelos números dos babilônios? Quem disse que não teria nada a aprender com eles? Que língua eles falavam? Como escreviam? Como contavam?"

"Desculpe-me se o interrompo, San, mas você está falando comigo ou consigo mesmo?", perguntou Aemer, um tantinho acerba.

"Hã, estou pensando em voz alta."

"Então não sou obrigada a escutar."

"Mas como é boba! Como eu posso viajar com um burro desses?"

"Burra! Burra!", ela corrigiu. E se afastou.

No barco, al-Sanuba retomou seu discurso inflamado.

"Chamamos os judeus, os cristãos, os zoroastrianos, os muçulmanos de *Ahl al-kitâb*, a gente do Livro. Como se os egípcios, os gregos, os indianos, os babilônios não tivessem escrito nenhum livro! Eles não sabiam ler, evidentemente!"

"San, você não quer descansar um pouco e contemplar a paisagem? A sua cabeça está fervendo!", interrompeu-o Aemer.

"A paisagem? Ah, a paisagem."

"Aquele pequeno porto, ali. Se fizéssemos uma parada?", sugeriu Aemer.

Sentado à beira d'água, um beduíno assistia à chegada deles. Poucos barcos paravam naquele rincão perdido. Ajudando-os a desembarcar, desejou-lhes boas-vindas. Foi para a sua barraca procurar diversos objetos, vasos, jóias, que lhes ofereceu e que al-Sanuba mais que depressa comprou. Depois, vasculhando numa alcofa, o homem tirou uma espécie de bolacha de argila que lhes apresentou. Al-Sanuba recusou com um gesto, mas o beduíno insistiu, apontando para os tracinhos finos gravados em toda a superfície. Al-Sanuba pegou a bolacha e examinou-a. No início, viu apenas garatujas. Porém, os traços estavam dispostos de maneira demasiado regular para terem sido inscritos ali sem nenhum propósito; queriam dizer alguma coisa.

"Aemer!"

Aemer tinha se afastado.

"Venha cá! Venha! Esses sinais, aqui, na argila..." Os olhos de al-Sanuba brilhavam de excitação. "E se fosse alguma escrita?"

Resolveram passar a noite ali. Al-Sanuba dormiu na tenda, feito um beduíno.

Deixaram o pequeno porto cedo de manhã, não lamentando terem parado ali. O veleiro corria ao vento. A vela de Jahiz já não estava mais nem um pouco rosa. Toda a areia do deserto parecia estar incrustada nela. Cruzaram inúmeros barcos subindo para o norte, foram ultrapassados por outros tantos que rumavam, como eles, para Basra.

Os navios de guerra que os tinham escoltado desde Nasyriah apartaram-se em Basra. Foram desaconselhados a seguir adiante. Lá começava o domínio dos saqueadores hindi que atacavam os barcos, apoderavam-se das cargas, faziam reféns os prisioneiros, massacravam os marujos. Al-Sanuba teimou: "Vim até aqui, vou até o fim". Deixaram o pequeno veleiro no porto e embarcaram num navio poderosamente armado;

o comandante, precisando entregar uma carga preciosa o quanto antes, assumia o risco de empreender a viagem. O barco penetrou na região dos juncos. Um calor úmido. Pássaros por toda parte, voando em todos os sentidos, cantando. Uma paisagem encantadora. Maravilhado com aquele concerto, al-Sanuba fechou os olhos, deixando-se embalar. Aemer sentia-se incomodada, percebia a tensão dos marinheiros. Armas na mão, estavam de sobreaviso. Gritos irromperam. Uma chuva de flechas abateu-se sobre o convés, vários marujos foram atingidos. O barco balançou. Homens surgidos de lugar nenhum subiam em abordagem, faca entre os dentes. Jogaram-se sobre os marinheiros, tomando-os de surpresa. O comandante foi um dos primeiros a perecer.

Os gritos eram terríveis, gritos de dor, de fúria, de excitação, de triunfo. Corpos caíram na água. Os marinheiros foram massacrados.

A pilhagem teve início em meio à exaltação e à selvageria. Fez-se silêncio quando os piratas descobriram Aemer e al-Sanuba escondidos no fundo do porão. Al-Sanuba apertou Aemer em seus braços para tentar protegê-la com seu corpo frágil. "Perdoe-me, minha querida, por ter envolvido você nisso", sussurrou.

Os saqueadores iam jogar-se em cima deles. Um homem de uns trinta anos, alto, magro, rosto cruel e malicioso, afastou-os: "Ladrões, assassinos, mas estupradores, não!", ele exclamou, altivo. "Saiam daí!"

Al-Sanuba extirpou-se com dificuldade do esconderijo. "Ajudem esse velho", ordenou o homem que tinha jeito de ser o chefe.

"Velho, velho!", insurgiu-se al-Sanuba. Recusando todo auxílio, fez questão de subir sozinho até o convés. Digno, cabelos ao vento, impunha respeito.

Um homem avançou a mão para Aemer a fim de revistá-la. Recuou sob um terrível tabefe. "Jamais homem nenhum me tocou sem que eu desejasse", fulminou Aemer. O pirata rugiu, desembainhou o punhal. Aemer fechou os olhos.

"Devagar!", rugiu o chefe. Com o punhal na garganta de Aemer, o homem imobilizou-se, contendo sua fúria com dificuldade. A um gesto do chefe, afastou-se.

"Jure que não tem nenhuma arma", o chefe ordenou a Aemer.

Aemer, tremendo ainda, olhou friamente o chefe nos olhos: "Se há uma coisa que posso jurar, é que tenho uma". Sua resposta desencadeou uma gargalhada generalizada. Os ensinamentos de al-Sanuba se confirmavam: dizer a verdade de modo a que seja entendida como mentira, dizer a mentira de modo a que seja entendida como verdade.

Aemer não foi fuzilada. O homem que ela esbofeteara adiantou-se para al-Sanuba, que protestou por sua vez: "Se eu tiver mesmo de ser revistado, prefiro que escolha outro homem, as mãos desse aí são muito feias", ele disse, designando aquele que queria revistar Aemer.

"O nobre senhor aceitaria que eu mesmo o revistasse?", perguntou o chefe, com uma voz suavemente ameaçadora.

"Com prazer!", exclamou al-Sanuba, erguendo bem alto os braços e oferecendo-se à revista.

Esvaziado do seu carregamento, o barco foi afundado. Desapareceu no fundo da água. O butim era considerável. Al-Sanuba viu seu guarda-roupa e todos os objetos a que era tão apegado sumirem nos baús dos saqueadores.

A maioria dos homens, armada de arcos e dardos de junco, ficou junto ao butim, enquanto o chefe assumiu a frente de uma pequena coluna, com Aemer e al-Sanuba enquadrados por quatro colossos.

"Pode andar, velho?", inquiriu o chefe.

"Mas que aborrecimento ele ficar me chamando de velho! Posso andar, correr, pular e até dançar."

"San! Por favor", murmurou Aemer, orgulhosa da atitude do seu velho poeta. Agora que tudo se acalmara, ela permitia-se sentir medo.

Depois de uma longa marcha penosa em meio aos juncos, o chefe parou e emitiu um pequeno assobio. Dois homens saíram do canavial sem fazer um só ruído, puxando atrás de si pirogas perfeitamente dissimuladas na vegetação. Vogaram muito tempo no silêncio dos pântanos. Descendo à terra, tornaram a andar por mais um tempo. O chefe parecia mais relaxado; Aemer e al-Sanuba encorajavam-se com o olhar. Súbito, sem que absolutamente nada lhes tivesse permitido prever, toparam com pequenas cabanas. Uma aldeia inteira vivia ali, escondida no meio dos juncos. Toda uma população de mulheres e crianças.

"Panca!"

Uma velha interpelava o chefe. Aemer virou-se bruscamente. "Do que ela lhe chamou?"

"Pelo meu nome, é minha mãe."

"Ela disse Panca! Por que você tem o nome de um número?"

"Como você sabe? Onde aprendeu isso?", perguntou Panca, pasmo.

"Conheço as figuras indianas." Sedutora: "*Panca* é *quatro*, não é?".

"Não! É *cinco.*"

"Ops, palpite errado!", exclamou al-Sanuba.

Aemer desfechou-lhe um olhar assassino. Mas, sem perder a compostura, desenhou no chão a figura que representava o cinco.

"Está certo", admitiu Panca.

"Então, por que este nome?", perguntou Aemer mais uma vez.

"Minha mãe teve cinco filhos, eu sou o último. No nosso povo, os nomes são muito compridos. Ela passava um tempão nos chamando. Certo dia, ela cansou e nos nomeou por nossa ordem... de chegada. Tornei-me Panca."

"E o que aconteceu com os outros?"

"Eka e Tri morreram em combate, Catur foi para a Índia. Dvi!", ele chamou.

Um homem se aproximou. Aemer reconheceu um dos assaltantes mais encarniçados.

* * *

Aemer estava zangada com eles por terem disposto dela, terem interrompido sua viagem, terem impiedosamente massacrado os marinheiros. Mas tinha de reconhecer que os tinham tratado bem, ou melhor, que os tinham respeitado. Sentia-se bem no meio da tribo. Foi rapidamente aceita pelas mulheres, que lhe ensinaram muitas coisas. O trabalho com a seda, de inebriante leveza. Mas, principalmente, o trançar dos juncos. Estava fascinada por tudo o que se podia fazer com aquela planta. Aprendeu a fabricar esteiras, móveis, utensílios de cozinha. A agilidade adquirida com o *raqs sharqi* também lhe foi de grande utilidade. Aprendeu a pescar, a tingir os tecidos. E começou a falar a língua dos Hindi.

A tribo se instalara nos pântanos algumas dezenas de anos mais cedo. Tratava-se de piratas indianos que salteavam as costas do golfo e atacavam os navios de comércio. Para escapar das embarcações de guerra regularmente enviadas contra eles, embrenhavam-se nos pântanos, onde ficavam fora de alcance. Aquele refúgio se tornara a sua terra, mas eles continuavam mantendo contato com a região do Sind, no norte da Índia, de onde a maioria deles se originava.

Certa noite, algum tempo depois da chegada de Aemer e al-Sanuba, apareceram músicos vindos das outras aldeias de saqueadores. Prepararam uma festa. Os músicos começaram a tocar. Panca juntou-se a eles e tocou, um a um, diversos instrumentos. Várias vezes, Aemer o viu sorrir. Então ele sabia sorrir! As mulheres chegaram, ostentando seus mais belos adornos, roupas suntuosas, túnicas, *qamis*, recolhidas ao longo das pilhagens. Algumas dançavam magnificamente. Aemer descobria figuras provenientes do seu país, extremamente próximas da "dança do ventre".

Já não conseguindo conter-se, levantara-se e começara a dançar. Sentia falta disso! Toda a tensão acumulada desde a pilhagem expressava-se em movimentos de um erotismo capaz de naufragar o mais frio dos saqueadores.

Panca estava subjugado.

As mulheres encorajavam Aemer. Pela primeira vez, ela não se sentia objeto de nenhuma rivalidade, nenhuma inveja. A festa estava no auge, os saqueadores abriram sua reserva de álcool de palmeira. Redobraram os gritos e os cantos. Não querendo ficar para trás, al-Sanuba, um tanto bêbado, recitou poemas a quem quisesse escutar. Panca, definitivamente desanuviado pela bebida, ofereceu-lhe um:

De um enxame de abelhas
Pegue a metade, depois a raiz.
Num campo de jasmim, o pequeno bando junta o pólen.
Oito nonos do total voam pelo céu.
Uma abelha solitária
Escuta o seu macho zumbir.
Atraído pelo cheiro
De um lótus em flor
Desde a noite passada
Ele deixou-se aprisionar
Quantos são no enxame, você sabe, meu caro?

"É um poema ou um problema?", perguntou al-Sanuba.

"É um problema-poema, ou um poema-problema, como preferir", respondeu Panca.

Depois, foi a calmaria. Se as tropas do califa tivessem atacado a aldeia naquela noite, só teriam topado com corpos derrubados pelo sono pesado da embriaguez para defendê-la.

Al-Sanuba levantou-se rodeado de crianças. Tinha se tornado seu ídolo. Contava-lhes histórias fabulosas, executava truques de mágica que errava sistematicamente, para a maior alegria delas. Aemer olhava para ele, feliz. Ele daria um ótimo avô, pensava.

Mas o ancião também experimentava um franco sucesso com as mulheres. Era o primeiro a rir do fato. Era por causa da sua gulodice. Elas lhe ensinavam receitas da culinária indiana que ele planejava transmitir para Brahma. Elas jogavam com as iguarias como ele jogava com as palavras. A ordem em que as introduziam na preparação dos pratos, sua textura, em grão, em pó, moídas bem fininho ou não, em pasta...

Aemer saía, com cada vez mais freqüência, em descoberta dos pântanos. Panca mandava alguém acompanhá-la, não queria deixá-la sozinha — oh! não por medo de ela fugir, mas porque os pântanos eram perigosos. Certa manhã, ele saiu com ela.

"Está ouvindo este canto?", ele perguntou.

"É o que você assobiou para avisar o guarda das pirogas."

"Você tem um bom ouvido", ele apreciou. "De fato, é mesmo a toutinegra dos pântanos de Basra, só existe aqui."

Uma toutinegra invisível deixou o abrigo dos juncos e se pôs a voar.

"Ela não deveria", julgou Panca.

Aemer ergueu os olhos para ele, intrigada.

"Olhe!"

Um falcão irrompeu do canavial. Elevando-se quase na vertical, ganhou rapidamente altura e precipitou-se sobre o pintassilgo apavorado, que se sabia perdido.

"Panca!", gritou Aemer, agarrando-lhe o braço.

"Quer que eu o mate? Então solte o meu braço."

Aemer hesitou. Soltou-o. Panca retesou o arco, mirou.

Tarde demais!

O falcão apanhou a toutinegra em pleno vôo. Aemer escutou o grito de pavor do pássaro.

"Não se pode hesitar", declarou Panca, guardando o arco.

Às vezes, Aemer pensava em Mohand. Sentia sua falta. Lembrava dele anunciando-lhe o roubo do volume. Um garoto apanhado em delito. E o olhar que ele lhe lançara quando ela lhe oferecera o Sidhind ao sair do palácio do califa! Aquele garoto tímido e determinado a perturbava.

Súbito, veio-lhe a idéia; ficou surpresa de não ter pensado nisso antes. Havia semanas vivia em meio aos indianos! Saiu em busca de Panca e encontrou-o arrumando suas armas. Preparava-se para uma de suas expedições sangrentas. Ela deu meia-volta. Aqueles homens que ela estava começando a apreciar eram saqueadores sanguinários e aqueles preparativos que ela odiava impediam que ela se esquecesse disto.

Quando Panca voltou, resolveu questioná-lo.

"Tenho um amigo que me falou da maneira singular que vocês têm de fazer cálculos."

Panca não reagiu. Al-Sanuba aproximou-se.

"O meu amigo me afirmou que este cálculo é preciso como uma flecha e rápido como um garanhão."

"Bela comparação."

"Ele garante que o valor das figuras depende da sua posição."

"Confirmo", reforçou al-Sanuba. "O que mais?"

"Ele conhece as nove figuras."

"As nove?", repetiu Panca, com ironia.

"Sim, as nove! Por que você acha graça?"

"E você, por que está me falando nesses números?"

"Hã, eu estava me perguntando se... Meu amigo afirma que esse método é incapaz de tratar a ausência."

"Incapaz de tratar a ausência?"

"Ele fica o tempo todo repetindo que falta alguma coisa na escrita dos números. E quando eu pergunto o quê, ele responde: 'Não sei o que é, mas falta alguma coisa'."

"E daí? Seu amigo que encontre o que está faltando."

A grande brincadeira das crianças, afora a guerra, era a caça, uma caça especial, sem nenhuma arma a não ser as pedras que elas atiravam nos pássaros em pleno vôo.

Aemer juntou-se a elas, revelou-se uma atiradora incrível que atingia o alvo quase a cada arremesso.

Uma das crianças fazia sempre a mesma observação: "A barriga é grossa, Aemer. Mesmo que você a atinja, o pássaro continua voando. Mire a cabeça!".

"Mas a cabeça é bem pequenininha!", exclamou Aemer.

"Pois é!", disse Panca, que vinha observando a cena havia alguns minutos, estupefato com a precisão de Aemer. "Pois é, os pássaros têm a cabeça menor que a barriga. Não é como seu amigo, que decerto tem a cabeça muito maior que o bucho!"

"Mas o que deu em você?"

Brigaram violentamente.

Panca acabou deixando escapar: "Se os tratei bem até agora, era para poder conseguir o melhor preço com vocês, mas, no fim, desisto de pedir um resgate. O que eu ganharia com uma pequena dançarina e com um velho poeta bêbado? Vocês não valem nada!".

Ela queria matá-lo!

"No fim, compreendo por que você se interessa por falcões. Vocês são da mesma espécie, aves de rapina. Mas os bons falcões, e você é um bom falcão, foram adestrados e voltam com docilidade para o punho do seu dono. Quem adestrou você, Panca?"

Panca ficou lívido.

Quando, furiosa ainda, ela relatou a cena para al-Sanuba, este deu uma risada despreocupada: "Você é baixinha e dançarina? Eu sou poeta e velho e bêbado? Esse rapaz... ciumento disse apenas verdades".

"Então não valemos nada? É isso que você quer dizer?"

"Sim. Não temos nenhum valor que mereça um resgate. Não temos preço, minha linda."

Aemer sorriu, lembrando-se de que al-Sanuba tivera de comprá-la num mercado de escravos quando ela tinha oito anos para poder livrá-la do mercador.

Ela negou-se a ver Panca durante vários dias. Ele também a evitou.

"Faz um ano que estamos aqui", disse Aemer para al-Sanuba, "e ainda não vimos o mar!"
"Não há por que ter pressa, ele vai saber esperar por nós."
"Posso sugerir que você peça aos nossos anfitriões para nos levarem até lá? Não era você que queria ir?"

Al-Sanuba e Aemer pegaram algumas coisas e subiram na piroga; Dvi os acompanhava. Atravessaram pântanos e mais pântanos. Súbito...
O mar!
A perder de vista.
Al-Sanuba soluçava de prazer. Erguendo a sua vestimenta, entrou na água até a metade das coxas.
"San!"
"Não se esqueça, mocinha, que se empreendi esta epopéia não foi para olhar a água do mar, mas para bebê-la", ele exclamou, tirando do bolso um copo que ele mergulhou nos remoinhos. Ao puxá-lo, sorveu até a última gota.
Sua careta foi histórica.
Voltando para a praia tão depressa quanto possível, precipitou-se para a sua bagagem, tirou dali uma garrafa cheia de vinho, olhou amorosamente para ela e bebeu longos goles. Depois, saciado: "Deu certo, Aemer! Já podemos voltar para Bagdá!".

Ébrio de cansaço e de vinho, al-Sanuba adormeceu na piroga que os levava de volta à aldeia. Aemer lembrou-se de sua primeira viagem pelos pântanos. Fora um ano atrás. Fazia, então, uma triste figura. Devagar, para não acordá-lo, Dvi pôs-se a falar sobre Panca. Ele tinha verdadeira adoração por seu irmão caçula.

* * *

Na aldeia, Dvi carregou numa piroga os inúmeros presentes que os aldeões ofereceram à dançarina e ao velho poeta. Panca se aproximou de Aemer: "Sabe o que diz o nosso povo?

O fogo nunca tem lenha demais.
O oceano nunca tem rios demais.
A morte nunca tem vivos demais.
A mulher bonita nunca tem amantes demais."

O que deu nele?, perguntou-se Aemer. Ele estava ali, desajeitado. Oh! Não, ele não. Arisco, eu mal o tolero, mas apaixonado? Ela sorriu intimamente, rindo de vê-lo assim, totalmente fragilizado. Onde estava o bandido feroz?

Os olhares inundados de amor davam-lhe náuseas. Aemer preferia que pousassem sobre ela os olhos brilhantes do ódio.

Ficou terrivelmente magoada com ele, que estava fazendo de tudo para tornar a partida mais difícil.

A tribo estava reunida na margem, num silêncio afetuoso. Algumas crianças correram para al-Sanuba a fim de abraçá-lo. Quanto esforço para conter as lágrimas! Se eu chorar, ele pensou em meio aos abraços, vão dizer que estou gagá.

Os saqueadores não lhes devolveram suas coisas, há muito que as tinham vendido aos comerciantes.

Aemer e al-Sanuba instalaram-se na piroga. Panca adiantou-se. No momento em que ia empurrar a embarcação para afastá-la da margem, uma forma sombria atravessou o céu. Por reflexo, Panca ergueu a cabeça: "O destino quis assim", ele disse para Aemer. "O que falta ao seu triste amigo de cabeça grande, ele vai encontrar lá em cima, no vôo do falcão... bem adestrado."

Com uma pressão do pé, Panca afastou a piroga.

* * *

Dvi os deixou após várias horas de viagem e desapareceu nos pântanos. Aemer pegou os remos, e os manejou muito bem.

Desembarcaram em Basra pouco depois. O governador veio acolhê-los, estupefato de vê-los ainda vivos. "Vocês são os primeiros libertados por eles depois de tanto tempo, e sem pedir resgate." Com uma delicadeza que depunha a seu favor, acrescentou: "Já faz tempo que mandei proclamar sua morte".

"Sinto decepcioná-lo, governador", caçoou al-Sanuba. "Se quiser me emprestar a sua arma por um instante, para que eu concilie a realidade com o seu anúncio intempestivo..."

Aemer e al-Sanuba encontraram o pequeno veleiro. Ficara sem cuidados esse tempo todo e não estava mais em condições de navegar. Al-Sanuba fez questão de mandar consertá-lo. Tornaram a partir alguns dias depois, com uma nova vela cor-de-rosa tão luminosa como a de Jahiz.

Reconhecendo o porto onde tinham feito escala na ida, al-Sanuba quis dar uma parada.

"Você então não tem pressa de chegar em Bagdá?", perguntou Aemer.

Em pé, na margem, o beduíno parecia esperá-los. Reconhecendo a vela cor-de-rosa, precipitou-se, manifestando sua alegria. "Disseram que vocês tinham morrido... os saqueadores!"

"Só de pensar que vamos ficar escutando isso o tempo todo!", gemeu al-Sanuba.

"Dá até raiva de não ter morrido mesmo", concordou Aemer. "Tenho pena de Cristo quando ressuscitou." Pôs-se a imitar o espanto: "Jesus, pensei que tinha morrido! Uns amigos meus viram você na cruz!".

Al-Sanuba caiu na gargalhada. O beduíno ria junto, sem entender. Com seus movimentos desordenados, a parte de ci-

232

ma da sua roupa se abriu. Aemer reparou num fino cordão de couro em seu pescoço, com um pequeno objeto pendurado. Surpreendendo o seu olhar, o beduíno desprendeu o objeto e lhe mostrou. Era um pequeno cone de argila, bastante rústico. Que jóia estranha, provavelmente um amuleto, decerto muito antigo. O beduíno passou o colar em volta do pescoço de Aemer. Assentava-lhe perfeitamente. Ela quis pagar, mas o beduíno deu-lhe de presente. "Afinal", admitiu al-Sanuba, "não são tão desagradáveis assim, esses beduínos."

Retomaram a subida rumo a Bagdá.

Sentado no convés, al-Sanuba olhava desfilarem as margens. "Sinto essa terra tão velha... tão velha como o mundo", ele murmurou. "Pego-me às vezes imaginando que debaixo de cada um desses *tells*, de cada uma dessas colinas, está uma cidade, enterrada há milênios. Mas estou velho demais para ir lá cavar."

"Por que não fez isso quando era jovem?"

"Quando somos jovens, o passado é tão distante! Depois que envelhecemos, ele cresce... e caímos dentro dele."

Quanto mais o barco se aproximava de Bagdá, mais al-Sanuba parecia cansado. Ficava deitado, sonhando, silencioso. Assim que chegaram, caiu de cama. Sabia agora por que retardara tanto a volta.

"Essa viagem foi comprida demais", declarou Aemer.

"Não a ida. A volta."

Aemer visitou Mohand. Ele não morava mais no seu quartinho, e sim numa casa confortável próxima à Casa da Sabedoria. Ficou louco de alegria ao vê-la, mas não surpreso.

"Devo confessar que não me preocupei demais. Sabia que não aconteceria nada com você."

Ele olhou para ela, enternecido: "Você não mudou nada". Mudei, sim!, ela quase falou.

"Eles não a... maltrataram?", ele perguntou, sem jeito.

"Você quer dizer, estupraram? Escute, se eu fosse virgem antes, ainda seria agora."

"Ora... Aemer!"

"Você me faz perguntas... muito pessoais, eu dou respostas muito pessoais. Eles se comportaram muito bem."

"Até parece que você os defende! Sabe, as notícias que chegam dos pântanos vêm preocupando cada vez mais o califa. As extorsões têm se multiplicado, dizem que põem em risco as comunicações vitais do porto de Basra com o mar, ameaçando inclusive o comércio marítimo com a Índia, a Arábia e a África."

"Não sabia que você se interessava pelo comércio marítimo."

Mohand adquirira segurança. Contou para Aemer, não sem orgulho, que fora nomeado membro da Casa da Sabedoria.

"Que maravilha! Você conseguiu o que desejava."

"Quase", disse ele, olhando-a com insistência. "Tenho as melhores condições para trabalhar, mas não existe só trabalho na vida."

Ela olhou para ele, surpresa.

Resolveu não lhe falar sobre as suas discussões com Panca a respeito dos números. Afinal, não tinham lhe acrescentado nada.

Al-Sanuba apressou-se em transmitir a Brahma as receitas das mulheres dos pântanos. Passou muito tempo na cozinha brincando com especiarias. Depois, achando cada vez mais difícil ir até lá por seus próprios meios, foi transportado e, da sua cadeira, dava as instruções a Brahma, que, seguindo-as ao pé da letra, cometeu assim memoráveis catástrofes culinárias.

Agora, al-Sanuba já não deixava mais a cama, estava cansado das receitas hindis. Com o rosto sofrido, apoiava-se nas almofadas que sustentavam a parte superior do seu corpo.

"Por que você perde seu tempo com um velho? Há tantos jovens que ficariam loucos de contentamento com você ao lado deles. Mohand..."

"Você é o único por quem já me apaixonei. Com seu lindo cabelo cacheado caindo sobre os ombros."

"Verdade que eu era bonito."

Todas as tardes, Aemer ficava à sua cabeceira. Sua presença parecia bastar para contentá-lo. Ela cantarolou, como se embala uma criança. Ele pôs a mão no seu braço.

"Percorremos juntos um bom pedaço do caminho. Você tinha oito anos apenas quando a trouxe para cá... a menina mais linda que eu já vi... e já rebelde! Se você soubesse dos pontapés nas canelas que me deu quando eu quis levá-la!"

"Você foi o melhor dos patrões. Me deu tudo. Foi meu protetor, meu irmão, meu amigo, meu confidente. Conheço poucas mulheres mais livres que sua escrava."

"Que pena!", ele exclamou. "Pois resolvi alforriá-la. Você não pode mais me impedir."

"E o que você acha que está me dando com isso?", ela insurgiu-se. "A liberdade de me grudar um véu no rosto como se eu tivesse vergonha da minha boca, do meu nariz, dos meus lábios? A liberdade de ficar confinada num harém, posta num sofá feito... feito uma pasta de amêndoas num prato de confeitaria!"

"Já conheço a sua ladainha! E não me fale em confeitaria, e sim em vinho. Por favor, sirva-me... uma lágrima! Uma lágrima! Está vendo como a língua é inteligente? Diz exatamente o que não nos atrevemos a dizer."

Ela serviu-lhe uma taça, que ele bebeu em goles pequenos a fim de apreciar todo o buquê. Então, como em seguida acontecia, ele se exaltou.

"Enchem nossos ouvidos com os grandes reis, os grandes santos, os grandes generais, os grandes sábios. Sem eles, a vida não seria nem melhor nem pior. Os únicos homens sem os quais não podemos viver são os contadores de histórias. Eles são uma necessidade *e* um luxo. Sem histórias, sem mitos, nossa vida seria pior que a dos cães.

"Quantas histórias contei para você! Terminado o jantar, eu me preparava para sair, você estava deitada e olhava para mim de uma maneira irresistível. Sentava-me ao seu lado, à beira da cama, e lhe contava uma história. Você sempre adormecia antes do fim. Eu me levantava e saía de casa, tranqüilo, sabia que nada poderia lhe acontecer. E eu ia leve, o seu sono me abria as portas de uma noite de esbórnia."

"Você está se cansando. Pare de falar", censurou Aemer.

"Diga-me, Mohand é um bonito rapaz, não é? Você não gosta dele?"

"Gosto."

"Case-se com ele, Aemer." Ele sorriu. "O que está havendo comigo, estou mesmo muito mal, agora dei para dar conselhos! Não, faça o que quiser, se o ama, case-se com ele." Ele calou-se novamente. Então, malicioso: "Ele gosta de números, mas acho que, para ele, você é única".

Mohand convidou Aemer para acompanhá-lo a uma recepção organizada pelo califa num dos seus terrenos de caça. Aemer hesitava, temendo deixar al-Sanuba, mas este insistiu para que ela fosse. Anunciado pelo rufar dos tambores, precedido pelo prefeito de polícia que trazia erguida a lança solene, surgiu Mamum montando um soberbo puro-sangue árabe. Voltava de uma corrida de cavalos, que ele vencera magnificamente. Instalou-se à mesa real sob um guarda-sol multicolor. Atrás dele, rígidos e severos, postavam-se os guardas armados de machados e maças. Mais perto, servos armados de mata-moscas cuidavam discretamente que o califa não fosse importunado.

Aemer estava magnífica. Incontestavelmente, a mulher mais bonita da reunião. Quantos olhares de ódio e de inveja! Mohand estava orgulhoso.

Reconhecendo-a, o califa pediu que a trouxessem até ele junto com o homem que a acompanhava.

"Soube do que aconteceu com você nos pântanos, me alegro em constatar que a sua beleza não sofreu com isso. Soube igualmente que al-Sanuba saiu da aventura com alguma dificuldade, ele deve estar bem com uns cem anos!" Sua fisionomia endureceu: "Resolvi acabar com esses bandidos, estão há tempo demais desafiando a minha autoridade. Minhas melhores tropas já estão a caminho; em poucas semanas não restará nada desses Hindi".

Aemer sentiu uma pontada no coração.

O califa apontou Mohand: "É aquele matemático do qual você tinha me falado?".

"Mohand al-Kabir", anunciou o vizir, em pé à sua direita.

"A obra que a sua companheira furtou... *Sidhind*, se bem me recordo. Ainda não tive tempo de lê-la. Lembre-me, vizir, de dar uma olhada nela. Você fez bom uso do livro?", ele perguntou a Mohand.

"Oh, sim, senhor."

O vizir sussurrou umas palavras ao ouvido do califa.

"Você agora pertence à Casa da Sabedoria. Com todos os volumes que existem lá, essa moça...", ele apontou Aemer, "não vai mais precisar roubar."

"É uma felicidade!", exclamou Mohand. "São tantos livros admiráveis, que eu gostaria de ler todos."

"Cuidado para não sofrer uma indigestão, Mohand al-Kabir! Jahiz, você conhece Jahiz?, é quem afirma que querer saber tudo é uma doença que deve ser imperativamente tratada."

"Para dizer a verdade, neste momento tenho pensado em apenas uma coisa, senhor, nos números e numa nova maneira de representá-los."

"Em mais nada?", perguntou Mamum, num tom de censura, olhando de esguelha para Aemer.

Mohand compreendeu a alusão.

"Aemer? Eu não penso nela, eu a vivo."

"Isso que é resposta. Tome nota, vizir!"

Depois do almoço, os presentes se prepararam para assistir a uma caça ao falcão. Cansado pela manhã que tivera, Mamum deixou aos seus falcoeiros o cuidado de conduzir as aves de rapina.

Abrigados sob uma lona estendida, os falcões quedavamse em seu poleiro. O primeiro falcoeiro da corte apresentou Karim, o campeão, desfiando suas qualidades, estatura alta, cabeça larga, olhos profundos, arcadas bicudas, coxas cheias, tarsos encorpados, antes de cobrir-lhe a cabeça com um capuz de pele bordado com fio de ouro. Para aquecer o ambiente, foram soltos os primeiros falcões. Cumpriram direitinho a sua tarefa, mas todos aguardavam Karim. O primeiro falcoeiro enfiou uma luva de couro grosso, depois apertou o punho sobre o qual um ajudante depositou Karim. Um e outro mantinham-se em impressionante imobilidade. Um pássaro cruzou o céu. Num gesto rápido, o falcoeiro retirou o capuz.

"Vá, Karim!"

Karim alçou vôo.

Aemer o avistou num ofuscamento do sol. Os pântanos, Panca, o grito do pintassilgo... "A gente não pode hesitar!", dissera Panca. Karim precipitou-se sobre sua presa. O pássaro, apavorado, tentou tomar velocidade. Karim se aproximava com vertiginosa rapidez. Justo antes de alcançá-lo, algo aconteceu, o falcão bateu asas. O pássaro aproveitou para escapar; uma exclamação brotou de entre os presentes. Karim perdeu altitude. O grito rouco do falcoeiro o chamou de volta. A ave pousou com dificuldade no seu punho.

O falcoeiro coçou-lhe a cabeça para cumprimentá-lo. "Paz, Karim." Segurando-o firmemente, verificou a cabeça, a barriga. Nada. Abriu delicadamente uma asa; apalpando as rêmiges, auscultou uma por uma. Nada. Ao abrir a outra asa, deixou escapar uma careta. Aemer, ofegante, chegou na hora em que o falcoeiro anunciava, isolando a última rêmige, levemente manchada de sangue: "Esta é que foi atingida, *fariqa*".

Reparando no olhar inquiridor de Aemer, ele explicou: "Todas têm um nome. A primeira é *sikkin*, 'a faca'. As outras têm o nome da sua fileira: a segunda, a terceira, a quarta, a quinta, a sexta, a sétima, a oitava, a nona. A última é essa que foi atingida, *fariqa*, 'a separadora'. Dez rêmiges, sempre dez! Quando falta uma, o vôo fica irremediavelmente comprometido.

"Dez", repetiu Aemer, estupefata.

"Nos pombos, aliás, a última se chama *âchira*, a décima",

acrescentou o falcoeiro, orgulhoso de mostrar o seu saber àquela moça bonita.

Aemer já não escutava. Panca dissera que Mohand iria encontrar o que buscava na asa do falcão. O que lhe faltava era uma figura! As nove de que ele dispunha não bastavam, precisava de mais uma, a décima. Ela se afastou, dirigindo um olhar de desculpas a Karim, que continuava entre as mãos atentas do falcoeiro.

A separadora. Para além da descoberta da sua existência, o nome da décima era uma informação. Separadora, mas do quê?

"Oh!", ela exclamou, furiosa consigo mesma. Deixara-se cair na armadilha, ali estava ela assumindo para si os problemas de Mohand. Dirigiu-se até ele num passo decidido...

Aquela voz! Impossível.

Não havia dúvidas, no entanto. O chefe dos ladrões! Aqui, a dois passos de Mamum, no seu terreno de caça! E o *muhtasib*? Perorando em meio aos cortesãos.

"Estive observando você desde que chegou, seu tiro foi de uma precisão diabólica", sussurrou-lhe ao ouvido o chefe dos ladrões, admirado.

Aemer sentiu que ele segurava a sua mão. Ele abriu-lhe o punho e pôs na sua mão um objeto que Aemer nem precisou olhar. O pequeno cone de argila.

Sentiu uma doida vontade de ver seu rosto. Ele percebeu.

"Não faça isso, Aemer! Seria a sua morte. Quem vê o meu rosto não tem tempo para lembrar dele."

Era mais forte que ela. Virou-se. Ninguém!

"Procurei você por toda parte!"

Mohand viera ter com ela, preocupado. Aemer contou-lhe o que acontecera com Karim.

"Mas você está completamente louca! Sabe o que teria acontecido, se alguém visse?"

"Alguém viu."

Mohand empalideceu.

"Quem?"

"O chefe dos ladrões."

"Ele viu você?"

"Viu."

"E você o viu?"

"Não."

"Você vai ter problemas terríveis! Você rouba um livro, deixa-se apanhar, vai para a prisão, você... fere o falcão favorito do califa! Escute, Aemer, estou pronto a largar todos esses números..."

"E, depois, vai me cobrar pelo resto da nossa vida."

"Você disse nossa?"

"Devo ter dito."

"Aemer, Aemer!", ele estava louco de alegria.

Ela o deteve: "Não é hora...".

Ele perdeu o sorriso. "Hora de quê?"

"De largar os números, Mohand!"

Ela lhe contou sobre a asa do falcão, a décima figura, a separadora.

Aemer não ia mais ao cabaré. Desde que voltou, não tinha mais vontade de dançar. A doença de al-Sanuba, o longo "retiro" nos pântanos, a interminável viagem de volta. Bagdá parecia-lhe fútil. Mas não queria que al-Sanuba percebesse sua lassidão. Obrigou-se a sorrir antes de entrar no quarto dele.

Um rapaz de grande beleza estava sentado à sua cabeceira e segurava-lhe amorosamente a mão. Ficaram um longo momento juntos. Quando o rapaz deixou o cômodo, continha as lágrimas com esforço.

"Você viu só?", disse al-Sanuba, comovido, para Aemer. "Esse rapagão bobo, chorando por mim. Meu último amante."

Declamou para si mesmo:

Deixei as mulheres pelos belos rapazes
E, pelo vinho velho, deixei a água clara...
Longe do caminho certo, entrei sem cerimônia

Na estrada do pecado, é a ela que prefiro.
Cortei as rédeas e sem nenhum remorso
Tirei a guia junto com o freio.

Designou um móvel no fundo do cômodo. "Meu último poema", ele murmurou. "Faça o favor de buscá-lo." Aemer se levantou, pegou um pergaminho disposto sobre o móvel e veio se sentar. "Ao papel, preferi o pergaminho. A pele, sempre a pele. Leia, por obséquio." Com uma voz perpassada de soluços, Aemer leu o último poema de al-Sanuba:

Ó Senhor, confessarei uma coisa?
Tudo o que fiz,
Fiz por você, para que você me absolvesse.
Quanto, ó quanto penei
Para oferecer-lhe esses pecados!
Se você desse esperança somente ao homem de bem,
Para quem se voltaria o vadio?
A quem você concederia misericórdia
Se não a mim, Senhor,
Que de todo o coração
Vivi tanta desordem?

Sempre o mesmo provocador!, pensou Aemer, com orgulho. Al-Sanuba deixou filtrar um risinho de conivência. Sua cabeça se inclinou na almofada, qual a folha da grande árvore que, depois de viravoltar no ar, levada por mil turbilhões, pousa sem ruído sobre o chão seco.

O afeto que a população de Bagdá nutria por al-Sanuba podia ser medido pela imensa multidão que acompanhou o velho poeta em sua derradeira evasão. Letrados, ricos comerciantes e até soldados. Mas quase todos que acompanhavam o corpo eram pessoas simples que o amavam e de quem ele fora, sem saber, o fiel companheiro dos dias de festa, o sopro de oxigênio, de alegria e também de gravidade.

Os longos cabelos cacheados de al-Sanuba fariam falta na cidade redonda. Quem iria substituir aquele homem que nunca deixara de demonstrar que o prazer não era um luxo, e sim uma necessidade?

Jahiz estava triste. A quem iria enviar sinais na outra margem do Tigre?

Mohand envolveu Aemer em seus braços.

"Você vai continuar a roubar?", ele perguntou.

"Não."

"A dançar?"

"Sim."

"Por quê?"

"O corpo, Mohand, o corpo..."

Aemer soube imediatamente da notícia: os exércitos do califa estavam voltando, vitoriosos. Panca e seus homens haviam sido derrotados. Estavam confinados num campo nos arredores da cidade. Muitos homens e mulheres haviam sido mortos durante os combates, outros tinham morrido de esgotamento durante a viagem.

Vigiado por numerosos soldados, cercado por paliçadas, o campo estendia-se às margens do Tigre. Aemer acorreu. Lá, soube do julgamento de Mamum.

Panca fora condenado à forca, e o seu povo à prisão.

Os prisioneiros faziam fila em frente a uma tenda a fim de receber uma ração de alimento. Ver aquelas pessoas, que ela conhecera livres, esperando que um soldado lhes servisse alguma gororoba numa tigela, foi insuportável para Aemer.

Uma velha que a reconhecera aproximou-se: "Como vai o ancião?".

"Ele morreu."

"Era velho", opinou a mulher velha.

Entravado pelas correntes, cercado de guardas armados,

Panca vinha na direção de Aemer. Tinha no rosto um ferimento profundo.

"Estava esperando você", disse ele.

Ela olhou para ele, olhos inflamados.

"Vou decepcioná-la", ele prosseguiu. "Estava esperando você, por mim, é claro, mas principalmente pelo meu povo. Tornei a pensar nos números e no seu amigo. Tenho uma proposta a fazer, a ele e ao califa. Sei o que ele procura. Sei qual é a figura que falta, e conheço a sua função. Diga a eles que quando os árabes souberem o que eu tenho para lhes ensinar, sua ciência dará um salto gigantesco. Em troca, exijo a liberdade para o meu povo e sua volta para os pântanos."

Ela esperou o resto. Não veio nada.

"E para você, o que vai pedir?", ela inquiriu, preocupada.

"Isso eu vejo mais tarde."

"Depois será tarde demais", ela exclamou. "Depois que você revelar o que sabe, Mamum não terá mais nenhum motivo para poupá-lo."

"Assumo este risco", disse ele, num tom peremptório.

Aemer imediatamente dirigiu-se à Casa da Sabedoria e transmitiu a Mohand a proposta de Panca.

"Você acredita nele?", ele perguntou, desconfiado.

"Acredito. Além do mais, o que você tem a perder? Se o que ele revelar for errado, o povo dele permanece prisioneiro. E isso ele não quer de jeito nenhum."

Mohand correu até o palácio. Sabendo que o califa não o receberia diretamente, pediu uma audiência ao vizir. Seu pertencimento à Casa da Sabedoria facilitou as coisas. Como o califa estivesse acompanhando pessoalmente o caso dos pântanos, o vizir não podia tomar nenhuma decisão, mas, seguro das implicações desta troca, prometeu fazer de tudo para que Mamum aceitasse a proposta do chefe dos saqueadores.

Momentos mais tarde, voltava e introduzia Mohand na sala do califa.

"Seja convincente", sussurrou-lhe.

243

Panca esperava pelo retorno de Aemer, louco de preocupação. A idéia de que seu povo pudesse permanecer na escravidão punha-o furioso.

Aemer não demorou. Tão logo saiu da Casa da Sabedoria, foi até o campo e comunicou a Panca a iniciativa de Mohand. "Ele vai conseguir! Quando ele quer alguma coisa, ele consegue."

Panca olhou-a de esguelha.

Pouco depois, Mohand chegou a galope. "Mamum aceitou!", ele exclamou, pulando do cavalo.

Panca meneou a cabeça, satisfeito. Ganhara a parada!

"O meu povo poderá voltar para os pântanos?", ele insistiu.

"Tem a minha palavra", assegurou Mohand.

"Vamos procurar ser rápidos", disse Panca, em seguida. "Então você descobriu a existência das nove figuras e da escrita por posição através da tradução do *Sidhind*. E percebeu que uma mesma escrita poderia representar vários números. E isso não lhe convinha. E você pensou..."

"Falta alguma coisa", interrompeu Mohand.

"E não sabia o que era."

"E não sabia o que era."

"Foi também o que aconteceu conosco, há muito tempo, quando inventamos as nove figuras."

"Como você sabe disso?"

Panca ignorou a pergunta.

"E Aemer lhe contou o que ela descobriu durante a caça ao falcão."

"Sim, ela correu um risco imenso, poderia..."

"Quem não se arrisca, não conquista. Ganha-se, perde-se. Mas pelo menos correu-se o risco. Faltava-lhe a décima figura. A separadora!"

"Sim", deixou escapar Mohand. "Atirei-me no trabalho. Estava começando a clarear..."

"E você estava a ponto de achar."

"Isso não posso afirmar, mas acho que sim, estava clareando."

"Cheguei a tempo! Senão, não teria nada para lhe revelar e não teria havido troca."

Panca agachou-se, suas correntes tilintaram. Estendendo a mão para um dos guardas, ele exclamou: "Seu punhal!".

O guarda recusou.

"Dê o punhal para ele", ordenou Mohand.

Aemer ficou surpresa com sua transformação. Ele agora estava dando ordens.

O guarda hesitou. Mohand fulminou-o com o olhar. O homem estendeu a arma. Panca apanhou-a com uma rapidez fulgurante.

"Mesmo acorrentado, têm medo de mim", ele proclamou.

Aemer não se movera. Os esforços de Panca para se assegurar de que não tinham conseguido domá-lo eram pungentes.

Com a ponta da lâmina, Panca traçou lentamente um pequeno círculo no chão.

Mohand acompanhou o seu gesto com uma atenção absoluta.

"*Sunya*, o vazio! A décima figura é o vazio, Mohand."

"É isso, *fariqa*?"

"Exatamente. Sua função é separar as figuras, marcando o lugar do vazio que existe entre elas para que não seja ocupado."

"Era isso! Então era isso!", repetiu Mohand, ofuscado.

Ele se ajoelhou ao lado de Panca. Aemer contemplou-os, ombro a ombro, o sábio árabe e o saqueador indiano.

"É maravilhoso. Um sinal, um só, e tudo se ajeita! Como você disse?"

"*Sunya*."

"Por que um círculo?"

Panca olhou para ele, enigmático, sem dar uma resposta.

"Diga um número!", ele ordenou.

Passando à frente de Mohand, Aemer exclamou: "Mil e um!".

"Está bem, mil e um. Escreva, Mohand."

Com a ponta do indicador, Mohand, hesitando, traçou

cinco riscos paralelos para indicar as colunas. Na primeira e na quarta colunas, ele escreveu *um*.

$$|1| \quad | \quad |1|$$

"Vejo que você assimilou bem o cálculo dos indianos", avaliou Panca. "Não há dezena, a segunda coluna fica então vazia. Não há centena, a terceira coluna fica vazia. Já que estão vazias, você as preenche! Ponha *sunya*. Ponha", disse ele a Mohand.

Estendeu-lhe o punhal.

Emocionado, Mohand traçou timidamente um pequeno círculo na segunda coluna.

$$|1| \quad |0|1|$$

E outro na terceira.

$$|1|0|0|1|$$

Esquecendo toda precaução, os guardas tinham se aproximado. Inclinados por sobre os ombros de Panca e Mohand, tentavam enxergar o que este desenhava no chão.

"Apague as colunas!", ordenou Panca, retomando o punhal.

Com a ponta do dedo, Mohand apagou cautelosamente um dos longos riscos indicando uma coluna, e um segundo.

"Todas!", berrou Panca.

Mohand foi apagando cada vez mais depressa, levado por uma exaltação que ele já não dominava.

$$1 \quad 0 \quad 0 \quad 1$$

Ele contemplava a inscrição na areia. Os guardas olhavam também, silenciosos, sentindo que algo grave estava acontecendo.

"Sabe o que este número proclama, Aemer?", perguntou Panca. "Que por mais numerosas que sejam as coisas, sempre existe mais uma, mais uma que se pode desejar, que se pode possuir, que se pode recusar. Não existe fim... nos números.".

Apontando o punhal para cada um dos círculos, ele acrescentou: "Há tantas *sunya* quanto há colunas vazias. Tudo está nisso: assinalar o vazio. Isso é que é bonito: considerar a ausência como uma presença", ele concluiu, com voz alterada. "Os indianos sabem tratar da ausência, Mohand."

A ausência como uma presença, repetiu mentalmente Aemer.

"Isso é...", Mohand procurava a palavra, "... filosofia."

"Grego demais! Mais que isso, é transcendência! Para nós, a morte não é o aniquilamento, é uma forma específica de vida, assim como a ausência é uma forma específica de presença. Você compreende, agora, por que fomos nós, indianos, que inventamos a marca do vazio? Refleti bastante, nos pântanos..."

"Entre duas pilhagens?", perguntou Mohand, irônico.

Aemer desfechou-lhe um olhar incendiário.

"Durante!"

Panca se levantou. Suas correntes tilintaram novamente. Devolvendo o punhal para o árabe, ele declarou altivamente: "A mais bela troca com a qual eu podia sonhar: A LIBERDADE DE MEU POVO PELO VAZIO!".

Mohand estava atordoado. Aquele convite tinha alguma coisa de irreal. Uma invenção daquela importância sendo-lhe revelada num campo de prisioneiros por um saqueador assassino.

"Eu lhe ofereço mais!", exclamou Panca, arrancando Mohand de suas reflexões. "Os indianos inventaram uma língua específica para os números, criaram um legítimo alfabeto, um alfabeto de dez 'letras'. Nesta língua, cada número tem um nome, e só um", enfatizou Panca. "Em compensação, cada 'palavra' desta língua é o nome de um número. De um número só! Está entendendo, Mohand? Se você escreve 1001, há apenas um número com este nome. Esta é que é a invenção genial. Acabou a ambigüidade! Dez figuras apenas, tantas quantos os dedos das mãos, tantas quantas as rêmiges na asa do falcão, bastam para representar TODOS OS NÚMEROS DO MUNDO! É isso que inventamos."

Mohand exultava.

"E há mais uma coisa", acrescentou Panca, com ar superior. "Quando você escreve vários números, ENXERGA imediatamente qual é o maior."

Mohand estava atordoado.

"O maior é o mais comprido! A grandeza de um número está inscrita na sua escrita."

Mohand montou seu cavalo: "Vou comunicar ao vizir que o contrato foi preenchido". Deixou o campo a galope.

Margeando o Tigre, ele atravessou a periferia de Bagdá, correu à toda pelas ruas lotadas, foi muito insultado, evitou o mercado. Estava com a cabeça cheia do que Panca lhe revelara por último, o CÁLCULO PELA ESCRITA. Algo que até então estivera separado, a escrita dos números e o cálculo, agora se unia.

Ele ouvia a voz de Panca: "Você escreve os números e faz o cálculo DIRETAMENTE, com os números e o cálamo, não precisa de mais nada. Você calcula com o nome dos números".

Dirigindo-se para a Cidade redonda, Mohand precisou atravessar a cidade inteira. "É o fim dos ábacos! Papel, tinta, uma pena. Você está livre, Mohand, livre." Sentia-se como quando tomava aquele delicioso e perigoso álcool no cabaré, com a cabeça rodando. Enveredou por ruas menos transitadas, seu cavalo começava a cansar-se.

O que Panca lhe revelara representava uma mudança tão profunda que ele não conseguia imaginar o que significaria, concretamente, "dispor" uma operação por escrito sem precisar manipular colunas e tentos.

Após a partida de Mohand, Panca confidenciou a Aemer: "Prometi que aqueles que retornassem para os pântanos não retomariam as armas e cessariam as pilhagens".

"Tem certeza de que a promessa será mantida?"

"Tenho. O que está dito não pode ser desdito. Mas a promessa só compromete esta geração." Ele caiu na risada: "Quem ousaria se comprometer pela eternidade?".

Aemer ficou a sós com Panca, eles andaram pelos campos, Panca deslocava-se com dificuldade. A todo instante vinha um homem, uma mulher, uma criança da tribo falar com ele. Às vezes, Aemer captava no ar uma palavra que ela reconhecia.

"Tenho de dizer para você, Aemer. Só revelei a Mohand metade do que sei. *Sunya* não é apenas uma figura que permite escrever os números, é um número. Um novo número." Aemer olhou para ele, atônita.

"Como é possível criar um novo número! Os números estão aí desde sempre, sempre os mesmos!"

"Pois bem, nós criamos um número novo e... não é o de menos", ele gargalhou, rindo do seu trocadilho. "É assim que, na Índia, praticamos o cálculo. Os bens, *dhanam*, as dívidas, *rhanam*. Se o seu bem excede a sua dívida, você é um homem rico. Se a sua dívida excede o seu bem, você é um pobre camponês. Mas o que dizer quando seus bens igualam suas dívidas? Fomos os únicos a dar uma resposta. Quando os seus bens igualam as suas dívidas, você deve *sunya*! Não deve NADA. Nós inventamos uma quantidade nova, Aemer: a que você obtém quando tira, de uma certa quantidade, uma quantidade igual."

"Repita!"

"A quantidade que você obtém, quando tira o mesmo do mesmo, é aquela que expressa a diferença entre os dois pratos de uma balança em equilíbrio. *Sunya* é o lugar vazio *e* a quantidade nula!"

Ele deteve-se, exausto.

"O meu povo vai deixar este campo e voltar para os pântanos, paguei a minha dívida e o meu lugar logo estará vazio. Não devo mais nada."

"Você não deve nada, ou deve nada?"

Panca sorriu.

"Você entendeu tudo."

Desde alguns instantes, Aemer refletia sobre o que lhe confiara Mamum no palácio: "Se os homens soubessem do prazer que sinto ao perdoar, só se apresentariam diante de mim carregados de crimes".

"O seu povo está livre, Panca. Mamum poderia salvar sua vida. Você só precisaria pedir."

Panca empalideceu. "Você disse: só?"

"Ou que eu pedisse por você", ela depressa acrescentou.

"Jamais! No fim eu ainda teria de dar a ele a chance de ser magnânimo! Não estou sendo trocado! Fui vencido. Vou morrer."

Aemer queria urrar. Queria lhe dizer... Calou-se. Não lhe diria o que ele tinha de fazer.

O cadafalso fora erguido no meio do campo.

Aemer aproximou-se de Panca e colocou-lhe na mão o pequeno cone. "É só o que tenho para dar a você. Foi um beduíno que me ofereceu quando deixei os pântanos."

Suas mãos se apertaram.

A tribo tinha recusado sair do campo antes da execução. Homens, mulheres e crianças estavam reunidos diante de Panca num silêncio afetuoso, suas trouxas aos pés.

Mohand voltara ao campo para ficar junto de Aemer naquele momento terrível. Também para dar um último adeus àquele que lhe revelara *sunya*. Nunca tinha assistido a uma execução.

O carrasco passou o nó corredio em volta do pescoço de Panca. Antes que o banquinho em que ele altivamente se apoiava fosse tirado, ele exclamou: "Pelo menos, não sou inocente!".

Aemer, em pé ao lado de Mohand, fizera questão de ficar até o último momento. Recusara-se a fechar os olhos.

Os guardas armados formaram uma cerca até a porta do campo. Um longo grito ergueu-se das fileiras da tribo. A coluna pôs-se em marcha. Desfilaram diante do corpo de Panca, cada qual dirigindo-lhe ao passar uma silenciosa mensagem.

Súbito, Aemer precipitou-se. Os guardas quiseram intervir, mas seu chefe intimou-lhes a ordem de não se mexerem. Aemer alcançou a coluna e introduziu-se no meio dela.

Mohand não tentara retê-la. Ela lhe fez um sinal com a

mão. A coluna continuava desfilando diante da forca. Quando Aemer passou diante do corpo de Panca, avistou na areia, caído da mão dele, o pequeno cone de argila. Abaixou-se e o apanhou.

A viagem foi longa e terrível, muitos morreram. Os outros chegaram aos pântanos, esgotados. Suas cabanas haviam sido destruídas, as aldeias incendiadas. Era preciso reconstruir tudo. Aemer instalou-se. Uma ladra entre os bandidos, pensou. Quando caiu a noite, afastou-se dos demais. Cavou um buraco na terra movente e enterrou o pequeno cone de argila. Era um pouco de Panca, recobrando o seu lugar nos pântanos.

Quatro séculos mais tarde, o chefe mongol Hulagu sitiou Bagdá. Depois de resistir muito tempo, a cidade se rendeu. A população foi massacrada, o califa executado. Às portas da cidade, meses a fio, montes de crânios acolheram os viajantes. Foi o fim de Bagdá.

Os árabes traduziram a palavra indiana *sunya* por *as-sifr*, que se tornou *ziffer*, e depois *zephiro*. *Ziffer* virou *cifra*, número. *Zephiro* virou Zero. Assim, o último a chegar deu seu nome a todas as... *cifras*, a todos os números. O zero se tornara esse nada... que tudo pode.

6

IRAQUE

BAGDÁ. PRIMAVERA DE 2003.

Unesco — Museu. As gigantescas letras pintadas no telhado do museu eram visíveis a várias centenas de metros de altura.

Três anos antes, em 29 de abril de 2000, depois de ter ficado uma década fechado, o museu arqueológico de Bagdá reabrira as suas portas. A data não devia nada ao acaso, era o dia do sexagésimo terceiro aniversário de Saddam Hussein. Os visitantes, raros, puderam admirar uma das mais antigas agulhas da humanidade, um intestino sacrifical, um leão de terracota, a cabeça de bronze de Sargão de Akkad, tabuletas pictográficas de argila datando dos primórdios da escrita, o capacete de ouro de Naram Sin, um tabuleiro de nácar, a estátua de diorito do escriba Dudu, o vaso de alabastro de Uruk, a lira de ouro dos túmulos reais de Ur, os leões de Ishtar da Babilônia, a máscara de mármore da Dama de Uruk. E alguns milhares de outras peças, igualmente extraordinárias.

Rumando para o norte sem encontrar resistência, os soldados americanos avançavam com tudo sobre Bagdá. A ninguém restava a menor dúvida de que o exército iraquiano seria aniquilado.

O museu não poderia estar mais mal localizado.

O prédio do rádio e da televisão erguia-se bem ao lado, a sede da Guarda Republicana, exército de elite de Saddam Hussein, achava-se a poucas centenas de metros. Os militares iraquianos haviam instalado peças de artilharia no jardim do museu.

O intenso bombardeio aéreo durava vários dias, preparando a ofensiva terrestre sobre a capital. Para o museu, aquele era o momento de todos os perigos.

Uma tempestade de areia abateu-se sobre o Iraque. As tropas da terceira divisão de infantaria americana tiveram de deter seu avanço a oitenta quilômetros de Bagdá, próximo à cidade de Kerbala. Apesar da má visibilidade, o bombardeio aéreo de Bagdá prosseguiu nesta terça-feira durante o dia, concentrando-se nas posições da Guarda Republicana.

"O que vocês estão fazendo aí?", berrou o GI num inglês com forte sotaque hispânico, o dedo no gatilho do seu fuzil-metralhadora.

Um soldado nervoso adiantou-se para revistar Aemer. Ela teve o bom senso de não reagir. Sentiu repulsa daquelas mãos de mercenário apalpando-a. O soldado pegou o seu passaporte. E soltou um grito de alegria: "*French!*".

Os problemas estavam começando. Uma saraivada de chacotas abateu-se sobre Aemer. "Queijos fedorentos", "comedores de rã...". Embora pouco afeita ao patriotismo, Aemer, naquele momento, sentiu orgulho de ser francesa.

A arrogância dos americanos e sua pretensão de impor ao planeta inteiro sua própria visão de mundo a revoltava. O convívio com os deuses sumérios confirmara-a na rejeição à unicidade. Para os arqueólogos, historiadores, antropólogos, filósofos e tantos outros, a unicidade é um crime contra a diversidade dos modos de ser e viver no mundo. A uniformidade era a morte da identidade, um mundo unipolar seria um mundo que teria "perdido o sul", ela gostava de dizer quando se entregava àquelas detestações.

"Aemer Arcy", leu, escarnecendo, o soldado de sotaque hispânico. Então, exibindo sua carteira profissional: "Sítio arqueológico de Uruk-Warka. Aemer Arcy. Ar-que-ó-lo-ga".

Um bobinho de nariz arrebitado, vermelho, cacarejou

olhando para os colegas a fim de avaliar o efeito do seu humor: "Nós também fazemos escavações!".*

"Escavações!", berraram os demais, chacoalhados por risos exagerados. "Boa essa, Elvis!"

Estavam relaxando, esquecendo-se de qualquer medida de segurança.

Aemer foi conduzida a um acampamento em efervescência, com tanques, *command-cars*, jipes entrando e saindo. Havia muitas mulheres soldados.

"Disso, pelo menos, tinham nos poupado até agora", resmungou Aemer.

"Como entrou no Iraque?", perguntou o oficial do serviço de inteligência.

Ela poderia lhe contar sobre Obeid, o *calculus* jogado na direção do avião, o pio do pintassilgo dos pântanos de Basra, a piroga, Hindi, a aldeia, Asma, Kalila, a investida dos fedaim de Hussein, os óculos de sol, a partida, sua vontade de fazer xixi, a granada que os salvara, a separação de Obeid e Hindi, sua detenção quando tentava chegar em Uruk. Ela contou. O oficial escutava, parecia que tinha todo o tempo do mundo. "E antes?", ele perguntou, quando ela terminou.

Antes? Era justamente do que Aemer era incapaz de se lembrar. Ele não acreditou. Como um oficial da inteligência poderia entender que não lembramos justamente daquilo que ele está tentando descobrir?

Antes? A pergunta, contudo, mexeu com Aemer. Fragmentos voltaram-lhe à memória: o avião, a queda desvairada, a cratera, o *calculus*, o contato com a peça de argila, a contagem regressiva e o zero explodindo em seus ouvidos, a deflagração, o sopro, a sensação de estar sendo projetada no solo.

Se ela lhe contasse, ele mais uma vez perguntaria: "E antes?". Mas esse antes estava bloqueado. Era impossível remontar no tempo desde a sua descoberta do *calculus* na cra-

---

* Em francês, *fouilles*, que tanto significa *escavações arqueológicas* como *revista, busca*. (N. T.)

254

tera até a sua chegada no aeroporto do Kuwait e sua partida para a fronteira iraquiana. Era impossível preencher essa lacuna.

O oficial da inteligência repetiu a pergunta com a paciência demonstrada pelos profissionais quando, para minar a vontade do suspeito, perguntam pela centésima vez a mesma coisa nos mesmos termos.

"Como é que você entrou no Iraque?"

"Como você", ela exclamou. "Atravessando a fronteira."

Ele caiu numa imensa gargalhada escrachada. Não a reteve por mais tempo, e forneceu-lhe inclusive um salvo-conduto para Warka.

Novas ondas de bombardeios ocorreram em Bagdá durante a noite.

Três divisões de blindados defendem Bagdá, as divisões Nida, Medina, Hamurabi. Desde o início da guerra, os bombardeios sobre a capital já teriam contabilizado 793 mortos e mais de 5 mil feridos entre a população.

A capital iraquiana continua coberta por uma espessa nuvem de fumaça preta causada pelas trincheiras de petróleo acesas pelos defensores da cidade.

O salvo-conduto fornecido pelo oficial da inteligência permitiu que Aemer chegasse em Uruk sem incidentes.

O sítio estava abandonado.

O fortim que havia alojado as diferentes missões alemãs de uns dez anos para cá estava deserto. Os vagonetes que serviam para remover os detritos estavam enferrujados. A decisão de ir embora deve ter sido difícil de tomar, refletiu Aemer.

A perder de vista, o deserto. E pensar que o Eufrates passava por ali, ao longo das muralhas, que o mar se achava a poucos quilômetros, que a cidade era cercada de jardins, canais e palmeirais. Falam no petróleo, esquecem das tamareiras, ela observou. Iraque, o maior palmeiral do mundo. O ouro negro, o ouro doce.

A primeira cidade da humanidade parecia estar muito só. Um velho que se aproximara em silêncio surpreendeu Aemer. Ela sobressaltou-se. Ele parecia vir de lugar nenhum. "Todos os outros se foram! E você, voltou. Está certo. *Zeina*, você está bonita como antes."

Aemer enrubesceu.

"Asmir!", ela exclamou.

"Está me reconhecendo?" Ele ficou orgulhoso.

Abraçaram-se. Aemer sentiu vontade de chorar.

Asmir trabalhava no sítio desde os quinze anos. Conhecia Uruk nos seus mínimos detalhes. Acompanhara as diferentes etapas do ressurgimento da cidade.

"Está tudo tão triste agora."

O que ela poderia responder?

"Você não pode ficar aqui. Venha, vou levá-lo para Samawa."

Samawa, pequena cidade próxima, estava ocupada por japoneses, soldados não combatentes. Aemer instalou-se num hotel triste, de que era a única hóspede. Ela estava desnorteada pela partida dos arqueólogos de Uruk.

A sua primeira decisão foi comprar um rádio.

Quarta-feira, 9 de abril, Bagdá caiu durante a manhã. Tão logo entraram na cidade, os tanques americanos rumaram para o Ministério do Petróleo a fim de assegurar a sua proteção.

Ela fez suas refeições no salão vazio do hotel.

Quinta-feira, 10. Os saqueadores estão invadindo o museu arqueológico de Bagdá. Postados em seu tanque na esquina da rua, os militares americanos não se mexeram.

Aemer resolveu retornar ao sítio de Uruk. Pegou um táxi e foi até lá pela manhã bem cedo. Caminhou ao longo do Eanna, ali onde haviam sido encontrados os mais antigos signos escritos. Aquilo sempre mexia com ela! Abaixou-se, juntou um punhado de areia. Glória ao vencedor! A argila desaparecera, a areia ganhara a parada. O táxi voltaria para buscá-la. Ela ia ficar uns dias ali. Mergulhada naquele passado, sentia que não envelhecia. Que o tempo, mesmo com o tráfego incessante de aviões fazendo vibrar o céu, havia parado.

Sexta-feira, 11. A despeito das intervenções da direção do museu arqueológico junto ao QG das forças americanas, as pilhagens se estenderam sob o olhar dos marines. Algumas admoestações bastariam para fazer cessar os saques ao museu, afirmaram os responsáveis pelo museu.

Depois de treze anos, Obeid retornava a Bagdá. Deixara a cidade no início da primeira guerra, e estava de volta no final da segunda.

Sua mãe o recebeu. Não tinha mudado, ainda estava bem jovem. Sem efusões. Estava tudo dentro dos seus olhos.

Obeid procurou o pai com o olhar. Ela contou que ele havia sido morto durante os primeiros bombardeios na cidade. Recusou-se a chorar, meu filho está de volta depois de tanto tempo, isso só pode ser uma festa que nada pode perturbar.

A refeição foi suntuosa. Os pratos preferidos de Obeid, aqueles com os quais sonhara durante anos.

Por um acordo implícito, tinham resolvido que aquela seria uma refeição de alegria. Ela estava inexaurível, queria contar-lhe tudo o que se passara durante a sua ausência. Deu-lhe notícias de cada um, dos sobrinhos, sobrinhas, tios, tias, amigos da família, colegas de museu, vizinhos, amigos do conservatório, os casamentos, os nascimentos. Para falar de alguém que havia morrido, ela dizia: "Ele foi embora". A grande novidade, que ela reservou para o final: acabava de ser reintegrada em seu cargo no museu arqueológico.

Antes de ir deitar-se, estreitou demoradamente Obeid em seus braços a fim de se assegurar de que era mesmo ele, que ele estava mesmo ali. Ele reconheceu o perfume dos cabelos dela.

Reencontrou seu quarto de rapaz, mal conseguindo recordar que havia sido estudante. O piano! Era tarde demais para tocar alguns acordes.

A manhã já ia bem adiantada quando ele acordou. Sua mãe deixara tudo preparado, como quando ele ia para o colégio. Havia um bilhete em cima da mesa: "Até à noite. Estou no museu".

A livraria do seu pai ficava na rua Mutanabi, a rua do mercado de livros. Um início de incêndio, a fachada danificada, mas não entrara ninguém; os vizinhos tinham cuidado para que fosse respeitada.

Obeid passou o dia lá dentro. Os livros tinham lhe feito falta, quase tanto quanto a música.

Havia muitos livros usados. Gostava mais deles que dos novos. A maioria era em árabe, mas também havia uns em inglês e... francês! Sentou-se, passou-os em revista. Ficou muito tempo à procura de um, sem sucesso.

À noite, em casa, continuou sua procura.

"Está procurando o quê, Obeid?

"Um livro. Deixe, mãe. Você está cansada."

Ela voltou um instante depois e lhe apresentou... Oh! não, *O pequeno príncipe*. Obeid ficou com lágrimas nos olhos. O seu pai o guardara a salvo. Passou a mão pela capa azul granulada. O seu pai lhe fazia uma falta terrível.

Seria preciso tempo, muito tempo, para se reacostumar com a vida "normal". Nos pântanos, as coisas andavam sozinhas. Aqui, cada gesto exigia dele um esforço.

Passeou pela rua Abu Nawas, *a* rua das galerias de arte. A maioria estava fechada. Quem pensaria em comprar um quadro hoje em dia? Um marine? Um bagdali?

A atmosfera, estragada pela poluição, estava pesada. Obeid acomodou-se na esplanada de um café no bairro Al-Khark, esgotado de tanto andar. Pediu um narguilé e álcool. Sua cabeça girava, tinha perdido o costume.

Não encontrou o caminho de volta para casa. Nos pântanos, ele se situava com uma simples olhada.

Sua mãe o aguardava, louca de preocupação. Ao ouvir seus passos na escada, abriu violentamente a porta.

"Escute, Obeid, passei anos pensando que você estava morto. Não me vá começar tudo de novo!"

"Começar o quê, mãe?

"Começar a morrer."

Ela se jogou nos seus braços soluçando, sem conseguir parar. Não tinha derramado uma só lágrima até então. A morte do marido, os bombardeios incessantes: ela agüentara firme, estóica. Ele a embalou.

Quando ela serenou, afastou-o, lançou-lhe um olhar severo. "Você bebeu?"

Ele enrubesceu: "Ah, só um pouco".

"Fez bem."

A Unesco acaba de estabelecer a primeira lista de objetos roubados durante as pilhagens ao museu arqueológico de Bagdá. Já é possível afirmar terem sido levadas duas peças de valor inestimável, um vaso de alabastro e a máscara de mármore da Dama de Uruk.

O arco da entrada, estilhaçado por um obus, levava as marcas da "batalha do museu", que, durante quatro dias, devastara o bairro central da capital. Os tijolos amarelos do edifício, que supostamente imitavam o estilo dos palácios abácidas, tal como o desejara Saddam Hussein, estavam descorados. Obeid foi até o edifício, agora rigorosamente vigiado por militares americanos. Sua mãe teve de vir buscá-lo na entrada. Revistaram-no antes de permitir que ele a seguisse.

Ela mostrou-lhe a sua sala, não contendo sua alegria por estar de volta àquele lugar do qual estivera afastada tantos anos devido à "indiferença" para com o regime.

Ela propôs que eles visitassem o museu.

Depois de um maremoto ou de um terremoto, estabelece-se a lista dos sobreviventes ilesos, dos feridos, dos mortos, dos desaparecidos. Depois de um saque também.

Cada peça trazida de volta ao museu causava uma onda de emoção entre os funcionários.

"Todo dia estão trazendo de volta peças roubadas. Os bagdali são mesmo formidáveis!", exclamou a mãe de Obeid. "As pessoas puseram as peças em lugar seguro, algumas até as compraram dos saqueadores. É sensacional, não é? Outras, simplesmente, roubaram e depois sentiram remorso. Chegam, pedem para falar com alguém do museu, depositam os objetos e vão embora sem dizer nada. Vou lhe mostrar a peça mais bonita que trouxeram."

Obeid a seguiu pelos andares. Degraus quebrados, corrimãos arrancados, vitrines vazias, expositores abandonados.

Ela abriu um cofre e tirou de dentro um objeto envolto num pano, tirou o pano. Uma máscara de mulher em mármore branco, a "Mona Lisa suméria"! "Tem cinco mil anos", ela explicou, "é a primeira vez na história que se representa um rosto humano." Orgulhosa: "E é um rosto de mulher".

Obeid não escutava, estava pasmo. A semelhança com Aemer era assombrosa. A Dama de Uruk! Sua mãe reparou na sua perturbação. Ela imaginava que depois de tantos anos lutando nos pântanos seu filho devia ter ficado com algumas seqüelas.

"Foi achada no jardim de uma casa da periferia."

Ela fechou o cofre. "Agora estamos convencidos de que havia profissionais entre os saqueadores."

Obeid não escutava. Seu pensamento estava nos pântanos. "Encontraram uns diamantes que permitiram que as vitrines fossem recortadas. Porém, as cópias facilmente acessíveis não foram sequer tocadas, e, pelo que pudemos saber, alguns saqueadores pareciam procurar peças muito precisas, que decerto haviam sido previamente indicadas. E há algo mais grave... ela abaixou a voz... as portas blindadas que protegiam certas reservas, das quais apenas três ou quatro pessoas de alto escalão tinham a chave, não foram arrombadas: os saqueadores possuíam as chaves."

"Aemer Arcy, telefone!"

Aemer enxugou as mãos, correndo até o aparelho que ficava à parte, na sala comum.

"Pensei que você estivesse morta."

Sylvere! Era bom ouvi-lo. Ela o abandonara um pouco, ultimamente.

"Eu disse que pensei que você estivesse morta."

"Eu o teria avisado, Sylvere."

Houve um vazio do outro lado da linha, em Paris.

"Estou indo", ele declarou.

"*Você está louco!*"

"Não mais que você, que resolveu ir quando a guerra estava por estourar."

"Vir aqui para quê?"

"Porque estou com vontade de ver você."

Houve um vazio deste lado da linha, em Uruk.

"Você se lembra, Sylvere, da nossa promessa? Um morre, o outro não. Aqui é perigoso."

"Cardiologista sem fronteiras, isso deve existir, não? A propósito, o seu *stent* está agüentando?"

O *stent*! Tinha se esquecido disso também. Estava ali, em pleno centro da sua artéria, para impedir que ela se fechasse, agora um vazio entre as paredes.

Um zero de vida!

Ela ia desligar. "Hã... Você poderia me mandar algum dinheiro? Vai achar umas pequenas economias na minha conta. Não posso mais comprar pilhas."

"Comprar o quê?"

"Pilhas, para o rádio", ela berrou no telefone.

Ouvido grudado no seu transistor, Aemer exultava.

Roubado no primeiro dia da pilhagem, um vaso de alabastro datado do III milênio foi entregue às autoridades do museu. "Infelizmente, foi quebrado durante o roubo", declarou um dos conservadores. "Vamos consertá-lo, como fizeram os artesãos sumérios vários milênios antes." Quando os arqueólogos o descobriram no tesouro do nível 3 de Uruk, observaram que o vaso havia sido quebrado e consertado com presilhas de metal.

Aemer caiu na risada. Estava ali, sozinha, no lugar onde o vaso havia sido fabricado. Oferecido à deusa Inanna, decerto, e depois quebrado, e consertado, e enterrado, e redescoberto, e exposto, e roubado, e novamente quebrado, e novamente consertado. Indestrutível.

O dinheiro enviado por Sylvere chegou com espantosa rapidez. Ele sempre achava um jeitinho! Agora que estava riquíssima, alugou uma velha picape toda vermelha. Ao acertarem o preço da locação, o garagista havia dito: "Se você tiver algum problema, conserto de graça". O que não aumentou a confiança de Aemer naquele veículo da terceira idade.

No porta-luvas, descobriu um mapa geográfico, estudou-o e resolveu dar uma volta pelos sítios da região. Sempre pensara em fazer isso, mas nunca surgira uma oportunidade.

Elaborou um pequeno trajeto. Descer pelo "colar sumério": Uruk, Larsa, Tell al-Ubeid, Ur, Eridu, Tell el-Lahm. Tornar a subir pela "pulseira": Lagash, Tello, Girsu, Umma.

Jogou seus poucos pertences numa sacola, entrou na picape. Nem um carro sequer na estrada. Mas um pesado trânsito no céu, enxames de helicópteros, e aviões, cargueiros pequenos e grandes.

Pouco antes de chegar à estrada nacional, avistou um homem, ao longe, vindo na sua direção. Reduziu a velocidade e então freou bruscamente. A picape derrapou, parou. Aemer desceu do carro, coração disparado, e pôs-se a correr.

"Obeid! Você me achou!"

Ele declarou, com firmeza: "Um ímã sempre acha uma agulha. Mesmo num palheiro".

"Obeid, Obeid!", ela murmurou, jogando-se nos seus braços.

"Pensei que..."

"Que eu estivesse morto?", perguntou Obeid.

"Que nada! Isso eu sentia que não, mas que você tivesse me esquecido."

"Você poderia me dar um único motivo para eu esquecê-la?", ele perguntou.

"Nenhum", ela respondeu, radiante. "Eu estava indo embora, vou levar você junto. Por cinco mil anos."

"Por alguns dias já está bem, vai!"

Ele jogou a mochila atrás, e subiu na picape.

"Por que você escolheu vermelho?"

"Para você enxergar!"

Olhavam ambos para a frente, como se a estrada retivesse toda a sua atenção.

Ela ia margeando o Eufrates.

"Falei sobre você com a minha mãe, contei para ela que, nos pântanos, eu tinha encontrado a Dama de Uruk. Ela me olhou achando que eu estivesse louco. Você sabia que era tão parecida assim com ela?"

"Você quer dizer que sou de mármore?"

A picape deixou a estrada nacional, virou à esquerda. Alguns instantes depois, estavam em Tell al-Ubeid.

O mais antigo sítio sumério, onde tudo começara.

"Está vendo, sou um menino velho", disse Obeid sorrindo. "Cinco mil anos."

Por toda parte, os cacos tinham dado lugar às latinhas de cerveja. A ferragem do exército de ocupação enferrujava debaixo do sol enquanto as peças arqueológicas escapuliam, ao sabor das pilhagens nos sítios. "O que os americanos e os sumérios têm em comum?", perguntou Aemer, à queima-roupa.

"Nada", respondeu Obeid.

"A cerveja! Do pífaro à latinha, cinco mil anos de história em terras mesopotâmicas."

Só chegaram em Ur no final do dia. Uma base militar cercada de arame farpado, a mais importante do país. Havia até um campo de prisioneiros. Um monstruoso tremor se fez ouvir.

"É um tanque Abram. Um canhão, três metralhadoras.

Anda mais rápido que a sua picape", calculou Obeid, conhecedor.

"Como você disse? Um tanque Abram?" Aemer teve um acesso de riso. "Caros ouvintes", ela exclamou em meio aos soluços, "o barulho que estão ouvindo é de um tanque Abram dirigindo-se para a tenda de um certo Abraão, de uma linhagem de pastores beduínos e profeta de profissão. Oh! Não, é horrível. O tanque está esmagando a tenda e as pessoas que dormiam nela. É o que no nosso jargão chamamos de CHOQUE de civilizações."

Anoiteceu rapidamente. Eles acompanharam, no escuro, o desaparecimento do zigurate. Afastaram-se, encontraram um lugar mais ou menos calmo, tiraram um cobertor da picape. A luz dos mirantes não os deixava sentirem-se isolados. Depressa se esqueceram dos arredores anacrônicos. Deitaram-se.

Obeid tirou a camisa de Aemer e fez o que ele mais tinha vontade desde que tinham se separado. Acariciou seu colo doce. Espanto e maravilhamento. Seus seios já não escapavam à "pegada". Ele endireitou-se num salto.

"Aemer, seus seios brotaram!"

"Não se diz 'brotaram', Obeid, se diz 'cresceram'. É, cresceram", ela confirmou.

"Por quê?", ele pressionou.

"Porque..." Pronto, já estou ficando vermelha, ela pensou. "Como dizer? Depois de umas semanas, sabe... a mulher... começa pelos seios e, um pouco mais tarde, a barriga é que... brota."

Ele olhou para ela sem dizer uma palavra. Súbito, com o semblante preocupado: "Será que não faz mal você andar de carro?".

Eles se levantaram antes do amanhecer, a noite havia sido agitada. Um acampamento militar não dorme nunca.

A fachada principal do zigurate estava orientada para o sol nascente; eles se sentaram bem defronte, Aemer com a cabeça no ombro de Obeid. Enquanto o alto do edifício ainda estava no escuro, acompanharam a lenta ascensão do sol, que galgava degrau por degrau da escadaria central, como num ritual. Lá no alto, invisíveis, Ishtar, Sin, An, Enlil, Ea lutavam para que não se rompesse o vínculo entre a Terra e o Céu. Os helicópteros, subitamente enfurecidos com o nascer do dia, pareciam moscas rodeando uma carniça.

A mais antiga cidade da história ocupada pelos soldados do mais moderno exército da história. O anacronismo tinha virado norma.

Ao voltarem para a picape, passaram em frente à "cova da morte". Ali fora efetuada uma das mais importantes descobertas da arqueologia suméria, a das tumbas reais de Ur. No início do século xx, C. Leonard Woolley tinha deparado, por acaso, com uma cova gigantesca contendo centenas de túmulos "habitados". Todo arqueólogo sonha em fazer, uma vez na vida, uma descoberta assim.

Um dos túmulos abrigava a rainha Puabi. Aemer detestava essa Puabi, com seu diadema de folhas de ouro, seus brincos de ouro, seus colares de ouro, que se fizera enterrar junto com suas servas. Haviam sido encontradas quatro mil anos depois, uma agachada à sua cabeceira, a outra aos seus pés.

"Imagine, essa serva! Vinte anos, vestindo seus mais lindos trajes, anunciando ao seu marido: 'Desculpe, querido, minha patroa morreu, preciso acompanhá-la! Dê um beijo nas crianças por mim'. Morre a rainha, finam-se as servas", exclamou Aemer, furiosa.

Nessas horas, Obeid adorava-a. Sua capacidade de se insurgir o comovia.

"Num outro túmulo", prosseguiu Aemer, dando uma de guia francesa, "havia nada menos que um carro. É, um carro de madeira com suas rodas, e o par de bois que o puxava! Sem esquecer os quatro palafreneiros para cuidar deles! Em outro túmulo, você vai gostar dessa, havia uma harpista, tocando a famosa lira com cabeça de touro que está no museu de Bagdá.

"E, o melhor, é o 'grande poço da morte'. Sessenta e oito

mulheres enfeitadas com suas jóias, como para uma festa! Ao lado de cada corpo, uma taça de veneno."

"Hoje em dia não é diferente", interrompeu Obeid. "Aqui, há vinte anos que ele nos arrasta para a morte. Todas as pessoas que morrem no Iraque são como essas servas. Saddam fabricou os túmulos, e nós os povoamos. A diferença com Puabi é que ele está vivo!"

Na terra, estão os túmulos, pensou Aemer. E também as raízes das árvores, a água dos lençóis freáticos, os minerais das minas, o petróleo dos poços, a lava dos vulcões, os movimentos do globo, os sismos. Meus Deus, como Aemer odiava a escala Richter!

Aemer não era dada a interpretações psicanalíticas. No entanto, não podia mais se negar a fazer a relação entre a sua "pulsão" arqueológica e o desaparecimento dos seus pais, soterrados por um terremoto e cujos corpos nunca haviam sido encontrados. Ela tinha dez anos.

Retomaram a estrada. As ferramentas, na traseira, faziam um ruído terrível.

"Que algazarra!", exclamou Obeid.

"Você lembra dessa palavra?"

"Sim, e de pooltrão também."

Lembraram-se de Hindi. Tinha sido morto poucas horas depois que eles se separaram ao deixarem os pântanos. Obeid não quis dizer mais nada.

"Você pode parar, por favor?"

Ela estacionou. Obeid afastou-se. Ela ligou o rádio, buscando notícias. Obeid voltou, rindo: "Cada vez que vou fazer xixi, lembro de você".

Ela olhou para ele, surpresa.

"A granada", ele recordou.

Caíram na risada.

"Pssiu! O noticiário."

Nesta data, quase mil peças arqueológicas roubadas nos diferentes sítios arqueológicos do país foram recuperadas.

"Maravilhoso!", exclamou Obeid. Aemer não disse nada. "Você não parece estar contente?"

"É claro que estou. Mas não é tão simples. Quando se encontra uma peça roubada que nunca foi identificada porque os saqueadores foram os primeiros a pôr as mãos nela, ficamos contentes, claro, mas sabemos que há informações que estão perdidas para todo o sempre."

"Não estou entendendo."

"Você não quer dirigir?"

Aemer acomodou-se no banco do passageiro, enquanto Obeid assumia o volante.

"Então o que você não está entendendo?", perguntou Aemer.

"Por que você faz uma cara feia quando acabam de recuperar mil peças roubadas em muitas partes do mundo?"

"Estou contente que as tenham recuperado. Só que quando você recupera uma peça extraída de um sítio por um saqueador, você pode analisá-la e descobrir quando ela foi fabricada, com que materiais, graças a que técnicas, mas não sabe de que lugar ela foi extraída, de que profundidade, de que estrato. Um dos meus amigos dizia que essas peças são 'órfãs de cronologia'. Na verdade, são 'objetos perdidos', não nos contam nada a não ser sobre si próprios, não nos ensinam nada sobre o período ao qual pertencem e, com isso, nada além deles nos fala sobre eles.

"Sobre as vacas, hoje em dia, fala-se em 'traçabilidade'. Sem sua traçabilidade, um objeto perde a maior parte do seu valor arqueológico. O que nós fazemos, Obeid, é uma arqueologia... de posição."

"É estranho", observou Obeid. "O que você está dizendo pode se aplicar a nós. Somos o que somos, mas, também e principalmente, de onde somos, de quando somos."

Retornaram a Samawa pelo lago Hammar. Desceram do carro e se embrenharam pelos pântanos. Não havia mais nada a temer. Os fedaim de Saddam Hussein estavam se escondendo. Obeid, mais uma vez, pensou em Hindi.

Súbito, ficou imóvel e segurou o braço de Aemer, fazendo um sinal para ela não se mexer.

Não vai começar tudo de novo!, ela pensou.

267

Ele pôs o dedo no ouvido dela, querendo dizer para ela escutar.

Ela não ouviu nada.

"O pintassilgo voltou."

Asmir esperava-os na entrada do hotel. Parecia enfurecido. "Faz horas que estou esperando", ele disse para Aemer.

"Como eu podia saber? E você está me esperando por quê?"

"Venha", ele respondeu, misterioso.

"Aonde vamos?"

"Venha, estou dizendo."

"Vou junto", propôs Obeid.

"Não precisa", ela respondeu, sentindo que Asmir queria que ela fosse sozinha.

Obeid desceu da picape, Asmir instalou-se no lugar dele. Deixaram a estrada, pegaram uma trilha e penetraram deserto adentro.

Conhecendo bem demais a capacidade dos beduínos de se manterem em silêncio, Aemer recusou-se a fazer perguntas para Asmir, sabendo que ele não responderia.

"Vamos parar aqui", ele anunciou, depois de uns instantes.

"Aqui?"

Havia apenas areia.

Ela hesitou.

"Aqui."

Ele desligou o motor. Aemer desceu do carro e o seguiu. Ela reparou nas marcas de pneu.

"Você não confia." Ele deu de ombros.

Ela não podia imaginar Asmir arrastando-a para uma armadilha. Mesmo assim, estava com medo. Poderia voltar sobre os seus passos, correr, subir no carro... Eles vão se jogar em cima de mim, me fazer de refém, pedir um resgate, e o coitado do Sylvere é que vai acabar pagando. Isso se me soltarem.

Alguns passos à sua frente, um aterro. Absorta em seu medo, ela não o notara.

Atrás do aterro, uma cova recém-aberta. No fundo da cova, um túmulo de pedra, semelhante àqueles descobertos no cemitério real de Ur.

Aquele lugar era inteiramente desconhecido para ela. Não era um sítio repertoriado. Existiam milhares como aquele, inexplorados.

Ela pulou dentro da cova.

O tampo do túmulo estava selado com um encaixe de betume. Ela pediu a Asmir para buscar as ferramentas que estavam na traseira da picape. Ele trouxe um macaco. Pacientemente, Aemer desselou o tampo, tomando todas as precauções para não danificá-lo.

Que tesouro aquele túmulo encerrava? Um tesouro parecido com o que Wooley descobrira!

Ela tentou erguer o tampo. Sozinha, jamais conseguiria. Asmir desceu na cova. Depois de vários minutos de esforço, conseguiram. O TÚMULO ESTAVA VAZIO. Aemer desfaleceu. Asmir amparou-a, apertando-lhe o ombro. Ele sorriu tristemente: "Está decepcionada?".

"Não, Asmir", ela conseguiu pronunciar, com um sorriso pálido.

Para qualquer outra pessoa, seria uma terrível decepção; para Aemer, foi a alforria.

No meio do deserto da Mesopotâmia, à beira das primeiras cidades da humanidade, ela acabava de encontrar o que havia tanto tempo buscava, um túmulo para os seus pais desaparecidos.

Aquele túmulo vazio, aquele zero de morte, a libertava.

Uma sensação de paz tomou conta dela. Seus pais teriam enfim uma sepultura.

Aemer estacionou a picape na frente do hotel, subiu a escadaria. Obeid a esperava, deitado sobre a cama.

"Você se ausentou por bastante tempo."

"Vinte anos."

Ela se deitou ao lado dele. O calor estava terrível. Ela fechou os olhos. Ele a viu pôr a mão sobre o peito. O *stent* estava fazendo o seu trabalho. Sentiu seu coração batendo calmamente. Estava começando a adormecer, quase feliz. Havia pagado a dívida do seu nascimento. De filha, finalmente, Aemer podia tornar-se mãe.

Mansamente, ela perguntou:

"Obeid, o que será de nós?"

"Não sei, mas se você quiser, ficaremos juntos."

Do aparelho programado para funcionar na hora do noticiário, ergueu-se uma voz que os despertou. Já anoitecera.

O projeto internacional "Eden Again", apoiado pela Unesco, visando à reconstituição dos pântanos do Sul do Iraque, acaba de ter início.

GLOSSÁRIO

Amarru:	oeste
Dilmin:	Bahrein
hammam:	banho turco
Haroun:	o bem-guiado
Idiqlat:	o Tigre
Magan:	Oman
Mar'tu:	Amorita, povo beduíno do oeste
Meluhha:	o vale dos Hindus
Nûr Marratu:	o mar do Sol nascente, o golfo arábico-pérsico
Mudhif:	construção tradicional feita de junco, que serve como local para eventos da comunidade, como casamentos, funerais etc.
Purratim:	o Eufrates
suks:	mercados cobertos dos países islâmicos

ESTA OBRA FOI COMPOSTA EM PALATINO PELO ESTÚDIO O.L.M. E IMPRESSA
EM OFSETE PELA GEOGRÁFICA SOBRE PAPEL PÓLEN SOFT DA SUZANO PAPEL
E CELULOSE PARA A EDITORA SCHWARCZ EM MARÇO DE 2008